GOLDMANN

Buch

Britisch-Indien 1946 – ein Jahr vor der Unabhängigkeit: Auf einer Ski-Freizeit in Kaschmir verunglückt eine ältere Dame tödlich. Janet Rushton, ihre junge Begleiterin, fühlt sich bedroht. Sie glaubt an einen Mord. Die englische Touristin Sarah Parrish beobachtet eine maskierte Gestalt, die sich nachts an Janets Fenster zu schaffen macht. Sarah vereitelt den Einbruch jedoch, und Janet vertraut ihr ein Geheimnis an: Sie und die Verstorbene gehören dem Geheimdienst an und warteten auf einen Agenten, der eine äußerst wichtige Botschaft aus dem Kaschmirtal herausschmuggeln soll. Irgend jemand scheint dies aber mit allen Mitteln verhindern zu wollen, denn mehrere Versuche, die geheimen Informationen weiterzuleiten, sind bereits fehlgeschlagen. Jedesmal ereignete sich ein mysteriöser Unfall...

Autorin

Mary Margaret Kaye wurde in Simmla, einer Stadt im Vorhimalaja geboren. Ihre Familie ist fest in Indien verwurzelt: Schon ihr Großvater war in Kolonialdiensten dort. Den größten Teil ihrer Kindheit verlebte sie in Indien, heute ist sie in ihre Heimat England zurückgekehrt. Spätestens seit dem »Palast der Winde« gehört M. M. Kaye zu den erfolgreichsten Schriftstellerinnen unserer Zeit. Auch ihr zweites Buch »Inseln im Sturm« war ein Beweis dafür, daß hier eine Erzählerin schreibt, die in einem Atemzug mit Margaret Mitchells »Vom Winde verweht« zu nennen ist.

Von M. M. Kaye sind außerdem als
Goldmann-Taschenbücher erschienen:

Tod in Kenia · Roman (6682)
Es geschah auf Zypern · Roman (6749)
Die Spur führt nach Berlin · Roman (8352)
Tod in Sansibar · Roman (6648)
[auch in Großschrift lieferbar (7237)]

M. M. KAYE

Vollmond über Kaschmir

Roman

GOLDMANN VERLAG

Aus dem Englischen übertragen von Ursula Kopsch-Langhein
Titel der Originalausgabe: Death in Kashmir

Zum ersten Mal erschienen 1953 unter dem Titel:
»Death walked in Kashmir«

Die überarbeitete Neuausgabe erschien 1983
im Verlag Allen Lane, London

Made in Germany · 5/86 · 3. Auflage

Umschlaggestaltung: Design Team München
Umschlagillustration: Enno Kleinert, München
Druck: Elsnerdruck, Berlin
Verlagsnummer: 6842
ES · Herstellung: Peter Papenbrok/Voi
ISBN 3-442-06842-8

Für
GOFF
und jenes reizende Tal

In herzlicher
Zuneigung

Inhalt

»Wer hätte nie vom
Kaschmir-Tale sagen hören?«

Thomas Moore, Lalla-Rookh

Vorbemerkung der Autorin

Als ich meine ersten Mordgeschichten oder »Thriller« schrieb, versuchte ich, jeden Tag mindestens zweitausend Wörter zu schreiben – Sonntage ausgenommen. Gelang es mir, diese Zahl zu übertreffen, so wollte ich mir den Überschuß für jene Tage gutschreiben, von denen ich wußte, daß mich irgendeine unumgängliche Verpflichtung oder eine gesellschaftliche Verbindlichkeit völlig vom Schreiben abhalten würde. Das war ein Teil meiner Methode, die Länge der einzelnen Kapitel einzuschränken und so die Gesamtlänge des Buches unter Kontrolle zu halten. Am Ende eines jeden Tages machte ich mir also eine Notiz über die Anzahl der geschriebenen und für gut befundenen Wörter. Aus diesem Grunde habe ich auch den Tag und den Anlaß genau registriert, an welchem ich das erste Mal meinem zukünftigen Mann, Goff Hamilton – damals Leutnant bei dem berühmten Grenzschutz-Regiment, dem Corps of Guides – begegnete.
Es war an einem Montagmorgen – das Datum war der 2. Juni 1941 –, und ich lebte zu jener Zeit in Srinagar, der Hauptstadt von Kaschmir, einem der entzückendsten Länder dieser Erde. Goff, der auf Kurzurlaub war und zum Angeln ging, war vorbeigekommen, um mir einen Brief zu übergeben, was er einem gemeinsamen Freunde versprochen hatte. Ich muß wohl auch an jenem Tage etwas geschrieben haben, denn ich arbeitete tatsächlich an meinem täglichen Pensum, als er ankam. Aber es gibt keinerlei Eintragung unter jenem Datum – beziehungsweise unter einer ganzen Reihe von Daten, die folgten.
Das Manuskript endete mitten in einem Kapitel. Denn nachdem ich geheiratet hatte, Mutter zweier Kinder geworden war, für das WVS und gleichzeitig für eine Propagandazeitung arbeitete und dabei in einem Zustand ständiger Angst

leben mußte, weil ich fürchtete, Goff würde nicht lebend aus Burma zurückkehren, blieb mir keine Zeit mehr dazu, Romane zu schreiben. Erst als der Krieg vorüber war und die Briten Indien verlassen hatten, die Radschas nur noch eine Erinnerung waren, als Goff, die Kinder und ich in einem Armeequartier in Glasgow lebten und kaum mit unserem Geld auskommen konnten, erinnerte ich mich, daß ich schreiben konnte, und fand, daß es höchste Zeit sei, das Familienbudget damit aufzubessern.

So grub ich eselsohrige, eingerissene Schulhefte wieder aus, in denen ich damals ein Buch mit dem vorläufigen Titel »There's a Moon Tonight« begonnen hatte.

Die zweieinhalb Kapitel, die in dem lange zurückliegenden Frühling in Kaschmir geschrieben worden waren, lasen sich gar nicht so schlecht, und schließlich verlegte ich die Handlung auf die letzten Monate der Kolonialzeit anstelle des ersten Kriegsjahres und schickte das fertige Manuskript mit einigem Bangen an einen bekannten Verleger in London; zu meinem Glück fand es Gefallen. Ich wurde nach London bestellt, wo ich jemandem von der Schriftleitung, einem gewissen Mr. Scott, vorgestellt wurde. Er galt als sachkundigste Person für mein Werk, da er, wie es hieß, »selbst ein wenig über Indien wußte«. Es stellte sich heraus, daß es eben der Paul Scott war, der schon drei Bücher über indische Themen geschrieben hatte und eines Tages »The Raj Quartet« und »Staying On« schreiben sollte, und schon, weil er einer meiner besten Freunde werden sollte, war mir das Glück an jenem Tage hold. Ich hoffe, daß es anhält und die Leser an dieser Geschichte Gefallen finden: einer Geschichte aus einer Welt, die längst vergangen ist und von einem Land, das unaussprechlich schön bleibt trotz der zwanghaften und unermüdlichen Anstrengungen der Menschheit, alles Schöne zu zerstören!

Teil 1

Gulmarg

»Die weißen Gipfel bewachen die Pässe wie ehedem,
Der Wind fegt über die Wüsten von Khorasan; –
Aber du und ich werden dort nimmermehr weilen.«

Laurence Hope, Yasin Khan

1

Später war Sarah nicht ganz sicher, ob es das Mondlicht oder das leise, flüchtige Geräusch gewesen war, das sie geweckt hatte. Das Zimmer, das außer dem matten und behaglichen Geflacker eines sterbenden Feuers dunkel gewesen war, als sie einschlief, war jetzt erfüllt von einem kalt schimmernden Licht. Und plötzlich war sie hellwach . . . und lauschte.
Es war kaum mehr als der Hauch eines Geräuschs, das von irgendwo außerhalb der Kiefernholzwände kam, die den isolierten Flügel des weitläufigen Hotels in separate Zimmerfluchten trennte. Ein schwaches, unregelmäßiges Kratzen, nur vernehmbar durch die intensive eiskalte Stille der Mondscheinnacht.
Eine Ratte, dachte Sarah, und entspannte sich mit einem kleinen Seufzer der Erleichterung. Es war widersinnig, daß ein so kleines Etwas sie aus dem Schlaf gerissen und in eine derart angespannte Wachsamkeit versetzt haben sollte. Ihre Nerven mußten außer Kontrolle geraten sein. Oder hatte vielleicht die Höhe etwas damit zu tun? Das Hotel stand mehr als achttausend Fuß über dem Meeresspiegel, und Mrs. Matthews hatte gesagt –
Mrs. Matthews! Als sei sie im Dunkeln gegen eine Steinmauer gelaufen, hielten Sarahs kreisende Gedanken mit einem schmerzhaften Ruck inne.
Wie hatte sie selbst beim Erwachen in jener kalten Nacht auch nur minutenlang die Sache mit Mrs. Matthews vergessen können!
Vor knapp einer Woche, in den ersten Januartagen, waren Sarah und an die dreißig begeisterte Skiläufer aus allen Teilen Indiens in Gulmarg eingetroffen, jener Handvoll Blockhäuser, die in einer grünen Mulde zwischen den Bergen des Pir Panjal liegt, mehr als dreitausend Fuß über dem legendä-

ren Tal von Kaschmir. Sie waren gekommen, um – wie die meisten glaubten – an der letzten Veranstaltung des Skiklubs von Indien teilzunehmen. Denn es war 1947, und das Datum für Indiens Unabhängigkeit – das Ende der Radschas und der Abzug der Briten – war auf das folgende Jahr festgesetzt worden.

Das schöne, von Bergen umschlossene Kaschmir war eines von Indiens vielen halb-unabhängigen Fürstentümern, die in Wirklichkeit »Protektorate« der indischen Regierung waren, beherrscht von erblichen Maharadschas, Nabobs, Radschas oder Ranas, die von einem britischen Gesandten »beraten« wurden. Obgleich dieser autonome Staat ringsum von hohen Bergen umgeben und damit relativ unzugänglich war, wurde er seit Jahrhunderten als ideale Heißwetter-Zuflucht vor den hitzeglühenden Ebenen angesehen. Die Großmoguln reisten zu ihrer Zeit auf Elefanten und Pferden oder in Sänften.

Die Briten taten es den Moguln gleich und machten es zu einem ihrer bevorzugten Tummelplätze. Weil der Staat ihnen aber nicht erlaubt hätte, eigenes Land in Kaschmir zu kaufen, pflegten sie dort ihre Ferien in Hausbooten auf einem seiner lieblichen Seen zu verbringen, in Zelten zwischen Kiefern und Deofars oder in gemieteten Blockhäusern von Gulmarg, das kaum mehr als eine grasbewachsene Mulde zwischen den Bergen ist, die das Tal überragt. Eine Mulde, die irgendein heimwehkranker Brite (möglicherweise ein Schotte?) in einen Platz mit einer Anzahl vortrefflicher Golfanlagen umgewandelt hatte, der im Winter und im Vorfrühling unter einer dichten Schneedecke lag.

Alljährlich während der letztgenannten Jahreszeit hielt der Skiklub von Indien eine oder mehrere seiner Zusammenkünfte in Gulmarg ab. Bei diesen Gelegenheiten war das weitläufige, eingeschneite Sommerhotel für die Mitglieder und ihre Freunde geöffnet. Wer immer es irgendwie einrichten konnte, hatte auch in diesem Jahr keine Ausnahme gemacht. Das Wetter war vortrefflich und die Gesellschaft überaus fröhlich gewesen – bis mit erschreckender Plötzlichkeit die Tragödie hereingebrochen war.

Mrs. Matthews – grauhaarig, gesellig, reizend – war zwischen den schneebedeckten Geröllblöcken am Fuße des Blue Run tot aufgefunden worden.
Bis zum späten Nachmittag des vorangegangenen Tages war sie nicht vermißt worden. Als die Dämmerung anbrach, fuhren die Skiläufer auf die einladenden Lichter des Hotels zu – stapften von den Idiotenhügeln herauf oder jagten herunter von den Schneefeldern des Khilanmarg, der hoch über Gulmarg liegt, wo die Kiefernwälder enden. Da hatte man noch angenommen, sie befände sich auf ihrem Zimmer.
Dort war sie jetzt. Sie hatten sie dorthin zurückgebracht und auf das Bett gelegt, und Sarah hatte sich verunsichert gefragt, ob die geringe Wärme des schmalen Zimmerchens genügen würde, um die furchtbare Steifheit aus diesen gefrorenen, verzerrten Gliedern fortzutauen.
Ein erschrockener Kuli, der Feuerholz zum Hotel brachte, war in der Dämmerung über die ausgestreckte Gestalt gestolpert, und Sarah hatte gesehen, wie man sie hereintrug: ein groteskes Durcheinander verrenkter Arme und Beine, die nicht mehr gebogen oder ordentlich gerichtet werden konnten.
Sarah hatte Mrs. Matthews gemocht – jeder mochte Mrs. Matthews – und der unerwartete Anblick ihres gefrorenen Leichnams hatte sie mit schaudernder Übelkeit erfüllt. Sie hatte sich dann frühzeitig zurückgezogen und war ohne Abendessen zu Bett gegangen, wo sie lange nicht hatte einschlafen können. Jäh wurde ihr dies alles wieder bewußt; ohne große Aussicht wieder in Schlaf zu sinken, solange das Zimmer im hellen Mondschein verblieb, lag sie da, und das leise kratzende Geräusch zerrte an ihren Nerven.
Seltsam, daß hier oben im Winter Ratten sein sollten, wo die Hütten so viele Monate lang verlassen und eingeschneit waren. Hatte sie nicht einmal irgendwo gelesen, daß sie extreme Kälte nicht vertrugen? Vielleicht waren die Ratten von Kaschmir anders . . . ! Sarah hustete, wälzte sich unruhig hin und her und fragte sich gereizt, was sie getrieben hatte, die Vorhänge zurückzuziehen. Vorher erschien es ihr ange-

nehm, nur so dazuliegen, in den Schnee und den nächtlichen Himmel hinauszuschauen. Aber sie hätte bedenken müssen, daß früher oder später der Mond auf die Veranda und in ihr Zimmerfenster scheinen würde.
Früher am Abend, als ihr die Atmosphäre des kleinen Schlafzimmers nach der frischen Nachtluft draußen eng und stickig vorkam, hatte sie ihre Badezimmertür weit geöffnet und die Verbindungstür zwischen beiden Räumen weit offengelassen. Aber die Scheite, die vor einigen Stunden im Kamin gelodert hatten, waren jetzt nur noch eine Handvoll grauer Asche, und es war sehr kalt im Zimmer.
Die Aussicht, aus dem Bett zu steigen, die Vorhänge zuzuziehen und das Badezimmerfenster zu schließen, war nicht angenehm, und Sarah erschauerte bei dem Gedanken. Doch jetzt begann sie, außer Kälte auch Hunger zu fühlen, und bedauerte, auf ihr Abendessen verzichtet zu haben. Aber da stand noch eine Dose Kekse auf dem Badezimmerbord. Sie konnte sich eine Handvoll davon nehmen, gleichzeitig das Fenster schließen und die Vorhänge zuziehen. Sie streckte eine widerstrebende Hand nach dem Pelzmantel aus, der ihr als Extradecke diente, wickelte ihn um ihre Schultern und schlüpfte aus dem Bett. Ihre weichen Lammfellhausschuhe waren eiskalt an den zusammengezogenen Zehen, aber sie machten kein Geräusch, als sie den Raum durchquerte und durch den offenen Eingang in das Badezimmer ging.
Die kleinen, holzverschalten Appartements in diesem Flügel des Hotels waren alle gleich. Jedes bestand aus einem Wohn-Schlafzimmer und einem schmalen, primitiven Bad, dessen Hintertür auf zwei oder drei flache hölzerne Stufen hinausging. Sie führten zu dem Weg hinunter, der von jenen Hotelangestellten benutzt wurde, die die Badezimmer zu reinigen oder heißes Wasser für die kleinen Zinkbadewannen hinaufzutragen hatten.
Sarah machte sich nicht die Mühe, das Licht einzuschalten, denn der Schnee reflektierte den kalten Mondschein und erfüllte so das kleine Bad mit hinreichender Helligkeit. Aber sie hatte kaum zwei Schritte getan, als sie kurz innehielt und

auf das kaum wahrnehmbare Geräusch, das sie für das Nagen einer Ratte hielt, horchte. Es hörte sich jetzt näher an – und es konnte unmöglich eine Ratte sein, denn Ratten nagten kein Metall. Sarah stand ganz still, hielt den Atem an und lauschte angestrengt. Da war es wieder! Ein so leises Geräusch, das sie nie gehört hätte, wenn Tür und Fenster nicht offengestanden hätten. Das verstohlene Raspeln einer Feile auf Metall. Diesmal gefolgt von dem schwachen Geklapper eines Fensterrahmens, obgleich kein Windhauch war. Und plötzlich wurde ihr klar, was es bedeutete: Irgend jemand draußen versuchte mit unendlicher Behutsamkeit einen Fensterriegel durchzufeilen. Nicht den ihres eigenen Fensters, denn das stand offen. Wessen dann?
Das Zimmer zu ihrer Linken war unbelegt, und das direkt daneben gelegene gehörte Major McKay vom indischen Gesundheitsdienst. Dieser hegte strenge Ansichten über den Wert frischer Luft und rühmte sich, bei jedem Wetter bei weit geöffneten Fenstern zu schlafen. Jene konnten es also nicht sein. Das Zimmer zu ihrer Rechten wurde von einer Miß Rushton bewohnt, einem Mädchen in den Mittzwanzigern. Zwischen Miß Rushtons und einem von Colonel Gidney belegten Appartement lag das Zimmer mit der Leiche von Mrs. Matthews.
Bei dem Gedanken an den verschlossenen Raum mit seiner stummen Bewohnerin schauderte Sarah. Sie biß die Zähne zusammen, um sie am Klappern zu hindern, und bewegte sich vorsichtig voran, bis sie flach an der Wand stand, von wo aus sie schräg durch das halboffene Fenster spähen konnte. Ein breiter Schattenstreifen lag auf dem Hang gegenüber und dem Pfad darunter, aber jenseits davon glitzerte strahlend der Schnee im Mondlicht, verdünnte die Schatten mit seinem Widerschein, so daß sie ganz deutlich die wackligen Holzstufen sehen konnte, die zu Janet Rushtons Badezimmertür führten.
Genau hinter jenen Stufen stand jemand: eine schattenlose Figur, deren Hände gegen das wettergebleichte Holzwerk schwarz erschienen und sich in der Höhe von Miß Rushtons

Fenster zu schaffen machten. Da lag auch ein metallenes Objekt auf dem Fenstersims – sie konnte es im Widerschein des Mondlichts glänzen sehen. Vielleicht eine Brechstange? Oder ein improvisiertes Einbruchswerkzeug?
Sarahs spontane Reaktion war blanke Wut. Nun war Mrs. Matthews keine zwölf Stunden tot, und schon brach so ein Unhold von Kuli aus dem Dorf oder ein unehrenhafter Hotelbediensteter ein, um die Habe der toten Frau zu stehlen! Denn natürlich handelte es sich darum, und der mutmaßliche Dieb hatte sich nur im Fenster geirrt. Miß Janet Rushton, das junge Mädchen nebenan, trug keinerlei Schmuck und schien kaum mehr als eine Garnitur Skibekleidung zum Wechseln mitgebracht zu haben; dies machte es höchst unwahrscheinlich, daß ein Gelegenheitsdieb die Mühe auf sich nehmen würde, ihre Fensterschließe durchzufeilen. Insbesondere da sie selbst, Sarah, – ein sichtlich gewinnbringenderes Opfer – ihr Fenster einladend offenstehen ließ!
Sie beschloß zu schreien und gegen das Fenster zu schlagen, überzeugt, daß dies mehr als genügen würde, den Dieb zu vertreiben. Doch als sie den Mund auftat, um diese lobenswerte Absicht auszuführen, drehte die Gestalt den Kopf, und ihr Schrei erstarb unausgestoßen: denn das Wesen hatte kein Gesicht . . .
Für einen Augenblick war es Sarah, als setze ihr Herzschlag aus. In der nächsten Sekunde wußte sie, daß sie jemanden erblickt hatte, der eine Maske trug: eine Kappe aus graugelbem Stoff, die Kopf und Nacken des Trägers vollkommen bedeckte und ausgeschnittene Löcher für die Augen hatte. In fast demselben Augenblick erkannte sie, daß das auf dem Fenstersims liegende Objekt, jenen zielbewußten Händen so nahe, eine Waffe war. Und auf einmal hatte sie Angst. Angst wie nie zuvor in ihrem zweiundzwanzigjährigen Leben.
Das war kein gewöhnlicher Dieb. Kein klauender Kaschmiri würde eine Maske oder Feuerwaffen tragen. Im übrigen, welchen Nutzen hätten solche Vorsichtsmaßnahmen gegenüber einer toten Frau? Demnach *mußte* Miß Rushtons Zimmer sein Ziel sein.

Sarah zog sich Schritt für Schritt vom Fenster zurück und erreichte wieder ihr Schlafzimmer. Ihr Atem ging heftig, als sei sie gelaufen, und es kam ihr so vor, als müsse man ihr Herzklopfen wie Trommelschläge in der Stille vernehmen. Janet Rushton . . . sie mußte Janet warnen . . . Ihre kalten Finger fummelten am Knopf der Verandatür und brachten es fertig, ihn umzudrehen. Ich darf nicht rennen, dachte sie, ich muß ruhig gehen. Ich darf kein Geräusch machen . . . Sie zwang sich, die Tür so langsam zu öffnen, daß es kein Geräusch verursachte.
Die schmale hölzerne Veranda, die an der Seite des Flügels entlanglief, erglänzte im Mondlicht. Draußen glitzerte ein Meer von Schnee wie poliertes Silber, gefleckt von der schwarzen Masse der Hauptgebäude des Hotels. An der Vorderseite fiel das Grundstück steil ab, bis es das mehr oder minder ebene Gelände der Golfanlagen und des *maidan* (ein offener Platz in oder nahe einer Stadt, eine Paradefläche) erreichte, hinter dem es wieder aufwärts strebte, um an die tintenschwarzen Schatten der Deodar-Wälder und den kalten Glanz des Nachthimmels zu stoßen.
Früher in der Nacht hatte es eine halbe Stunde geschneit. Auf den Verandageländern lag dicker Schnee, und eine Puderschicht verwehter Kristalle bedeckte die hölzernen Bodenbretter mit einem dünnen, zerbrechlichen Teppich, der unter Sarahs Hausschuhen knirschte. Das schwache Geräusch wirkte furchterregend laut in der gefrorenen Stille dieser schweigsamen, schlafenden Welt: »Laut genug, um Tote zu erwecken« . . . die Phrase schlüpfte ungebeten in ihren Kopf, und das Bild, das sie heraufbeschwor, war nicht angetan, ihre Spannung zu mildern.
Sie erreichte Janet Rushtons Tür und drehte an dem Griff – nur, um festzustellen, daß die Tür verschlossen war. Aber entweder war Miß Rushton schon wach, oder sie war eine außergewöhnlich leichte Schläferin, denn Sarah vernahm innerhalb des Zimmers ein kurzes Geraschel, wie wenn sich jemand im Bett plötzlich aufgerichtet hätte. Leise, aber drängend, klopfte sie gegen die rohe Holzfüllung der Tür. Es kam

keine Antwort; doch wie gestört durch das Geräusch, löste sich vom Dachrand eine überhängende Schneemasse und fiel mit einem sachten Plumps auf den Boden unterhalb des Verandageländers und versetzte ihr Herz erneut ins Rasen. In einem neuerlichen Anfall von Panik packte sie den Türgriff und rüttelte heftig an ihm.
Aus dem Inneren des Zimmers war eine flüchtige Bewegung zu vernehmen und nach einem Augenblick eine atemlose Stimme: »Wer ist da?«
»Ich bin's – Sarah Parrish!« wisperte Sarah rasend vor Angst. »Öffnen Sie die Tür. Rasch! Beeilen Sie sich!«
Sie hörte einen Riegel, der zurückgeschoben, und einen Schlüssel, der im Schloß bewegt wurde. Die Tür ging um wenige Zentimeter auf; ein schmaler Spalt der Schwärze in der mondüberfluteten Veranda. Janet Rushtons Stimme, neugierig gespannt und atemlos, sagte: »Was ist los? Was wollen Sie?«
»Pssst!« flehte Sarah eindringlich. »Machen Sie keinen Lärm! Da versucht jemand, durch Ihr Badezimmerfenster einzusteigen. Sie müssen da heraus. Schnell! Er kann inzwischen drinnen sein! Ich sah ihn – es . . .«
Janet Rushton sagte immer noch nichts, und Sarah, deren Panik sich plötzlich mit Gereiztheit mischte, stieß mit aller Kraft gegen die zugehaltene Tür und trat über die Schwelle.
Eine Hand ergriff ihren Arm und zerrte sie in die Finsternis hinein. Sie hörte, wie die Tür hinter ihr geschlossen wurde und das Raspeln eines zugeschobenen Riegels. »Bewegen Sie sich nicht!« raunte eine Stimme neben ihr – eine Stimme, die sie nie als die der fröhlichen und geselligen Miß Rushton erkannt haben würde, und im nächsten Augenblick wurde ihr etwas Kaltes, Hartes seitlich gegen den Hals gedrückt. Ein kleiner, eiskalter Metallring.
Sarah stand ganz still, vor Entsetzen starr, indes in der Dunkelheit mit rascher, aber erschreckender Gründlichkeit eine Hand über ihren Körper fuhr. Dann kam ein knappes Keuchen, fast wie vor Erleichterung. »Jetzt sagen Sie mir, was Sie wollen«, wisperte die rauhe Stimme.

Sarah berührte ihre trockenen Lippen mit der Zunge. »Ich hab's Ihnen doch gesagt. Da versucht jemand, durch Ihr Badezimmerfenster einzusteigen. Um Christi willen, hören Sie auf, den Narren zu spielen, und lassen Sie uns von hier verschwinden!«

Der kalte Metallring bewegte sich nicht, doch in der folgenden Stille kam von irgendwo außerhalb des Gebäudes ein schwaches und nicht identifizierbares Geräusch, und plötzlich ließ der kalte Druck nach. Es gab eine flüchtige Bewegung in der Dunkelheit neben ihr – und Sarah war allein. Sie hörte eine Tür aufgehen und irgend jemanden in dem dunklen Badezimmer gegen einen Stuhl stolpern. Sie drehte sich um, fand den Weg zum elektrischen Schalter und drückte ihn herunter.

Das spärliche gelbe Licht einer einzelnen abgeschirmten Glühbirne erhellte das Gegenstück zu den nackten Holzwänden und schäbigen Gebrauchsmöbeln ihres eigenen Zimmers. Es schien herab auf ein schmales, zerwühltes Bett, erzeugte ein Aufblitzen der Kufen von einem Paar Schlittschuhen, die auf dem Fußboden lagen, erhellte die dünnen Umrisse der Skier, die am Schrank lehnten, und blitzte schwach an dem matt polierten Lauf der Waffe in Janet Rushtons Hand.

Sarahs Augen, verengt durch das plötzliche Licht, hoben sich langsam von der kleinen, häßlichen Waffe zu dem Gesicht des Mädchens, das im Badezimmereingang stand und sie beobachtete.

Janet Rushton war ein attraktives Mädchen, ein Freilufttyp, deren gutes Aussehen mehr in frischen Farben und reichgelocktem Blondhaar als in der Regelmäßigkeit der Gesichtszüge lag. Jedoch war keine Spur von Niedlichkeit in dem Gesicht, das über dem schimmernden Lauf der kleinen Automatik Sarah entgegenstarrte. Die blauen Augen waren hart und unerschütterlich in einem Antlitz, so weiß und hager, so voller Furcht und Verzweiflung, daß es fast unkenntlich war.

Sie kam ins Zimmer herein, zog mit der freien Hand, ohne den Blick von Sarah abzuwenden, die Tür hinter sich zu und sagte gedämpft: »Es *war* jemand da. Der Fensterriegel war durchgefeilt, und es waren Spuren im Schnee. Doch wer es auch war, er muß uns gehört haben und ist verschwunden. Was ist passiert? Wer war es?«

»Wie, zum Henker, soll ich das wissen?« fragte Sarah hitzig. Sie war erschütterter, als sie es je für möglich gehalten hätte, und ihre Panik wich rasch dem Zorn. »Ich ging in mein Badezimmer, um Kekse zu holen, und hörte draußen ein Geräusch. Ich hatte es schon vorher gehört und dachte zuerst, es sei eine Ratte; doch es war jemand, der Ihr Fenster zu öffnen versuchte, und . . .«

»*Wer* war es?« unterbrach sie Miß Rushton mit hartem Flüstern.

»Ich hab's Ihnen schon gesagt! Ich habe keine Ahnung!«

»War es ein Mann oder eine Frau?«

»Warum, äh –« Sarah überlegte, runzelte die Brauen, und nach einem Augenblick des Nachdenkens sagte sie langsam: »Ein Mann – glaube ich. Ich weiß es nicht genau!«

»Sie *wissen* es nicht? Aber das ist absurd! Draußen ist es fast taghell.«

»Ja, ich weiß. Aber sehen Sie, er – es – war im Schatten und eng an der Mauer. Dennoch kam es mir nicht so vor, als ob es eine Frau gewesen sei. Ich dachte, es sei irgendein Kuli oder ein Hoteldieb, der die Absicht habe, Mrs. Matthews Zimmer auszurauben, und sich im Fenster irrte.«

»Warum nehmen Sie gerade das an?« Die Frage war ätzend vor Argwohn.

»Was sollte ich sonst annehmen?« zischte Sarah gereizt. »Niemand wird wahrscheinlich viel Aufhebens machen, wenn die Hälfte von Mrs. Matthews Besitztümern gestohlen ist, weil bestimmt niemand in der Lage ist, zu sagen, was vermißt wird. Sie können mir nicht erzählen, irgendein Gelegenheitsdieb würde sich die Mühe machen, Ihr Fenster aufzubrechen, wenn das meine bereits offensteht. Natürlich dachte ich, es sei Mrs. Matthews Zimmer, auf das er es abgesehen hat! Ich wollte gerade schreien und ihn verjagen, als . . . als . . .« Sarah erschauerte so heftig, daß ihre Zähne aufeinanderstießen.

»Als was? Warum haben Sie es nicht getan?«
»Er – es – drehte den Kopf, und es hatte kein Gesicht.« Sarah überkam erneut ein Schaudern. »Ich meine, es trug eine Art von dicht sitzender Kappe mit Schlitzen für die Augen, und es hatte eine Waffe. Ich – da wußte ich, daß es kein gewöhnlicher kleiner Dieb sein konnte, und war vor Schreck fast von Sinnen. Alles, was ich denken konnte, war, Sie aus Ihrem Zimmer rauszuholen, bevor das Subjekt hineinkam. Und«, schloß sie stürmisch, während Erbitterung und Zorn sie erneut übermannten, »alles, was ich für meine Mühe erhielt, war eine gegen mich gerichtete Pistole!«
Janet Rushton stieß hörbar den Atem aus und ließ die Pistole in die Tasche des Mantels gleiten, den sie über dem Pyjama trug. Unsicher sagte sie: »Ich – es tut mir entsetzlich leid. Es war schrecklich dumm von mir. Ich fürchte, ich habe den Kopf verloren. Aber ich ... Sie haben mich erschreckt. Ich bin in diesem Lande immer nervös – insbesondere in einem Hotel. Ich fühle mich sicherer, wenn ich eine Pistole bei mir habe, und ich –«
»Blödsinn!« unterbrach Sarah knapp. »Sie gehören nicht zu dem nervösen Typ. Ich habe Sie Ski laufen sehen! Hinter alldem hier steckt etwas sehr Merkwürdiges, und es gefällt mir nicht. Was geht hier vor?« Miß Rushton wurde abwechselnd rot und blaß, vielleicht noch blasser, als sie zuvor schon gewesen war. Sarah wurde jäh von Gewissensbissen heimgesucht: das Mädchen sah so erschöpft und verzweifelt aus. Ihr Zorn verebbte, und sie lächelte unerwartet in das mitgenommene Gesicht: »Tut mir leid. Ich hab's nicht bös gemeint, und ich wollte auch nicht wie ein Elefant in den Porzellanladen platzen – aber irgendwie habe ich den Eindruck, daß Sie in der Klemme stecken. Stimmt's? Also, wenn Sie Hilfe brauchen, hier bin ich. Weinen Sie sich ruhig an meiner Schulter aus, und nebenan habe ich Aspirin und ein Fläschchen Riechsalz. Das steht alles zu Ihrer Verfügung. Wir wollen versuchen, das Beste zu tun.«
Sie war erleichtert, zu sehen, wie ein Lächeln als Antwort den gespannten Ausdruck auf Miß Rushtons Gesicht ver-

trieb. »Das ist nett von Ihnen – in Anbetracht des hysterischen Empfangs, den ich Ihnen bereitet habe«, räumte Janet ein. »Vielen Dank, daß Sie gekommen sind. Ich kann mich nicht genug dafür entschuldigen, Sie so behandelt zu haben, aber schauen Sie, ich hatte – ich hatte letzthin allerlei Aufregung. Oh, es ist nur eine rein persönliche Angelegenheit – aber . . . Also, vermutlich hatte ich ein wenig die Nerven verloren. Ich war noch halb im Schlaf, als ich aus dem Bett kam, und ich merkte nicht, wer Sie waren, als Sie im Dunkeln in mein Zimmer platzten. Es war ein bißchen entnervend, wissen Sie. Ich . . . ich weiß nicht, was Sie von mir denken müssen.«
Die Stimme schien ihr zu versagen. Sie machte ein paar ruckartige Schritte zum nächsten Stuhl und sank abrupt darauf nieder, als trügen ihre Beine sie nicht mehr. Dann nahm sie sich eine Zigarette aus einer Schachtel, die neben ihr auf dem Tisch stand und sah sich suchend nach einem Streichholz um.
Sarah reichte ihr die Streichholzschachtel, die auf dem Kaminsims stand, und sagte leichthin: »Sie lügen sehr schlecht, wissen Sie. Trotzdem, wenn das Ihre Geschichte ist, bleiben Sie dabei. Ich mache jetzt Feuer und warte, bis Sie Ihre Zigarette geraucht haben. Anschließend, wenn Sie sich wieder besser fühlen, gehe ich auf mein Zimmer zurück.«
Sie begann, Tannenscheite und Kiefernzapfen auf die noch leise glimmende Asche im Kamin zu häufen und blies sie zu einer Flamme an, während Miß Rushton mit unsicheren Fingern die Zigarette ansteckte und schweigend rauchte.
Sarah legte noch ein paar trockene, aromatische Deodarscheite auf das Feuer und hockte sich davor. »So, das wär's. In ein oder zwei Minuten gibt das ein wunderhübsches Feuer. Schade, daß wir keinen Kessel haben. Sonst würde ich uns ganz romantisch eine Tasse Tee machen.«
Janet gab keinen Kommentar. Sie hatte Sarah beim Feuermachen beobachtet: sie intensiv studiert. Jetzt zerdrückte sie das Ende ihrer Zigarette im Aschenbecher, kam auf die Beine, ging zur Feuerstelle hinüber, stand gegen den Kaminsims

gelehnt und starrte in die hell lodernden Flammen. Gleich darauf sagte sie abrupt: »Warum glauben Sie, daß ich lüge?«
Sarah lehnte sich gegen die Armlehne eines Sessels und blickte mit entwaffnendem Lächeln zu ihr hoch. »Ich glaube es nicht, ich weiß es.«
»Was meinen Sie?«
»Wollen Sie es wirklich wissen?«
»Ja, gewiß.«
»Nun, ich bin keine komplette Idiotin, und wie Sie bereits feststellten, ist es draußen fast taghell – und Sie haben durch den Türschlitz einen ausgiebigen Blick auf mich geworfen! Halb im Schlaf – wer's glaubt! Sie wußten ganz genau, in wen Sie Ihren Revolver hineinstießen, und – na ja, ich bin halt neugierig. Das ist alles.«
Das blasse Gesicht über ihr errötete schmerzvoll im glänzenden Feuerschein, und Sarah sagte zerknirscht: »Das war roh von mir. Verzeihen Sie. Sie brauchen mir nichts zu erzählen, wenn Sie nicht wollen, und falls Sie sich jetzt besser fühlen, gehe ich wieder zu Bett. Wenigstens sollte diese Geschichte beim Frühstück jedem was zu lachen geben!«
Sie stand auf und streckte ihre Hand aus: »Gute Nacht.«
Janet Rushton blickte von der ausgestreckten Rechten zu Sarahs Gesicht und wandte sich ab, um den kleinen chintzbezogenen Armsessel heranzuziehen. Sie setzte sich wieder und sagte stockend: »Gehen Sie jetzt noch nicht . . . bitte! Ich – ich wäre Ihnen sehr dankbar, wenn Sie noch ein wenig länger blieben und nur . . . nur mit mir sprächen, bis ich mich ein bißchen beruhigt habe. Sie wissen nicht, was für eine Erleichterung es bedeutet, sich zurückzulehnen und jemand anderem zuzuhören, anstatt hier allein zu sitzen – und darüber nachzudenken . . . Übrigens, auf den Schreck mit dem Dieb könnte ich jetzt alles andere als schlafen. Also, falls Sie noch ein wenig bleiben könnten . . .?«
»Natürlich«, stimmte Sarah fröhlich zu, nahm ihren Platz am Fußboden wieder ein und schlang die Arme um ihre Knie. »Was hätten Sie gerne von mir gehört?«

»Etwas über Sie, glaube ich.« Janets Stimme klang wieder völlig ruhig.
»Meine Lebensgeschichte? ›Ich über mich‹: das bevorzugte Thema der Menschheit. Ich fürchte, sie ist nicht gerade fesselnd, doch Sie sollen sie hören wie sie ist. Also um den Anfang zu machen – ich bin, wie die meisten von uns, eine englisch-irisch-schottisch-walisische Promenadenmischung. Heutzutage faßt man das ja – um Zeit zu sparen – als ›Britisch‹ zusammen. Aber zunächst wurde ich in Kairo geboren, denn Papa war im Auswärtigen Dienst, und er und Mutter waren damals eben dort. Ich habe sogar eine vage Erinnerung, wie ich – auf dem Rücken eines Kamels vor meiner Mutter sitzend – um die Pyramiden geschaukelt wurde. Ich glaube, ich war damals drei, und ... Aber vielleicht sind Sie selbst schon in Ägypten gewesen?«
»Noch nicht, aber es gehört zu den Ländern, die ich immer schon besuchen wollte – seit ich von Tut-ench-Amuns Grab gehört habe, als ich auf der Grundschule war.«
»Ich habe ebenfalls die Absicht, eines Tages dorthin zurückzukehren. Um all die Dinge zu sehen, die ich versäumte. Ich erinnere mich weit besser an Rom, weil ich schon älter war, als mein Vater dorthin versetzt wurde, und ich habe auch noch nicht all mein Italienisch vergessen – und alle die anderen Sprachen, die ich in den verschiedenen Schulen für ›Außenministeriums-Kinder‹ gelernt habe. Es war ein wunderbares Leben für ein Kind. Ich könnte mir kein besseres denken, und ich wünschte nur ... Nun gut, ich nehme an, daß keiner der Orte, an die ich mich erinnere, noch so ist, wie er vor dem Kriege war. Wie ja auch Wien nach dem Ersten Weltkrieg nicht mehr dieselbe Stadt gewesen ist! ›Babylon, die Große, ist gefallen, ist gefallen ...‹« Sarah seufzte und senkte ihr Kinn auf die gefalteten Hände.
»Sie hatten Glück«, stellte Janet fest. »Mein Vater war bei der Indischen Armee, und so wurden meine Brüder und ich wie die meisten ›Kinder der Radschas‹ sehr früh nach Hause verschifft, um ›erzogen‹ zu werden. Tony, John und Jamie sehr viel eher als ich. Danach sahen wir unsere Eltern nur

ungefähr alle zwei Jahre, bis die Schulzeit zu Ende war und wir hierher zurückkamen. Sind Sie niemals auf eine Internatsschule in England gegangen?«

»Doch, aber nicht bevor ich vierzehn war. Das war, weil ... Nun, meine Eltern wurden verpflichtet, nach Amerika zu gehen, und sie nahmen mich mit, wie sie es immer taten. Aber es – es war das Jahr, in dem der Krieg ausbrach. Wir waren in jenem Sommer auf Urlaub in England gewesen und segelten zu Beginn des September auf der *Athenia.*«

»Die *Athenia*? Aber wurde sie nicht –« Janet stockte abrupt, und Sarah nickte.

»Ja. Sie wurde am Tage, nachdem der Krieg erklärt worden war, torpediert, und – meine Eltern gingen mit ihr unter. Es waren nicht genügend Rettungsboote vorhanden, wissen Sie.«

Ein Holzscheit zerbarst zur Flamme, das Feuer loderte und prasselte fröhlich.

Janet sagte: »Es tut mir leid«, und Sarah stieß einen kleinen Seufzer aus.

»Mir auch. Es schien solch eine ... solch eine sinnlose Vergeudung. Sie waren beide so ... Na ja, hiermit hatte ich meine Schulzeit in einem Internat in Hampshire beendet, denn Papa war es gelungen, mich mit einer Menge anderer Kinder in ein Rettungsboot zu werfen, und wir kamen alle gerettet und seekrank nach England zurück, wo ich von meinen Großeltern aufgenommen und schließlich zu Großpapas alter Schule geschickt wurde. Während ich dort war, wurde sie zweimal bombardiert. Das erste Mal wurden wir in zwei Flügeln irgendeines staatlichen Heims untergebracht, und, als dies auch zerstört wurde, in einer Brutstätte von Nissenhütten (halbrunde Wellblechbaracken), wo es sehr viel wärmer war. Dann, als ich knapp siebzehn war, ging ich von dort weg und trat in die WRAF (Women's Royal Army Forces), den weiblichen Armeedienst, ein. Letztes Jahr wurde ich demobilisiert, und da ich unser Empire sehen wollte, bevor es endgültig verschwunden ist, nahm ich die Gelegenheit wahr, hierherzukommen, als meine Tante Alice vorschlug, ein paar Monate bei ihnen zu verbringen.«

»Was hat Sie veranlaßt, nach Gulmarg heraufzukommen?«
»Was? Natürlich das Skilaufen. Was sonst? Vor dem Krieg gingen wir während der Winter- und Frühjahrsferien immer Skilaufen, und ich bekam meine ersten Paar Skier, bevor ich fünf war. Als die Creeds mir von diesem Treffen erzählten und mir anboten, mich hin und zurück in ihrem Wagen mitzunehmen, konnte ich nicht widerstehen. Ich hatte Angst, ich könnte das Skilaufen verlernt haben, aber Gott sei Dank scheint es zu den Dingen zu gehören, die man nicht vergißt – wie das Fahrradfahren.«
»Wer sind Ihre Tante und Ihr Onkel?« fragte Janet.
»Die Addingtons. Tante Alice ist Mutters älteste Schwester, und Onkel Jack hat im Augenblick das Kommando der Peshawar-Brigade. Sie haben sie vermutlich schon mal gesehen?«
»Ja«, sagte Janet langsam, »sie waren letztes Jahr hier oben. Ich wunderte mich schon, woran mich Ihr Name erinnert – es war natürlich Ihr Onkel. Ich saß letztes Jahr bei einer Dinner-Party neben ihm und er erwähnte Sie. Sie haben sich im Krieg anscheinend recht verdient gemacht.«
»Nicht mehr als sonst jemand im weiblichen Armeedienst«, sagte Sarah mit einem Lachen. »Das ist nur Onkel Jack, der die Familientrompete bläst. Er war seinerseits nicht allzu schlecht, was mit einer Spange zu seinem DSO (... Orden) nach El-Alamein und einer weiteren nach Burma dekoriert wurde. Ich erhielt nur die gewöhnliche Dienstmedaille.«
»Plus einem Offizierspatent in Rekordzeit«, merkte Janet nachdenklich an.
Sarah errötete lebhaft. »Nun ... ja. Und da dies mehr oder weniger unsere Sendung von Radio Parrish abschließt, gehe ich jetzt lieber. Das heißt, falls Sie sich nun etwas weniger angegriffen fühlen.«
»Ich denke schon«, gestand Janet zu, »aber falls es Ihnen nichts ausmacht, noch etwas länger zu bleiben, möchte ich Ihnen gerne etwas erzählen. Vermutlich sollte ich das nicht, aber so, wie die Dinge jetzt liegen, ist es wohl besser, Sie etwas neugierig werden zu lassen – und möglicherweise jedem ›was zu lachen zu geben‹ mit der Geschichte von heute

nacht. Übrigens, Gott weiß, daß ich Hilfe brauche – in dieser Beziehung hatten Sie recht.«

Sarah warf ihr einen verwirrten Blick zu, gab ihre Absicht zu gehen auf und lehnte sich mit einer sonderbaren Mischung aus Erwartung und Besorgnis zurück. Janet schien indes keine Eile zu haben, anzufangen. Dafür wendete sie den Kopf und sah sich forschend um, wie um sicherzustellen, daß keine dritte Person im Zimmer anwesend sei. Sarah folgte ihrem Blick, verweilte an der Tür, die in das dunkle Badezimmer führte, dem gegenüber die langen Schatten der hohen, gewachsten Skier lagen. Die schweren Vorhänge vor den Fenstern hingen still und weich im Feuerschein, und der bedruckte Pergament-Lampenschirm warf einen runden Schatten zur holzverschalten Decke hinauf. Die unvermittelte Stille in dem kleinen Raum war bedrückend. Sarah hatte die spontane und beunruhigende Vorstellung, daß die kalte, schweigende Nacht und die vereisten Schneehänge näher an die Außenwände herangekrochen waren, um zu lauschen.

Die Flammen wisperten und flackerten in der Stille, und ein Tropfen Feuchtigkeit fiel vom Schornstein herunter und ließ die glühenden Scheite aufzischen.

Miß Rushton erhob sich steif, ging zur Badezimmertür hinüber, langte hinein und schaltete das Licht an. Als sie sie wieder schloß, stand sie einen Augenblick da und sah sie nachdenklich an. Sarah, die sie beobachtete, entsann sich, daß ihre eigene Badezimmertür, mit einer Senkklinke an lockerem Griff befestigt, nur von der Schlafzimmerseite her geöffnet werden konnte, wohingegen die entgegengesetzte Seite mit einem Riegel versehen war. Janet ließ die Klinke ins Schloß fallen und kam zu ihrem Sessel zurück: »Ich sage Ihnen dies«, sagte sie leise, »weil – nun, zum einen, weil ich mich veranlaßt fühle, Ihnen etwas mitzuteilen, und zu hundemüde bin, um mir eine Lüge auszudenken, die wasserdicht wäre. Und zum andern, weil ich es gerne jemanden wissen lassen möchte für den Fall, daß mir etwas passiert.«

Sie hielt inne, als habe sie alles erklärt, und Sarah sagte scharf: »Was meinen Sie? Was könnte Ihnen passieren?«

»Ich könnte sterben – wie Cousine Hilda.«
»Cousine Hilda? . . . Oh, Sie meinen Mrs. Matthews. Ich vergaß, sie war eine Verwandte von Ihnen. Kein Wunder, daß Sie verstört sind. Es war wirklich gräßlich. Aber das ist kein Grund, sterbenskrank zu werden. Schließlich war es ein Unfall, der nur alle Jubeljahre einmal passiert.«
»Es war kein Unfall«, sagte Janet Rushton ruhig und sehr bestimmt.
»Was, um alles in der Welt, meinen Sie?«
»Ich will damit sagen, daß Mrs. Matthews ermordet wurde.«
Die Nacht, die Stille und die schneebedeckten Hänge schienen einen sachten Schritt näher gekommen zu sein und atmeten um den isolierten Flügel des dunklen Hotels, und die kleinen Flammen, die um die Deodar-Scheite raschelten, flüsterten . . . »ermordet« . . . »ermordet« . . . »ermordet«.
»Das ist lachhaft«, ereiferte sich Sarah entrüstet. »Major McKay ist Arzt, und er hat gesagt, es war ein Unfall. Er sagte, sie muß auf dem matschigen Schnee ausgeglitten und im Fallen mit dem Kopf gegen jene Felsbrocken gestoßen sein.«
Dennoch, unerklärlicherweise glaubte sie ihren eigenen Worten nicht. Irgend etwas an Janet Rushtons unglaublicher, nüchterner Feststellung hatte allem gesunden Urteilsvermögen entgegen – etwas Überzeugendes gehabt.
»Ich weiß, was er sagte. Aber er hat unrecht. Ich weiß, daß sie ermordet worden ist. Schauen Sie, wir hatten schon seit einiger Zeit Angst davor.«
»*Wir?*«
»Mrs. Matthews und ich.«
»Aber – aber . . . Oh, ich weiß, sie war Ihre Cousine, aber wirklich, Janet!«
»In Wirklichkeit war sie keineswegs mit mir verwandt. Das war nur Tarnung.«
Sarah kam mit einer raschen Bewegung auf die Füße. »Ich glaube«, sagte sie ruhig, »an Phantasie mangelt es Ihnen nicht.«
Janet Rushton lächelte etwas gequält. »Warum sagen Sie

nicht gleich, daß meine Phantasie mit mir durchgeht?« fragte sie. »Das wollten Sie doch eigentlich sagen, nicht wahr? Nein, ich phantasiere nicht. Bei Gott, ich wünschte, es wäre so!« Bei den letzten Worten brach ihre Stimme, und ihre Finger krampften sich konvulsivisch zusammen. »Entschuldigen Sie, ich dachte, Sie wollten mir helfen. Aber ich sehe genau, wie weit hergeholt und absurd Ihnen das alles vorkommen muß. Wenn es für Sie ein Trost ist, für mich klingt's genauso verrückt. Ich weiß wahrhaftig nicht, warum ich erwarten sollte, daß Sie mir glauben. Ich hätte mehr Verstand haben müssen.«
»Aber ich habe – ich meine, ich kann nicht . . . zum Teufel!« seufzte Sarah verzweifelt und sank erneut auf den Kaminvorleger. »Ich bin diejenige, die ›Entschuldigen Sie‹ sagen sollte, nicht Sie. Und ich muß mich wirklich entschuldigen. Vermutlich dachte ich einen Augenblick lang, Sie wollten mich auf die Schippe nehmen. Nur, um zu sehen, wie ich es schlucke. Und ich reagierte mit der typischen Queen-Victoria-Attitüde ›Es hat uns nicht amüsiert‹. Kann ich das wettmachen, indem ich sage: ›Fahren Sie fort, überzeugen Sie mich?‹ Bitte, Janet. Ich meine es ehrlich.«
Janets Versuch eines Lächelns war nicht sonderlich erfolgreich, aber das Nicken, das es begleitete, stellte Sarah zufrieden und sie lächelte herzlich zurück. Anscheinend hatte aber jene kurze Kontrolle dazu gedient, die Wachsamkeit der Älteren erneut zu wecken, denn eine beachtliche Pause lang saß sie ganz still und offenbar lauschend da, obwohl, soweit Sarah feststellen konnte, außerhalb des Zimmers kein Geräusch zu hören war und das Flattern und Puffen der Flammen sowie das gelegentliche Krachen der Scheite von drinnen kam. Nichtsdestoweniger fuhr Miß Rushton fort zu lauschen. Kurz darauf ging sie zur Außentür hinüber, schaltete das Licht aus, zog den Riegel mit der linken Hand zurück (die rechte, die die Pistole hielt, blieb in der Tasche versteckt, wie Sarah bemerkte) und öffnete ungezwungen die Tür.
Das Mondlicht, das vorher die Veranda überflutete, hatte abgenommen, weil der Mond am Himmel höher gestiegen

war, und die lange, schneebepuderte Arkade mit ihrem Rand glitzernder Eiszapfen, die von der Dachrinne herunterhingen, lag schweigend und verlassen. Die einzigen Spuren auf ihr waren die Abdrücke von Sarahs Fußstapfen.

Ein oder zwei Augenblicke stand Janet im Eingang, sah sich um und lauschte in die Stille. Dann, zurücktretend, schloß und verriegelte sie die Tür, schaltete das Licht wieder an, und nachdem sie die Fensterhaken geprüft und sich vergewissert hatte, daß die Vorhänge dicht geschlossen waren, kehrte sie zu Sarah zurück und sagte sehr leise: »Sie haben doch nichts dagegen, wenn ich das Radio anstelle, nein? Cousine Hilda und ich pflegten es zu benutzen, wenn wir uns an einem Ort unterhalten wollten, wo wir abgehört werden konnten. Deshalb kann ich alle Sender rückwärts aufsagen. Einer von ihnen bringt um diese Nachtzeit eine Diskussionsrunde – oder zumindest klingt es danach. Ich habe keine Ahnung, woher sie kommt oder was für eine Sprache sie sprechen, aber Stimmen geben eine bessere Deckung ab als Musik. Also, wenn Sie nichts dagegen haben . . .«

Sie bückte sich und holte aus einer Kommode, die an der Holzwand zwischen Tür und Fenster stand, ein kleines batteriebetriebenes Radiogerät heraus, stellte es auf volle Lautstärke, suchte den Sender und schaltete ein. Das nun folgende aufgeregte Stimmengewirr hätte einer neapolitanischen Fischerfamilie, die sich bei einer häuslichen Schlägerei amüsierte, zur Ehre gereicht.

Die Lautstärke reichte vielleicht nicht, um den Schlummer eines Hotelgastes in den Nachbarzimmern zu stören, genügte aber völlig, um jemand außerhalb des Raums daran zu hindern, die gedämpften Stimmen Miß Rushtons und ihrer Besucherin von dem Gemisch des männlichen und weiblichen Geschnatters und dem unaufhörlichen Plärren und Krachen der atmosphärischen Störungen zu unterscheiden.

»Jetzt verstehe ich, was Sie meinen!« bemerkte Sarah und senkte automatisch ihre Stimme unter die Lautstärke der unsichtbaren Disputanten: »Also, fahren Sie fort mit dem, was Sie mir sagen wollten. Ich bin ganz Ohr.«

Janet kehrte zu ihrem Sessel zurück, beugte sich, die Ellbogen auf den Knien, vor, um ihre Hände am Feuer zu wärmen, sagte vorsichtig, als wäge sie ihre Worte: »Sie werden vom Nachrichtendienst gehört haben, obgleich ich mir denken kann, daß es Ihnen seltsam vorkommen muß, daß ganz gewöhnliche Leute wie Cousine Hilda – Mrs. Matthews – und ich dazugehören können.« Sarah machte eine erschrokkene Bewegung und schien etwas sagen zu wollen, aber Janet fuhr fort: »Lassen Sie mich aussprechen. Leute wie wir – wie ich – sind nur kleine Fische. Unser Job ist nur das Sammeln von Informationen: widersprüchliche Gerüchte, Klatsch und Tratsch, was für sich genommen bedeutungslos sein kann; fügt man aber andere Fakten hinzu, von anderen Leuten zusammengetragen, so kann es – möglicherweise – eine Menge bedeuten. Nun, vor einigen Monaten deckte das Ministerium, für das wir arbeiten, etwas auf. Eine ...« Sie machte eine Pause, suchte anscheinend nach einem Wort, das sie nicht zu sehr bloßstellte, und wählte endlich ein vieldeutiges: »Eine Spur –«

2

Während sie am Feuer saß und die empfindsamen, schulmädchenhaften Hände den Flammen entgegenstreckte, erzählte Janet Rushton mit sorgsam kontrollierter Stimme, die für keine anderen als Sarahs Ohren bestimmt war, wie sie nach Kaschmir gesandt worden war, um Kontakt zu einer Mrs. Matthews herzustellen und von derselben Aufträge entgegenzunehmen. Damit es kein Gerede gäbe, wenn sie als unverheiratetes Mädchen alleine lebte, sollte letztere als Verwandte fungieren, so daß das kleine Hausboot auf dem Dāl-See bei Srinagar, das schon auf Janets Namen gemietet worden war, neben Mrs. Matthews größerem vertäut werden konnte. Wie sie beide später herausfanden, waren sie hinausgeschickt worden, um etwas herauszufinden: nur um mit Entsetzen festzustellen, daß es nicht mehr als die Spitze eines

tödlichen Eisbergs war, von dessen Gegenwart keiner auch nur das mindeste ahnte . . .
Für die Situation, mit der sie sich zu befassen hatten, waren sie nicht ausgerüstet, und das Ausmaß der lauernden Bedrohung hatte es notwendig gemacht, daß sie die Einzelheiten ihrer Entdeckung an jemanden von höherer Amtsgewalt weiterzugeben hatten. Dennoch verboten ihre Spezialaufträge ihnen, ohne Bewilligung ihres Ministeriums irgendeine Maßnahme zum Verlassen des Staates zu ergreifen. Da keiner ihrer diversen Kaschmiri-Kontakte auf genügend hohem Niveau operierte, um mit solch möglicherweise tödlichem und explosivem Wissen betraut zu werden, hatte Mrs. Matthews mit einem SOS-Ruf um Hilfe gebeten – obgleich sie wußte, daß es für niemanden ihrer eigenen Nationalität oder für irgendeinen Nicht-Kaschmiri leicht sein würde, in dieser Angelegenheit nach Srinagar zu reisen und sich unbemerkt mit ihnen in Verbindung zu setzen: schon aus dem einfachen Grunde, daß sich das Jahr inzwischen seinem Ende näherte.
Die Horden von Sommergästen waren alle vor langer Zeit abgezogen. Nur wegen ihrer talentierten Aquarellmalerei konnten sie beide zurückbleiben, ohne allzusehr aufzufallen.
Der November gehörte zu den lieblichsten Monaten des Tals, wenn sich die Schneegrenze herabsenkte, um den Wäldern zu begegnen. Die Chenarbäume trugen jede Schattierung von Rot, vom Zinnober bis Karmesin. Weiden, Pappeln und Kastanien bildeten gelbe und goldene Flammen.
Als Malerinnen hatte ihnen die jährliche Verwandlungsszene einen einwandfreien Grund zum Bleiben geliefert, nachdem alle anderen Gäste abgereist waren. Genau, wie es ihnen zuvor einen vortrefflichen Vorwand verschaffte, nicht nur auszufahren, zu reiten, spazierenzugehen oder in einer *shikara* (ein flach gebauter Stakkahn mit Baldachin) zu einem interessanten Fleck zu rudern, sondern auch viele beiläufige Unterhaltungen mit zahllosen Fremden zu führen, die stehenblieben, um den Künstlerinnen bei der Arbeit zuzuschauen, Fragen stellten, Ratschläge erteilten und sich schließlich zum Schwatzen neben sie hockten. Ein Ergebnis,

das laut Janet keine kleine Rolle bei ihrer Auswahl für diesen Auftrag gespielt hatte.
Während dieser Zeit, als die letzten Herbstblätter fielen, hatte Mrs. Matthews ihren »SOS-Ruf« abgesandt, dagesessen und auf Hilfe gewartet, die in Kürze eintreffen würde, wie sie der verängstigten Janet versicherte. Aber vier Tage später hatte die *Zivil- und Militärzeitschrift*, eine der bekanntesten Tageszeitungen, eine kleine Pressenotiz über den Unfalltod eines Major Brett gebracht, der anscheinend aus seinem Abteil im Grenzexpreßzug auf der Route nach Rawalpindi gestürzt war: »Ein Verbrechen wird nicht ausgeschlossen. Die Polizei geht davon aus, daß der unglückliche Mann irgendwann in der Nacht, noch halb im Schlaf, versehentlich die Abteiltür geöffnet hat, die er für die Waschraumtür hielt . . .«
Der Unglücksfall wurde offenbar nicht für wichtig genug erachtet, um auf der Titelseite zu erscheinen, und wurde auf eine Innenseite zwischen ein Sammelsurium diverser Kurznachrichten gerückt. Aber nach Janets Aussage hatte Mrs. Matthews die Notiz wieder und wieder gelesen, ungewohnt geschockt und aufgeregt.
»Ich habe sie vorher niemals so erlebt«, fuhr Janet fort. »Sie war stets so ruhig und gutgelaunt . . . selbst in schlimmsten Zeiten. Ich fragte sie, ob er ein Freund von ihr gewesen sei, und sie sagte, nein, er sei ihr nur einmal begegnet: er war mit im Raum, als sie ihre Befehle entgegennahm. Jetzt fragte sie sich, ob er auf dem Weg zu uns gewesen sei, denn sie glaubte nicht an die Unfallversion. Er zählte nicht zu den Leuten, die einen derart törichten Irrtum begehen könnten.«
»Aber wenn die Polizei festgestellt hat –«, begann Sarah atemlos.
»Wenn einer von – von unseren Leuten bei einem Unfall stirbt, so lassen wir es dabei bewenden. Jedenfalls offiziell. Das mag herzlos klingen, doch es ist rundherum sicherer, als einen Haufen Fragen zu stellen, die nur zu verwirrenden Antworten führen können. Cousine Hilda – Mrs. Matthews – sagte, wir hätten nichts zu befürchten, denn wenn er

derjenige war, und auf dem Wege zu uns, so würde statt seiner ein anderer geschickt werden. Aber – aber ich war beunruhigt. Ich konnte nicht umhin, zu denken, daß, wenn es kein Unfall war und er getötet wurde, um am Herkommen gehindert zu werden, daß dann die Leute, die ihn töteten, über uns Bescheid wissen mußten. Und falls uns jetzt etwas passierte, würde niemand je erfahren, was wir wußten.«

Als die letzten Blätter gefallen waren und sich auf den Seen das erste dünne Eis zu bilden begann, hatten die beiden ihre Hausboote verlassen, waren in das Hotel Nedou in Srinagar umgezogen und warteten mit wachsender Sorge auf die Antwort ihres dringenden Hilferufs. Sie wußten nur zu gut, daß es mit jedem Tag gefährlicher wurde, Antwort zu geben, weil die Jahreszeit jeden vernünftigen Touristen davon abhalten würde, die lange, kalte und häufig abenteuerliche Reise auf gewundenen Gebirgswegen, die in das Tal führten, zu unternehmen. Es sei denn, er hatte einen sehr guten Grund, dies zu tun. Einen, der ins Auge springt oder leicht erklärbar ist! Wenngleich selbst solch ein seltener Vogel geeignet ist, aufzufallen.

Einen solchen Grund fanden Mrs. Matthews und ihre junge Cousine. Ohne auch nur die geringste Aufmerksamkeit zu erregen, quartierten sie sich in dem fast leeren Hotel ein, in dem, abgesehen von den belegten Suiten einiger älterer Dauerbewohner, die von ihren Pensionen lebten, nur wenige Zimmer für gelegentliche Gäste bereitgehalten wurden. Der Grund war die Tatsache, daß beide Frauen begeisterte Skiläuferinnen waren.

Wie die Aquarellmalerei war auch dies ein Punkt gewesen, der von ihren Auftraggebern nicht übersehen worden war; und Gulmarg, ein kleiner Sommererholungsort und einer der bevorzugten Tummelplätze der Radschas sowie Haupttreffpunkt des indischen Skiklubs, lag in der näheren Umgebung von Srinagar. Es war nur eine Autofahrt von fünfundzwanzig Meilen zum Dorf von Tanmarg auf dem Gebirgspaß, gefolgt von einem Vier-Meilen-Ritt auf dem Rücken eines sicher schreitenden Gebirgsponys über den steilen und steinigen

Reitpfad, der im Zickzack durch den Wald führte, um den Besucher zu der flachen Mulde von Gulmarg zu bringen, die im Schoß des hohen Kamms des Apharwat liegt.
Beide Frauen hatten ihre Skier mitgebracht. Im Hotel wurde jeder bald gewahr, daß sie schon vor dem Krieg in Europa Ski gelaufen waren und auch danach bei diversen Gelegenheiten: immer wenn der indische Skiklub in Gulmarg seine Treffen veranstaltete und sobald genügend Mitglieder sich eingefunden hatten, daß es sich lohnte, das verschneite Hotel für etwa zehn Tage zu öffnen. »Man findet keine Leute, die alleine zum Skilaufen hier heraufkommen«, erklärte Janet, »weil es sich nicht lohnt, für zwei oder drei Gäste zu öffnen. Und Skilaufen auf ebenem Grund im Tal ist nicht sehr sportlich.«
Zwei Tage später waren sie in das Hotel in Srinagar eingezogen, und während sie ernstlich besorgt über das Ausbleiben der Antwort auf ihr »SOS-Signal« waren, kam von Norden her ein heftiger Schneesturm angefegt; blockierte die Pässe, die Banihal-Route und beide Wege ins Tal, den Murree und Abbottabad, und sorgte darüber hinaus dafür, daß kein Flugzeug die Berge überfliegen konnte, um auf Srinagars noch ziemlich behelfsmäßigen Flugplatz zu landen. Telefon, Telegrafen- und Starkstromleitungen fielen aus, bevor der Angriff von Wind und Schnee ganz Kaschmir verdunkelte und länger als eine Woche von der Außenwelt abschnitt. Selbst als dies vorüber war, blieb der Himmel weiterhin dunkel und bedrohlich, mit Sturmwolken, die die hohen Gipfel verbargen und das Flugfeld mit zehn bis zwanzig Fuß tiefen Schneewehen zudeckten. Die Stadt war eingeschneit. Lawinengefahr drohte den schwer arbeitenden Trupps der Kulis, die darum kämpften, die Serpentinen durch die Berge hinter Baramulla freizuräumen. Die Banihal-Route konnte nicht einmal versuchsweise begangen werden und mußte mehrere Wochen geschlossen bleiben.
Der erste Bus, der sich durchquälte, brachte Säcke von Post. Janet und Mrs. Matthews mußten auf Skiern hinüber zum Postamt, um ihre Briefe abzuholen. Sie hatten sich auch

freiwillig erboten, den Rest der Hotelpost mitzunehmen, und erst nachdem sie diese verteilt hatten, fanden sie Zeit, ihre eigene zu öffnen, die hauptsächlich aus Weihnachtskarten bestand. Der Rest war nicht von Interesse, aber ein Umschlag – unversiegelt wie ein gedruckter Werbeprospekt – enthielt einen zehnseitigen Weihnachtskatalog von einem bekannten Kaufhaus in Rawalpindi.
Mrs. Matthews, an den er adressiert war, sah ihn flüchtig durch und ließ ihn für den Rest des Tages auf dem Schreibtisch ihres Zimmers liegen, wo sie selbst und jeder Hotelangestellte, dessen Pflichten ihn dorthin führten – ganz zu schweigen von Besuchern, die auf einen Drink und ein Schwätzchen hereinschneiten –, ausreichend Gelegenheit finden mußten, ihn zu sehen und durchzublättern, wenn sie wollten. Aber später in der Nacht, als die Mehrzahl der Gäste sicher im Bett und die Vorhänge zugezogen waren, entnahm sie ihrer kleinen Taschenbuchbibliothek mit Lieblingsbüchern, die sie überallhin begleiteten, Stella Gibbons *Kalte Luxusfarm* und entschlüsselte damit die Botschaft, die der Weihnachtskatalog enthielt.
»Sie erzählte es mir, als wir am nächsten Morgen auf dem Takht Ski liefen«, sagte Janet. »Der Mann, der aus dem Grenzexpreß gefallen war, *war* auf dem Weg zu uns gewesen. Aber das bedeutete nicht unbedingt, daß die Gegenseite ihn mit uns in Verbindung brachte, also brauchten wir uns nicht zu sorgen. Jemand anders würde so rasch wie möglich eintreffen und sich in der üblichen Weise zu erkennen geben. Cousine Hilda sagte, er müsse noch am selben Tag kommen, denn da der Postbus gerade durch sei, hieß das, daß die Murree-Baramulla-Straße passierbar war, und dem Datum des Poststempels auf dem Umschlag nach war der Katalog vor genau einer Woche in Rawalpindi aufgegeben worden. Der Agent war wohl in irgendeinem Dāk-Bungalow eingeschneit gewesen.«
Sie stockte und versank für eine Weile in Schweigen, starrte finster in die hüpfenden Flammen, bis Sarah endlich mit unsicherem Flüstern sagte: »Kam er nicht?«

Janet lenkte ihre Aufmerksamkeit, die auf unangenehme Pfade abgeschweift war, zurück und sagte: »Doch. Er kam. Sein Name war Ajit Dulab, und er war einer der besten Jäger des Landes. Zugleich einer der besten Polospieler. Er war angeblich heraufgekommen, um einen Schneeleoparden zu erlegen – bei schlechtem Wetter lassen sie sich zu den niedrigeren Bergen hinuntertreiben. Der Staat brachte ihn in einem der Gästehäuser des Maharadschas unter, und ein älterer Beamter gab eine Cocktailparty für ihn, zu der wir alle eingeladen waren. Um es kurz zu machen: Es gelang ihm, ein Treffen mit Cousine Hilda zu vereinbaren – sie gab ihm Ski-Unterricht –, und sie berichtete ihm alles. Am nächsten Tage sagte er, das Wetter sei zu schlecht zum Jagen, kaufte dafür ein paar Schneeleoparden-Felle und reiste ab.«
»Worüber sind Sie dann beunruhigt?« fragte Sarah. »Es ist doch jetzt sein Problem, nicht das Ihre!«
»Er kehrte nie zurück«, sagte Janet mit rauhem Flüstern.
»Sie . . . Sie wollen sagen, er wurde *ermordet*?« ächzte Sarah.
»Ich weiß es nicht! Ich glaube, es könnte ein Unfall gewesen sein. Vielleicht – vielleicht hatte er nur Pech. Die Straße kann sehr gefährlich sein; Autos, Busse und Lastwagen fahren immer über den Paß. Es gibt da viele Stellen, wo die Talseite etliche hundert Fuß tief steil in die Schlucht abfällt – und dort kommt niemand lebend heraus. Angeblich wurde sein Auto von einer Lawine mitgerissen.«
Sarah hatte vor Spannung den Atem angehalten und stieß nun einen hörbaren Seufzer der Erleichterung aus und sagte: »Dann *muß* es ein Unfall gewesen sein!«
»Vielleicht. Aber Lawinen können durch Menschen ausgelöst werden. Jemand könnte gewartet haben . . . es könnte mit Vorsatz geschehen sein. Wären wir nur sicher gewesen, daß es ein Unfall war, wir hätten . . . nun ja, wir hätten uns besser gefühlt, nehme ich an. Aber wir waren nicht sicher. Wir wußten hinterher nicht einmal, ob noch jemand heraufgeschickt worden war oder nicht. Vielleicht wurde einer geschickt, und es ist ihm ebenfalls mißglückt . . . wie – wie den anderen beiden.«

»Wollen Sie sagen, Sie hätten hier gesessen und gewartet und nichts getan?« fragte Sarah erstaunt. »Haben Sie keine Funkausrüstung oder etwas dergleichen bekommen? Ich hätte gedacht –«

»Kleine, tragbare Sendegeräte«, unterbrach Janet kurz, »funktionieren nicht nur schlecht zwischen den Bergen, sondern die Sendungen können auch von Leuten aufgefangen werden, für die sie nicht bestimmt sind. Und noch schlimmer, aufgespürt! Es wäre im Handumdrehen bekannt gewesen, daß jemand verschlüsselte Sendungen vom Tal aus sendet, und dann wäre die Jagd losgegangen – und das Spiel aufgeflogen!«

»Oh. Ja, ich verstehe. Aber Sie hätten doch bestimmt telefonieren können?« sagte Sarah – neugierig geworden durch den Einblick in die Mechanismen der Spionage, aber irritiert durch die Langsamkeit und sorgfältige Ausarbeitung. »Die Leitungen mußten inzwischen repariert gewesen sein. Oder warum sandten Sie nicht einfach ein Telegramm?«

»In Indien?« sagte Janet verächtlich. »Wie lange sind Sie jetzt hier?«

»Nur einen Monat und ein bißchen«, gestand Sarah. »Warum?«

»Dann nur zu Ihrer Information: In ganz Indien existiert so was wie ein sicheres Telefon nicht – geschweige denn in Kaschmir. Der Vizekönig und der Direktor der Zentralauskunft und ein oder zwei andere hohe Tiere haben möglicherweise so ein wertvolles Stück; aber niemand sonst könnte an so etwas herankommen. Schon gar nicht in einem Eingeborenenstaat! Die Leitungen laufen über endlose Wechseldrähte und können fast überall von jedem zweijährigen Kind angezapft werden. Und was Telegramme anbelangt, so gehen sie von Hand zu Hand, und jedermann liest sie – siehe *Kim!*«

»Aber wenn sie im Code abgefaßt sind?«

»Codes«, erwiderte Janet ungeduldig, »sind die schlimmsten Verräter überhaupt, denn ausgenommen für sehr kurze Botschaften, die verständlich klingen und entsprechend nichtssagende Bedeutungen haben, erregt eine Nachricht im Code

augenblicklich konzentrierte Aufmerksamkeit und Neugier sowie jede Menge Argwohn bezüglich des Senders wie des Empfängers. In unserem Geschäft hält niemand etwas schriftlich fest. Es sei denn . . .«, sie zögerte, und für eine kurze Pause schien ihr Blick Sarah zu verlassen und sich erneut nach innen zu kehren, zu einigen beunruhigenden Bildern, die ihre Worte heraufbeschworen hatten; als sie den Satz beendete, geschah es in einem völlig veränderten Tonfall und fast unhörbar: ». . . es sei denn, wir *müssen* es tun – wenn dazu Zeit vorhanden ist.«
Sarah bekam eine Gänsehaut und sagte etwas patzig: »Aber die Botschaft, die Mrs. Matthews in Srinagar erhielt, muß im Code gewesen sein. Der Weihnachtskatalog.«
»Ja, das ist wahr. Aber da er per Post kam, wurde er viele wertvolle Tage durch den Sturm aufgehalten – wie der Mann, der zu uns heraufkam. Und niemand hätte etwas anderes darin lesen können, oder überhaupt gemerkt, daß da etwas anderes zu lesen stand, außer der Person, an die er adressiert war. Denn nur jene Person besitzt den Schlüssel dazu. Jedesmal ein anderer Schlüssel! Es ist fast der einzige Code der Welt, der nicht zu knacken ist, weil nichts niedergeschrieben wird. Sie gehen nach Zahlen vor – und die Wörter sind in einem anderen Buch. Aber leider funktioniert es nur bei recht kurzen Botschaften, weil die Zahlen nicht x-beliebig sind. Und was wir zu sagen hatten, bedurfte einer Menge Worte und Erläuterungen.«
»Das klingt alles erschreckend kompliziert für mich«, bemerkte Sarah mißbilligend.
»Schließlich erhielten wir eine neue Botschaft, auf ungefähr dieselbe Weise wie die andere. Sie besagte, daß wir zum Skiklub-Treffen nach Gulmarg aufbrechen sollten. Der Agent, der hier Fühlung mit uns aufnähme, würde ein Skiläufer sein. Es wurde auch angegeben, wie wir uns unbemerkt mit ihm treffen könnten.«
Es hatte wie eine ausgezeichnete Idee geklungen, sagte Janet. Skilaufen in Gulmarg war ihrer Meinung nach ein besserer Grund, im Winter nach Kaschmir zu reisen, als der Versuch,

einen Schneeleoparden zu erlegen. Aber die kurze Botschaft endete mit einem einzigen grauenhaften Wort, das in ihrem Spezialwörterbuch für ›Vorsicht – anscheinend sind Sie enttarnt!‹ stand. Es hatte Janet entsetzlich erschüttert, denn trotz des Argwohns, den der Tod der beiden Agenten hervorgerufen hatte, hatte sie sich selbst eingeredet, daß der zweite fast mit an Sicherheit grenzender Wahrscheinlichkeit das Opfer eines Unfalls war. Traf dies auch auf den ersten nicht zu, so brauchte man doch nicht unbedingt zu fürchten, der Mörder hege irgendeinen Verdacht, zu wem das Opfer reisen wollte. Jetzt aber hatte ein einziges Wort all' das zerstört . . .

»Ich war so überzeugt, daß wir sicher sein würden«, flüsterte Janet. »Ich glaubte, niemand könne eine geschwätzige Witwe in mittleren Jahren, die gern malte und strickte, zu Kaffeegesellschaften ging und Whist spielte, verdächtigen, oder ein Mädchen, das Golf und Tennis spielte und eislief oder mit Unteroffizieren auf Urlaub tanzen oder picknicken ging. Aber ich vermute, wir müssen irgendwo einen Fehler gemacht haben . . . Oder aber es wurde jemand zum Verräter umgedreht: so etwas – so etwas kommt vor . . .«

Ihre Stimme brach und erstarb. Sie schluckte krampfhaft, als sei ihr Mund plötzlich trocken geworden. Wiederum glitt ihr gehetzter Blick rasch und flüchtig in dem kleinen Raum umher – zu dem knackenden Radio, den geschlossenen blanken Türen, den Fenstern, an denen die verblichenen Vorhänge noch still und unverändert hingen. Als sie wieder zu sprechen anhub, war es nur mehr ein Raunen.

»Nachdem die Botschaft kam, hatte ich Angst . . . schreckliche Angst. Mrs. Matthews nicht. Sie war wundervoll. Aber sie traf besondere Vorsichtsmaßnahmen. Sie trug ständig eine Pistole und veranlaßte auch mich, eine zu tragen. Sie gab acht, daß unsere Türen und Fenster nachts verschlossen und verriegelt waren und daß wir nichts aus einer Schüssel oder aus einem Krug aßen oder tranken, von dem ein anderer nicht zuerst genommen hatte. Aber wir hatten auf den, der uns hier treffen sollte, zu warten. Wir *mußten* warten. Doch er ist nicht gekommen, und jetzt ist Hilda tot; und ich habe Angst . . . *ich habe Angst!*«

Sarah streckte eine ruhige Hand aus und versuchte, Vernunft und Ausgeglichenheit walten zu lassen, wovon sie in Wahrheit weit entfernt war: »Sie wissen, daß Sie das nicht meinen. Das ist nur Hysterie.«
Janet Rushton schnellte in ihrem Sessel zurück und sagte zornig: »Sie glauben mir nicht! Sie denken, ich bin entweder verrückt oder bilde mir alles ein, nicht wahr? Das denken Sie doch?«
»Ehrlich gesagt«, entgegnete Sarah langsam, »ich denke es nicht. Obwohl der Himmel wissen mag, warum ich es nicht denke. Ich glaube jedoch, daß Sie die Situation ein wenig übertreiben. Major McKay ist Militärarzt, und sowohl er als auch Dr. Leonard sagen, daß Mrs. Matthews' Tod ein Unfall war. Also, nach allem, was wir wissen, *könnte* er genau das gewesen sein. Ein unseliger Unglücksfall.«
Janet Rushtons Lachen klang nicht angenehm, als sie Sarahs Hand von ihrem Knie beiseite schob: »Hören Sie, mein armer Unschuldsengel, ich mag Angst haben, aber ich bin kein Idiot. Meine Nerven mögen ein bißchen angeknackst sein, aber mein Verstand ist es nicht – noch nicht! Ich habe Ihnen bereits gesagt, daß Mrs. Matthews immer eine Waffe trug. Nun, sie hatte keine, als sie gefunden wurde. Es konnte nur einen Grund dafür geben, sie zu entfernen: Der Mörder mußte es wie einen Unfall aussehen lassen. Hätte man eine geladene Pistole bei ihr gefunden, hätte es selbst bei den geistesabwesendsten Gemütern Zweifel geweckt; nicht zu erwähnen die Menge lästiger Fragen, die es hervorgerufen hätte. Leute, schon gar Witwen mittleren Alters, pflegen für gewöhnlich keine geladenen Waffen herumzutragen. Es sei denn, sie fürchten sich vor irgend etwas.«
Sarah sagte: »Könnte die Pistole nicht in den Schnee gefallen sein, als sie stürzte? Oder vielleicht hat der Kuli, der sie fand, sie gestohlen?«
»Sie trug sie in einem kleinen Pistolenhalfter unter dem Arm – so, wie ich es tagsüber tue –, und jemand muß den Körper abgetastet haben, um sie zu finden. Kein Kuli würde einen unter diesen Umständen gefundenen Leichnam anrühren,

weil er zu sehr fürchtete, beschuldigt zu werden, etwas mit ihrem Tod zu tun zu haben. Und selbst angenommen, ein Kuli hätte versucht, den Leichnam zu berauben, glauben Sie auch nur eine Sekunde, er würde sich die Mühe gemacht haben, den Halfter gleichfalls zu entfernen? Es wäre einfach genug gewesen, die Waffe herauszuziehen, doch es ist nicht so leicht, Halfter und Schlinge zu entfernen. Man hätte sie entweder abschneiden oder ihr den Ski-Anorak aus- und wieder anziehen müssen. Das konnte aber nur geschehen, solange der Körper noch warm war, denn später war sie – er –«

»Ich weiß«, sagte Sarah hastig. »Ich sah, wie sie sie hereinbrachten. Aber woher wollen Sie wissen, daß die Waffe nicht da war, als man sie fand? Major McKay mag sie in Verwahrung genommen haben.«

»Weil«, Janets Stimme war wiederum kaum vernehmlich, und sie erschauerte unbewußt, »ich sie gegen vier Uhr fand. Bevor der Kuli es tat.«

»Sie?«

»Ja. Ich – ich machte mir Sorgen. Ich hatte sie seit dem Essen am Abend davor nicht mehr gesehen, denn als ich nach dem Frühstück zu ihrem Zimmer ging, war sie schon fort, und der Zimmerdiener sagte, sie sei mit der Khilanmarg-Gruppe aufgebrochen. Aber erst als Sie und Reggie Craddock und die Coply-Zwillinge vom Khilan zurückkamen und sagten, sie hätten sie nicht gesehen, begann ich wirklich unruhig zu werden. Ich weiß nicht, warum ich sofort zur Schlucht ging . . . außer, daß Reggie uns gewarnt hatte, der Schnee sei dort gefährlich –«. Janet ließ den Satz offen, dann schloß sie abrupt: »Jedenfalls fand ich sie.«

»Aber –« flüsterte Sarah atemlos, »aber das muß lange bevor der Kuli sie fand gewesen sein! Warum haben Sie niemanden geholt?«

»Was hätte das genützt? Sie war tot. Sie war seit Stunden tot. Sogar ich konnte das sehen. Nebenbei konnte ich es mir nicht leisten, meinen Namen darin verwickelt zu sehen. Also kam ich aus einer anderen Richtung zum Hotel zurück und

sagte nichts. Es hatte schon wieder zu schneien angefangen, so wußte ich, daß meine Spuren verdeckt sein würden.«
Sarah sagte deutlich: »Was wollen Sie jetzt tun? Warum gehen Sie nicht zur Polizei?«
»Die Polizei?« versetzte Janet verächtlich. »Natürlich kann ich nicht zur Polizei gehen! Was sollte ich denen erzählen? Die Ergebnisse monatelanger Arbeit und Planungen weggeben? Oder sagen ›ich hatte nur das Gefühl‹, daß es kein Unfall war – und mir für meine Bemühungen sagen lassen, daß ich ein hysterisches Weibsbild sei? Nein, es gibt nichts, was ich tun kann, außer zu warten.«
»Warten?« wiederholte Sarah ungläubig. »Warten auf was, um des Himmels willen?«
»Ich hab's Ihnen schon gesagt. Wir sollen uns hier mit jemandem treffen. Ich kann nicht gehen, bevor er dagewesen ist. Mrs. Matthews ist tot, aber ich weiß alles, was sie wußte. Und ich habe es an die richtige Person weiterzugeben. Danach, wie Sie bereits bemerkten, ist es anderer Leute Angelegenheit und nicht mehr die unsere – meine.«
Sarah wollte sagen, ›gesetzt den Fall, er kommt nicht?‹ hielt sich aber rechtzeitig zurück: Es schien eine unnötige Grausamkeit angesichts der verzweifelten Angst des Mädchens. Statt dessen sagte sie:
»Warum nehmen Sie nicht die Gelegenheit wahr und schreiben es ausnahmsweise nieder – den wichtigen Teil – und riskieren es, es per Post abzusenden? Ja, ich weiß. Sie sagten, die Agenten Ihres Ministeriums hinterlegen nichts Schriftliches, da es abhanden kommen oder gestohlen werden kann und die Ziffern entschlüsselt werden können. Aber es scheint auch«, schloß sie lebhaft, »daß Agenten getötet werden können!«
»Ja«, sagte Janet Rushton langsam, »Agenten können getötet werden. Das war, weshalb ich Ihnen nicht glaubte, als Sie heute nacht an meine Tür kamen. Ich dachte, es sei eine Falle. Daß Sie gekommen seien, mich zu töten.«
»Sie *was*?«
»Warum nicht? Wenn Ihnen jemand ein paar Stunden früher

erzählt hätte, ich sei Geheimdienstagentin, würden Sie ihm geglaubt haben?«
»Nun . . .«
»Natürlich nicht! Denn ich sehe nicht aus wie Ihre Vorstellung von einer Geheimdienstagentin.«
»Ja, das ist anzunehmen. Verstehe. Kein Wunder, daß Sie eine Waffe auf mich gerichtet hatten! Ich dachte, Sie müßten verrückt geworden sein; oder ich sollte es jeden Augenblick werden.«
»Ich weiß«, sagte Janet erschöpft. »Ich war mir darüber klar, daß, wären Sie eine von *ihnen* gewesen, ich etwas hätte tun müssen, was entsetzlich schwer zu erklären gewesen wäre. Aber ich hätte es tun müssen, denn das andere Risiko war größer.«
»Was meinen Sie? Welches andere Risiko?«
»Wären Sie eine von ihnen gewesen und ich hätte aus Angst, daß Sie es nicht sind, gezögert, hätte ich keine zweite Chance erhalten. Es war besser, zu riskieren, sich auf eine Menge unangenehmer Fragen und komplizierter Lügen einzulassen, als jenes andere Risiko einzugehen. Schauen Sie, es ist nicht nur mein Leben, das hier auf dem Spiele steht. Es ist weitaus wichtiger als das. Nun, da Mrs. Matthews tot ist, bin ich die einzige Person, die weiß, was sie wußte. Ich war niemals mehr als eine Art zweiter Draht zu ihr. Sie gab mir all' meine Befehle. Aber jetzt bin ich auf mich selbst gestellt und muß sehen, daß ich am Leben bleibe. Ich habe die Pflicht. Ich kann sie nicht im Stich lassen. Ich kann nicht alles verloren geben.«
Die müde, leidenschaftliche Stimme kratzte eigenartig bei den letzten Worten, und nach einem Augenblick fragte Sarah neugierig: »Was brachte Sie zu der Erkenntnis, ich sei aufrichtig?«
Janet Rushton lächelte dünn. »Oh, teilweise vermutlich Intuition, aber hauptsächlich reine Arithmetik.«
»Ich verstehe nicht.«
»Nein? Es ist ganz einfach. Sie hatten keine Waffe bei sich, und Sie hatten mir die Wahrheit gesagt – da ›war‹ jemand am Fenster: irgend jemand muß dort eine ganze Weile gewe-

sen sein, denn er hat gründliche Arbeit geleistet, diese Schließe durchzufeilen. Wären Sie also nicht aufrichtig gewesen, hätten Sie mich nicht gewarnt.«

»Oh, ich weiß nicht recht«, sagte Sarah mit einem Lächeln. »Ich könnte dort auch jemanden als Lockvogel aufgestellt haben.«

»Ja, daran hatte ich auch gedacht. Man lernt in diesem Gewerbe, über eine Menge Dinge nachzudenken. Aber das hätte auch keinen Sinn ergeben. Hätten Sie am Fenster jemanden postiert, so konnten Sie es nur getan haben, um sich ein Alibi zu verschaffen: einen Vorwand, um hereinzukommen oder mich herauskommen zu lassen, hätte ich mich geweigert, Ihnen die Tür zu öffnen. Ihre Überlegung hätte sein können, daß ich zum Badezimmer laufen würde, um zu prüfen, ob Sie die Wahrheit gesagt hätten, bevor ich Sie hereinlasse. Durch den Anblick des Lockvogels von Ihren guten Absichten überzeugt, hätte ich Ihnen natürlich die Tür geöffnet.«

»Was ließ Sie demnach glauben –« begann Sarah.

»Ich ging nicht als erstes zum Fenster«, unterbrach Janet, »sondern stellte zunächst sicher, daß Sie keine Waffe bei sich tragen; als ich dann zum Fenster ging, hatte die Person, die sich dort aufgehalten hatte, uns gehört und war verschwunden. Da erst fiel mir ein, daß es möglicherweise ein Komplott sein könnte. Nicht, um mich zu töten, sondern um mein Vertrauen zu gewinnen. Aber falls es dies war, so war es eine völlig witzlose Vergoldung der Lilie für Ihren Köder, an meinem Fenster eine lange, kalte, überaus knifflige Manipulation vorzunehmen, um sich ein Alibi zu verschaffen, wenn die kürzeste Demonstration genügt hätte, den gleichen guten Zweck zu erfüllen.«

»Ich begreife«, sagte Sarah langsam und erschauerte. »Sie scheinen alles bedacht zu haben. Und – nur, um es zu unterstreichen – ich bin aufrichtig, wissen Sie.«

»Ich weiß«, sagte Janet mit seltsamer Betonung in der Stimme. Sie hob ihre müden, gehetzten Augen vom Anblick der glühenden Scheite in dem kleinen Backsteinkamin und schenkte Sarah einen langen, merkwürdig abschätzenden Blick.

Die Scheite fielen mit einem kleinen Krachen und einer plötzlich aufspringenden Flamme zusammen. Sarah stand langsam auf und sagte: »Was kann ich für Sie tun?«

Irgend etwas Starres und Wachsames in Janet Rushtons Gesicht entspannte sich. »Sie sind bestimmt nicht dumm.«

»Nicht unbedingt. Sie würden mir dies alles kaum in der Absicht erzählt haben, um mich am Frühstückstisch vom Schwatzen abzuhalten. Wäre das alles gewesen, worauf Sie aus sind, würden Sie auf die komplizierten Lügen zurückgekommen sein. Sie haben es die ganze Zeit abgewogen, während ich Ihnen meine Lebensgeschichte erzählte. Ist es nicht so? Ich bin felsenfest überzeugt davon, daß Sie sich eine überzeugendere Erklärung für mich ausgedacht hätten. Statt dessen entschlossen Sie sich, die Wahrheit zu sagen. Dafür muß es einen Grund geben.«

»Den gibt es. Der Grund ist der, daß ich – daß ich verzweifelt bin. Ich stehe mit dem Rücken an der Wand, und so muß ich die Gelegenheit wahrnehmen.«

»Und Sie wenden sich an mich? Ist es so?«

»Ja. Sie scheinen recht intelligent zu sein, und Sie hätten sich in der WRAF nicht so gut behauptet haben können und wären keine so gute Skiläuferin ohne eine gehörige Portion physischer Courage. Und ich brauche Hilfe. Werden Sie mir helfen?«

Sarah hielt ihre Hand hin. »Abgemacht«, sagte sie feierlich und lächelte.

Die Finger des Mädchens, kalt und straff, umschlossen für einen kurzen Moment fest die ihren. »Ich danke Ihnen«, sagte sie mit ehrlicher Dankbarkeit, stand von ihrem Sessel auf, ging zum Schreibtisch hinüber, zog eine Schublade auf, entnahm ihr einen Umschlag und eine Füllfeder und kehrte damit zu Sarah zurück.

»Falls das Glück mir hold ist, haben Sie überhaupt nichts zu tun«, sagte sie. »Wahrlich, ich hoffe zu Gott, daß Sie es nicht brauchen. Aber nur – nur für den Fall, würde ich gerne Ihre

Adresse hierauf haben und wissen, daß Sie etwas damit anfangen werden, sollten Sie es je erhalten. Ich bin nicht sicher, was, aber das werde ich Ihnen überlassen müssen, und ich habe das Gefühl, Sie würden mich nicht im Stich lassen.«

»Ich werde versuchen, es nicht zu tun«, antwortete Sarah sachlich. »Aber warum *mein* Name? Sicher –«

»Ich wage nicht, mich an jemand anderen zu wenden. Ich wage es nicht! Denn ich könnte die Person verraten. Bei Ihnen ist es etwas anderes. Sie sind keine der Unseren, und Sie wissen überhaupt nichts. Sie sind nur jemand, den ich beim Skilaufen getroffen habe, und so ist es durchaus möglich, daß es ohne Schwierigkeiten zu Ihnen gelangt, falls – falls mir etwas zustoßen sollte.«

»Nichts wird Ihnen zustoßen«, sagte Sarah entschieden. Sie nahm den angebotenen Umschlag, bemerkte, daß er verschlossen war, und obgleich nicht leer, schien er nicht sehr viel zu enthalten – gewiß nicht mehr als ein oder zwei Bogen dünnes Schreibpapier. Den Füller entgegennehmend, kritzelte sie ihren Namen und Adresse auf das Kuvert und reichte es zurück.

Janet stand da und wog es gedankenvoll in der Hand. Als sie wieder sprach, geschah es so leise, daß Sarah ihre Worte kaum verstehen konnte und den Eindruck gewann, als spräche sie zu sich selbst:

»Das nächste Problem ist, dies hier sicher zu verwahren, wenn keiner um einen herumwimmelt. Das ist nicht einfach, falls ich beobachtet werde. Es sei denn . . . Ja, das würde gehen. Ich kann es morgen mit hinunternehmen –« Sie nickte knapp und lebhaft wie zur Bestätigung eines gewissen Entschlusses und stopfte den verschlossenen Umschlag in ihre Tasche. »Und jetzt«, sagte Janet wieder in ihrem Normalton, »denke ich, Sie gehen besser auf Ihr Zimmer zurück.«

»Sind Sie ganz sicher, daß Sie in guter Verfassung sind?« fragte Sarah besorgt. »Schließlich ist das Fenster jetzt unversperrt, und ein Kind könnte mit dem Türdrücker fertigwerden. Ich würde bleiben, wenn Sie es wollen. Gesetzt den Fall, er – es – wer immer es war – kommt zurück?«

»Keine Sorge«, versetzte Janet. »Niemand wird sich darum reißen, heute nacht einen zweiten Versuch zu unternehmen. Das eingeschaltete Licht genügt, um die Tatsache, daß ich wach und gewappnet bin, anzuzeigen. Ich lasse das Licht im Badezimmer brennen und schiebe einen Stuhl unter die Türklinke.«

»Gut, falls Sie davon überzeugt sind, ist es okay«, sagte Sarah zweifelnd. »Auf jeden Fall versprechen Sie mir, gegen die Wand zu klopfen und zu schreien, falls Sie irgendwelche ungewohnten Geräusche hören.«

»Ich verspreche es«, sagte Janet mit einem blassen Lächeln. Sie ging zur Tür hinüber, zog den Riegel zurück, öffnete vorsichtig und spähte flink zu beiden Seiten der verlassenen Veranda, bevor sie zu Sarah zurückkehrte. »Es war nett von Ihnen, zu kommen«, sagte sie unbeholfen. »Ich – ich kann Ihnen nicht sagen, wie dankbar ich bin.«

»Unsinn«, sagte Sarah leichthin. »Es war mir bestimmt, zu kommen. Vorsehung oder wie immer man es nennen will. Schicksal, vermute ich: ›Es gibt eine Gottheit, die über unser Ende waltet. Zerschlagen wir sie rasch, sofern wir können‹ und so weiter. Gute Nacht, Liebe.«

Die Tür wurde sachte hinter ihr geschlossen. Wieder hörte sie das Klicken des Schlüssels und das gedämpfte Schnappen der Riegel, als sie an die richtige Stelle gerückt wurden. Ein paar Sekunden später war das Radio ausgeschaltet, und die Nacht war wieder still.

Mit dem Rücken zur Tür stand Sarah einen Augenblick da und sah sich um. Nach der Wärme des vom Feuerschein erhellten Zimmers war die Veranda eine Eishöhle voll bleicher Schatten, die sich an verschlossenen, geheimnisvollen Türen und Fensterläden entlang erstreckte. Die weiße, glitzernde Schneewüste lag um die rohen Holzwände hochgetürmt, hing dick und schwer auf den niedrigen Dächern, tilgte die scharfen Ecken der Gebäude und zog sanft gerundete Linien gegen den frostigen Himmel.

Weit entfernt, jenseits des *marg* (Eine Wiese. In diesem Fall wurden alle offenen, grasbewachsenen Flächen der drei Golfplätze zusammen als »marg« bezeichnet und der Poloplatz als »maidan«), knackte ein Baum wie ein ferner Pistolenschuß, als sein Saft im Inneren der rauhen Borke gefror. Das dünne Geräusch, ein Nadelstich in der Stille, echote schwach rund um die Mulde des schlafenden *marg*, und Sarah, die sich auf ihre eigene Tür zubewegte, registrierte es deutlich. Allein, es war nicht das ferne Geräusch, das ihren Fuß stocken ließ.
Der Mond war am Himmel höher gestiegen, und die Hälfte der Veranda lag jetzt im Schatten. Nur ein schmaler Streifen seines kalten weißen Lichts blieb an ihrem Rande hängen, warf sich auf das geschnitzte Gitterwerk des Verandageländers. Aber im Widerschein des Lichts von den Schneewüsten jenseits des Geländers konnte Sarah ganz deutlich auf dem Film weißer Schneeflocken, der auf dem Verandaboden lag, die Abdrücke ihrer fellgesäumten Hausschuhe erkennen.
Doch da war jetzt eine weitere Serie von Fußstapfen auf dem blassen, zerbrechlichen Teppich – Fußstapfen von jemandem, der auf Zehenspitzen die verlassene Veranda entlanggegangen war und vor Janet Rushtons Tür verweilt hatte . . .

3

Der Anblick jener Fußstapfen war für Sarah beunruhigender als alles, was Janet ihr erzählt hatte. Als sie darauf hinunterstarrte, hatte sie das Gefühl, als sei sie abrupt und heftig aus einer Scheinwelt in die eisige Realität getrieben worden. Es wäre nicht richtig, zu behaupten, daß sie Janet nicht geglaubt hatte. Sie hatte jedoch bewußt berücksichtigt, daß ein Teil davon Übertreibung war, die aus der Nachwirkung von Trauer, Angst und Entsetzen herrührte. Nun war es plötzlich real geworden. Weil der Beweis hierfür vor ihren Augen lag.
Ihre erste instinktive Regung war, Janet zu warnen. Doch gerade als sie schon ihre Hand ausstreckte, um erneut an ihre

Tür zu klopfen, hielt sie inne, drehte sich um und starrte erneut auf jene verräterischen Fußspuren. Wer immer sie hinterließ, er hatte offenbar nicht lange dagestanden und gehorcht; das hieß, daß er nicht in der Lage gewesen war, etwas zu verstehen und gezwungenermaßen enttäuscht den Rückzug antreten mußte. Da Janet schon befürchtet hatte, daß sie belauscht werden könne, und sich rechtzeitig dagegen abgeschirmt hatte – und nach Sarahs Meinung für eine Nacht genug ertragen hatte –, schien wenig Sinn darin zu liegen, ein zweites Mal bei ihr hereinzuplatzen, um ihr zu sagen, wie recht sie hatte.
Es gab natürlich etwas weitaus Nützlicheres, was sie tun konnte: der Richtung der Abdrücke folgen und herausfinden, wohin sie führten! Aber selbst von hier aus konnte sie verfolgen, daß man die Veranda über die drei Steinstufen am Außenende betreten und auf demselben Wege wieder verlassen hatte. Und da die Möglichkeit, daß der, von dem die Spuren stammten, noch irgendwo zwischen den schwarzen Schatten, die sich gegen das Ende des Hotelflügels warfen, lauern konnte, um festzustellen, ob ihm jemand folgte, floh Sarah auf ihr Zimmer zurück. Einmal sicher drinnen, schloß und riegelte sie sich ein.
Nach all' den Aufregungen der letzten Stunde hatte sie nicht angenommen, wieder einschlafen zu können. Hier aber kam ihr die Erfahrung zugute, die sie im Krieg gewonnen hatte, als sie Gebrauch davon machen lernte, bei jeder Gelegenheit, zwischen Luftangriffen, Ankunft und Abflug heimstationierter Bomber und Kampfflugzeuge soviel Schlaf zu ergattern, wie sie konnte.
Ihre Augen waren schon geschlossen, und sie war fast eingeschlafen, als ihr einfiel, daß die zweite Spur der Fußabdrücke auch von einer Frau stammen könnte . . .
Es war beim Frühstück am nächsten Morgen, als Reggie Craddock, der Sekretär des Skiklubs, seine Ansage machte. Er nahm kurz Stellung zu dem tragischen Tod von Mrs. Matthews und zu seiner eigenen vorherigen Warnung, daß der Blue Run unsicher zum Skifahren sei. Der Schnee, sagte

Reggie Craddock, sei an manchen Stellen matschig, und durch das Auftauen eines Stroms seien die meisten Pisten vereist und sehr gefährlich. Niemand solle während der verbleibenden vier Tage des Skitreffs auf oder in der Nähe des Run Ski laufen, und falls jemand dabei angetroffen wurde, würde er automatisch von der Mitgliedschaft des Klubs suspendiert. Er fügte die dürftige Information hinzu, daß Mrs. Matthews' Leiche heute zum Begräbnis nach Srinagar hinuntergeschafft würde, und nahm mit sichtlicher Erleichterung wieder Platz. Ringsherum an den Tischen setzte ein Gemurmel gedämpfter Unterhaltung ein.

Sarah warf einen Blick durch den Frühstücksraum, dorthin, wo Janet Rushtons Blondkopf im strahlenden Morgensonnenlicht, das durch die schneegesäumten Fensterrahmen strömte, aufglänzte. Janets Gesicht zeigte keine sichtbaren Spuren ihrer Panik während der vergangenen Nacht. Sarah registrierte, daß sie anstelle ihrer gewohnten Skibekleidung eine dunkle Tweedjacke und einen Rock trug; wahrscheinlich, weil sie den Sarg ihrer »Cousine« nach Srinagar hinunterbegleiten und dort dem Begräbnis beiwohnen würde. Im Augenblick sprach sie mit Hugo Creed – einem hochgewachsenen lustigen Typ von großzügiger Lebensart, der auf Grund eines unvorhergesehenen Zusammentreffens mit einem Baum auf dem Blue Run vorübergehend auf der Liste der Nicht-Skiläufer stand.

Janet hatte ihn bemitleidet, und Major Creed hatte anscheinend etwas Erheiterndes zu ihr gesagt, denn ihr Gelächter drang durch den ganzen Raum. Als Sarah es wahrnahm, war sie versucht, sich zu fragen, ob die Geschehnisse der vergangenen Nacht ein besonders lebhafter Alptraum oder das Produkt einer Fieberphantasie gewesen waren. Aber obgleich sie womöglich fähig war, Janets Geschichte mit Abstand zu betrachten, so konnte sie doch die deutlichen, verräterischen Fußabdrücke auf dem schneebestäubten Verandaboden nicht vergessen.

Später, am Morgen, mit einem Brief an Tante Alice auf dem Weg zum Postamt, war sie stehengeblieben, um mehr als

einmal hinter sich zu schauen, denn sie hatte ständig das unangenehme Gefühl, verfolgt zu werden. Aber außer einigen entfernten Gestalten, die auf dem Idiotenhügel herumstolperten, war der schimmernde Schwung des schneebedeckten *marg* leer und glitzerte im klaren Sonnenschein, der den Schnee unter ihren Skiern zu weichem Matsch taute. Es waren nur wenige Skiläufer zu sehen, da etliche der älteren Mitglieder Janet nach Srinagar hinunterbegleiteten, von wo aus sie von einem Gabelfrühstück in *Nedou's Hotel* nach der Beerdigung zurückkehren würden.
Sie kam gerade vom Postamt zurück, als sie die Creeds erblickte, die einem Anfängerkursus auf dem Idiotenhügel zuschauten. Sie lief hinüber, um sich zu ihnen zu gesellen. Trotz des beträchtlichen Altersunterschieds war Mrs. Creed (sie hieß Antonia mit Taufnamen, doch ihre zahlreichen Freunde nannten sie stets »Fudge«) eine besonders enge Freundin von ihr geworden.
»Hallo, Hugo«, rief Sarah und blieb neben den beiden stehen: »Warum schiebt Fudge dich nicht im Rollstuhl herum? Ich dachte, daß du wegen deiner Verletzungen das Bett hüten mußt.«
»Nicht ganz, mein Kind«, sagte Hugo und schloß die Augen gegen das grelle Sonnenlicht. »Knochen sind keine gebrochen. Es sind nur ein paar blaue Flecke, und ich bin steif wie ein alter Stiefel. Fudge hat mich eimerweise mit Salbe eingerieben, mit dem Resultat, daß ich jetzt wie ein Abwasserkanal stinke. Du kannst mich fünf Meilen gegen den Wind riechen, jedoch fühle ich mich stündlich geschmeidiger.«
Er fegte etwas geschmolzenen Schnee von der Bank, auf der er saß, und machte für Sarah einen Platz frei. »Komm und setz dich. Ich kenne eine ganze Menge anregenderen Zeitvertreib, als einem Sportskameraden dabei zuzuschauen, wie er sich ernstlich müht, aufrecht zu stehen, während er einen ein Meter hohen Abhang mit stramm geschnallten Brettern an den Stiefeln abwärts rutscht. Schau den da zum Beispiel: Beachte die übertriebene Vorsicht seiner Vorlage. Jetzt ist er ab – das ist echt Spitze! – nun gewinnt er Fahrt – seine Skier

überkreuzen sich – jetzt verliert er einen Stock – warte, jetzt geschieht's! . . . Herrlich! Der lebenslängliche Hinfaller. Ich habe keinen Zweifel, daß die Herren Metro-Goldwyn-Mayer ihm Tausende zahlen würden, wenn sie ihn für eine Tortenschlachtkomödie auf die Leinwand bannen könnten, und wir kriegen hier alles umsonst. Bravo, Sir! Bravo! Fabelhaft!«

»Hör auf, Hugo!« bat Fudge. »Lach nicht über ihn, Sarah! Es ermutigt ihn nur. – Das ist Major McKay. Reggie sagt, er wird nie ein Skiläufer, aber er will es probieren; er verbringt Stunden auf den Übungshügeln. Er sieht richtig wütend aus, der arme Kerl, und spuckt jetzt Schnee.«

»Und zweifellos auch ein paar Zähne«, sagte Hugo interessiert. »Sah *ich* je so aus, als ich Skilaufen lernte, Fudge?«

»Schlimmer«, erwiderte Fudge, »weitaus schlimmer. Wie Heinrich VIII. beim Spagat.«

»Diesen Vergleich nehme ich dir übel«, sagte Hugo mit Würde. »Ohnehin hast du die Zahlen verwechselt. Heinrich stimmt, aber nicht der Achte. Der Fünfte, würde ich sagen, oder wen immer Laurence Olivier dem Publikum kürzlich präsentierte. Viele Leute haben mich daraufhin jedenfalls auf seine starke Ähnlichkeit mit mir angesprochen. ›War das nun der alte Larry‹, sagten sie, ›oder sollte das Hugo sein?‹ Es brachte einen direkt in Verlegenheit. Hör auf zu kichern, Sarah. Es steht dir nicht.«

»Entschuldige«, sagte Sarah lachend, »aber ich habe mich oft gefragt, an wen du mich erinnerst, und natürlich ist es Heinrich VIII.«

»Bitte sehr!« sagte Fudge triumphierend. »Was hab' ich dir gesagt? Vielen Dank, Sarah.«

»Das ist ein Komplott«, seufzte Hugo. »Aber ich vergebe dir. Du bist so hübsch. Wenn ich diese alte Vettel zum Richtblock geschickt habe, darf ich dann hoffen, daß du die freigewordene Stellung einnimmst? Natürlich ohne Anspruch auf Sicherheit.«

»Ich werd's mir überlegen«, versprach Sarah. »Seid ihr beiden morgen bei der Khilan-Gruppe dabei?«

»Ich komme«, sagte Fudge. »Hugo wird es wohl leider nicht schaffen, aber ich verlasse ihn für eine Nacht. Ich möchte auf keinen Fall die letzte Chance verpassen, die Nacht auf der Skihütte zu verbringen.«
»Das nennt man nun weibliche Hingabe«, bemerkte Hugo traurig. »Setzt sie etwa ihre selbstsüchtigen Vergnügungen hintan, um meine knarrenden Scharniere weiter salben und massieren zu können? Mitnichten! Sie verläßt mich kaltherzig und rauscht ab, um mit Grasschlangen wie dem alten Reggie Ski zu laufen. Hallo, Reggie. Hast du deine Zahl für die Hütte morgen voll beisammen?«
»Ja«, sagte Reggie Craddock, den Hang unter ihnen heraufkeuchend, während seine Skier auf der matschigen Oberfläche abglitten. »Hölle, nimm diese Sonne weg! Der ganze Platz ist ein einziger Morast. Wenn das Tauwetter anhält, dann gute Nacht für unsere letzten vier Skilauftage.«
»Macht nichts«, tröstete Hugo. »Du kannst dir ein paar vergnügte Stunden bereiten, indem du auf den Hotel-Tabletts die Hänge hinabrodelst. Netter, sauberer, kindischer Spaß. Wer geht morgen mit auf die Hütte?«
Die Skihütte stand auf dem Schneehang des Khilanmarg, der das lange Plateau hoch über der Mulde von Gulmarg bildet, wo die Baumgrenze endet und in die Wälder am Fuße des Apharwat mündet, jenem langen, kahlen, von Schluchten durchschnittenen Felsgebirge, das sich zu einem vierzehntausend Fuß hohen Berg emporreckt. Khilanmarg, die Ziegenalm, ist allgemein bekannt, denn im Sommer bietet sie einen grasigen Boden für Ziegen- und Schafherden, die auf den grasbewachsenen Höhen weiden und auf den Felsen und steilen Berghängen herumklettern. Im Winter jedoch verwandelt der Schnee sie in ein ideales Skigelände, und es gehörte zum Brauch der Skiklubmitglieder, gruppenweise auf den Khilanmarg zu steigen, um die Nacht auf der Skihütte zu verbringen. Dadurch gewannen sie für den folgenden Tag mehr Zeit zum Skilaufen, weil sie den langen Anmarsch über die Waldpfade von Gulmarg, fünfzehnhundert Meter tiefer, bereits hinter sich hatten.

Reggie sagte: »Eine ganze Masse bleibt über Nacht, einige kommen nur für den Tag herauf. Ich rechne mit vierzehn von uns für die Hütte. Laßt mal sehn: da ist Sarah hier, und Fudge natürlich und die Coply-Zwillinge. Und Mir Khan und Ian Kelly, und jene beiden Vögel aus Kalkutta – wie hießen sie doch gleich? Dingsda und Soundso.«
»Thinley und Somerville«, half Fudge nach.
»Ja, richtig. Und ich natürlich und Meril Forbes und das Curtis-Mädchen. Dann noch Helen und Johnnie Warrender. Das sind alle, glaube ich.«
»Ach, herrjeh! Kommt Helen wirklich?«
»Ja. Warum?«
»Nichts, bloß –«
»Miau!« warf Hugo ein.
»Ich wollte überhaupt nichts sagen!« protestierte Fudge entrüstet.
»Davon bin ich überzeugt. Ich weiß, wie innig du Helen liebst.«
»Also wer ist jetzt boshaft? Miaue über dich selbst! Aber ich will nicht so tun, als ob sie mich nicht nerven würde. Sie ist wie – wie –«
»Genau«, sagte Hugo. »Wie Kekskrümel im Bett. Du brauchst nicht mehr zu sagen.«
Sarah, die die Namen mit den Fingern nachgezählt hatte, sagte plötzlich: »Aber das macht dreizehn, nicht vierzehn. Du mußt noch jemanden aufstöbern, Reggie. Du kannst keine Gruppe mit dreizehn aufstellen. Das würde Unglück bringen.«
»Es waren vierzehn, als ich die Listen ausfüllte«, sagte Reggie. »Ich muß jemanden vergessen haben.«
»Mich«, sagte Hugo kläglich.
»Klar. Verflucht!«
»Du brauchst dich nicht zu entschuldigen«, sagte Hugo mit einer gnädigen Handbewegung.
»Hab' ich nicht. Ich frag' mich nur, wen ich an deiner Stelle auftreiben soll.«
»Das ist nicht zu schaffen. Mich gibt's nur einmal: das Land

führt keine Ersatzteile. Ich bin das, was ›Fifi & Co.‹ zweifellos mit dem Etikett ›Exclusiv-Modell‹ versehen würden.«

»Ich wünschte, du würdest nicht soviel quasseln«, sagte Reggie irritiert. »Ich kann nicht geradeaus denken, wenn du babbelst. Glaubst du, Tomlin könnte dich vertreten?«

»Er hat sich das Handgelenk verstaucht.«

»Verflucht, das ist wahr. Was ist mit Stevenson?«

»Er ist morgen beim Anfängerrennen Schiedsrichter.«

»Na schön, ich denke, wir treiben schon noch jemanden auf. Wie dem auch sei, ich für mein Teil bin nicht abergläubisch, und falls Fudge und Sarah die Sache für sich behalten können, glaube ich kaum, daß jemand die Köpfe zählen wird. Sarah kann ja ihre Finger gekreuzt halten und sich ein Amulett um den Hals hängen, wenn sie echt beunruhigt ist.«

»Klingt vernünftig«, sagte Hugo anerkennend. »Ein Salomo fällte sein Urteil! Wenn man daran glaubt, daß gewisse Dinge Pech bringen, so muß man auch daran glauben, daß gewisse andere Dinge Glück bringen. Also wenn ihr morgen seht, wie mein liebes Weib sich zum Khilan hinaufplagt und Reggie, hufeisengeschmückt, von Heidekraut strotzend, mit der einen Hand ein vierblättriges Kleeblatt, mit der anderen einen übermächtigen Holzklotz umkrallt, so wißt ihr, daß sie nur passende Vorsichtsmaßnahmen gegen Unheil getroffen hat.«

»Da ist der Essens-Gong«, rief Reggie. »Ich denke, wir ziehen ab. Guter Gott – schaut mal McKay! Himmel, welch ein Sturz! Ein Wunder, daß sie sich nicht die Hälse brechen, was? Hat er das den ganzen Morgen praktiziert?«

»Pausenlos«, antwortete Hugo. »Er ist fast ununterbrochen dabei und versorgt die Zuschauer mit einer Menge guter und billiger Unterhaltung. Und wenn sich sein rauhes Bulldoggentemperament nicht einfallen läßt, mit dem ganzen aufzuhören und statt dessen lieber im Ballsaal zu tanzen, wird er sich zweifellos in nächster Zukunft den Hals brechen, und darüber hinaus ein Paar hervorragend gute Skier ruinieren. Dann haben wir alle schrecklich was zu lachen, und ihr könnt die Idiotenhügel zum Sperrgebiet erklären.«

»In Anbetracht des Umstandes, daß Mrs. Matthews heute begraben wird, halte ich das für keinen besonders passenden Scherz«, stellte Reggie Craddock frostig fest.
»O Gott!« sagte Hugo. »Es hat uns nicht amüsiert! Pardon, Pardon, Pardon. Führ mich zum Freßnäpfchen, Fudge, bevor ich ins Fettnäpfchen trete. Kommst du, Sarah?«
Der Rest des Tages verlief ohne Vorkommnisse, und als Sarah Janet Rushton beim Abendessen beobachtete, stellte sie fest, daß sie entweder eine bemerkenswert gute Schauspielerin war oder infolge des Schocks, Mrs. Matthews' Leiche gefunden zu haben, ihre Ängste übertrieben hatte.
In dieser Nacht gab es keine ungewöhnlichen Geräusche hinter der dünnen Holzwand ihres Schlafzimmers; Sarah sah sich aber außerstande einzuschlafen, denn die tödliche Stille der vergangenen Nacht wurde jetzt durch ein leises Tropfenkonzert ersetzt, das von dem tauenden Schnee herrührte, denn die Tautropfen fielen mit stetigem monotonen Platschen vom Dach in die Schneewehen unter der Verandabrüstung, wobei sie kleine schwarzgesäumte Löcher hinterließen. Es wehte auch eine kleine Brise: ein schwacher unsteter Windhauch, der die dunkle Veranda flüsternd entlangseufzte, über die schneebeladenen Dachrinnen strich und mit einem Geräusch wie weit entfernte Brandung die schwarzen Deodarwälder hinter dem Hotel durchkämmte.
Ein oder zwei Stunden nach Mitternacht erstarb der Wind, und der Frost zog seinen stummen Finger über die Dachränder, hemmte den Tau und ließ erneut phantastische Eiszapfen von jeder Dachrinne und Leiste herunterhängen. Stille flutete wieder über den *marg*, und Sarah schlief schließlich ein – um von einem diskreten Klopfen an der Tür und ihrem Morgentee geweckt zu werden.
Bulaki, der Überbringer, berichtete, es habe in den frühen Morgenstunden geschneit und das gesamte Kaschmiri-Hotelpersonal habe schlechtes Wetter prophezeit. Er sah verfroren und unglücklich aus, und sein dunkles Gesicht wirkte blau, zusammengedrückt und jämmerlich wie das eines Affen. Er erkundigte sich mit klappernden Zähnen, ob es noch Miß-

sahibs Absicht sei, die nächste Nacht in der Skihütte auf dem Khilanmarg zu verbringen, und als sie dies bejahte, bemerkte er düster, daß dort nichts Gutes zu erwarten sei.
Die Skihütte, sagte Bulaki, sei feucht und unsicher. Es sei auch ein Platz mit üblem Omen, denn sei nicht schon die erste Gesellschaft auf der Skihütte unter einer Lawine begraben worden? – mit damals nicht weniger als drei jungen Sahibs darin? Er hätte selbst mit einem Mann gesprochen, der geholfen habe, die Leichen jener Sahibs auszugraben, und . . . An diesem Punkt schnitt Sarah ihm mit einer gewissen Eile das Wort ab, und nachdem sie ihre Absicht wiederholt hatte, die Nacht auf der Khilanmarghütte zu verbringen, forderte sie ihn auf, alles Nötige für die Expedition einzupakken, während sie frühstückte.
Zwanzig Minuten später trat sie hinaus auf die schneebestäubte Veranda und ging den Hügel hinunter zum Frühstücksraum. Dieser befand sich in dem großen Block, der in einiger Entfernung unterhalb des Flügels lag, in dem sie geschlafen hatte. Die Hotelgebäude waren auf der Höhe und an den Hängen eines steilen kleinen Hügels verstreut, der sich über dem Zentrum der flachen Mulde von Gulmarg – der »Rosenwiese« – erhob. Eine Mulde, die im Sommer ein riesiges, grünes Golfgelände bildete, umgeben von Pinien-, Deodar- und Kastanienwäldern, betupft und eingekreist von zahllosen kleinen Blockhütten, die starke Ähnlichkeit mit jenen eines Minenlagers in einem Cowboyfilm besaßen.
Trotz Bulakis Schlechtwetterwarnungen war es ein strahlender Morgen. Die Sonne hatte die Mulde von Gulmarg noch nicht erreicht, flammte aber über den Berggipfeln, die sich darüber erhoben, und tauchte die höchsten Spitzen in blendendes Licht. Schon packten etwa zwanzig Mitglieder des Skiklubs belegte Brote und Thermosflaschen in ihre Rucksäcke, schnallten ihre Skier fest und brachen zu dem langen Anstieg durch die Pinienwälder auf, die zu den offenen Schneefeldern des Khilanmarg führten.

Der Tag war allzu kurz gewesen. Mit dem Längerwerden der Abendschatten kroch eine Eiseskälte über die Schneefelder, und diejenigen von der Gruppe, die zum Hotel zurückkehrten, schluckten den letzten Tropfen Tee aus ihren Thermosflaschen, aßen den letzten Kuchenkrümel und schnallten ihre Skier für den Heimwärtslauf fest. Einer nach dem anderen sausten sie über die aufsprühenden Flächen, die geduckten Gestalten schwarz auf dem rosagefärbten Schnee und zwergenhaft gegen die finstere Größe des Apharwat, dessen steile Wände über die sanften Hänge des Khilanmarg ragten, bis sie zwischen den Schatten der Pinienwälder verschwanden.
Sarah, die mit Ian Kelly und den Coply-Zwillingen am Christmas Gully Ski gelaufen war, machte auf dem Kamm des Gullys Pause, um das abendliche Wunder des Sonnenuntergangs zu beobachten. »Ist es nicht herrlich?« staunte sie in atemlosen Entzücken.
Eine Mädchenstimme sagte hinter ihr: »Ja, es ist wirklich wunderhübsch, nicht wahr? Wie die Verwandlungsszene aus einem Märchenspiel – nicht ganz lebensecht.«
Sarah fuhr ruckartig herum und erkannte Janet Rushton, die am Rande des Gullys auf ihren Skistöcken lehnte und hinunterschaute, wo sich in der Ferne die flitterübersäten, nadelkopffeinen Lichter eines mit Purpurspuren behafteten Pokals zeigten, der Gulmarg darstellte.
»Hallo!« sagte Sarah überrascht. »Ich wußte gar nicht, daß Sie auch über Nacht hier oben bleiben. Ich nehme an, Sie haben Hugos Platz eingenommen? Sie sind also der fehlende Vierzehnte.«
»Ja, ich konnte nicht widerstehen. Ich hatte nicht die Absicht, zu bleiben, aber Reggie hat mich unter Druck gesetzt. Er sagte, die Gruppe könne Nervosität befallen, wenn sie entdekken, daß sie dreizehn sind. Es sei zwar purer Unsinn, sich mit so was zu belasten, aber seine Bemühungen wären ohnehin Verschwendung.«
»Sie bleiben aber?«
»Ja; ich sagte, ich würde bleiben. Nebenbei – es wäre jetzt ohnehin zu spät. Die anderen sind weg, und es würde nur

Kritik hervorrufen, wenn ich darauf bestünde, alleine hinter ihnen herzurauschen.«
»Warum? Was ist passiert?«
»Nicht viel, außer daß Evadne Curtis Bauchweh oder kalte Füße oder sonst was bekommen hat, und ich hörte gerade, daß sie sich letztlich doch entschlossen hat, zum Hotel umzukehren, und daß jene zwei, Thinkley und Wie-hieß-er-gleich, mit ihr abgefahren sind. Sie kommen aus ihrer Gegend, und es sieht so aus, als ob sie um ihre Gunst rivalisierten. Deshalb will natürlich keiner von beiden sie mit dem anderen alleine lassen. Alles durchaus verständlich, aber es bedeutet, daß wir jetzt nur elf sind, und ich hätte demnach nicht zu sagen brauchen, daß ich für Hugo eingesprungen bin. Also schön!«
Sarah spürte eine plötzliche Woge der Erleichterung. Sie hatte die geduckten, dunklen Gestalten auf den heimwärts springenden Skiern, die zwischen den Pinienwäldern verschwanden, mit einem Gefühl dunkler Vorahnungen beobachtet, das sie nicht näher hätte analysieren können. Jetzt stellte sie aber fest, daß es in der Furcht wurzelte, irgendwo dort unten, weit abgelegen in der rasch sich verdunkelnden Senke, lauere der Tod auf Janet. Ein Tod, der auf Zehenspitzen die dunkle, schneebepulverte Veranda des alten Hotels entlangkam, oder der am Fuße des Blue Run zwischen den Schatten lauerte. Nun aber würde Janet gar nicht dort unten sein. Sie war hier – und in Sicherheit; hoch über den Schatten der schwarzen, wartenden Bäume und den geheimnisumwobenen Holzwänden des alten Hotels. Hier oben in einer klaren, frischen, frostigen Welt. In Sicherheit . . .
Völlig erleichtert lachte Sarah laut auf. »Los!« rief sie, »wer zuerst an der Hütte ist!« Sie war eine gute Skiläuferin, aber Janet war eine exzellente; mühelos davonziehend, erreichte sie die Hütte mit einem Schwung durch den aufstiebenden Schnee und langte volle sechzig Sekunden vor Sarah an, die sie an die äußerste Ecke gelehnt fand, wo sie den Schnee von ihrem Skidreß klopfte. Ihr Blick lag auf der dunklen Senke weit unter ihnen, und ihr Gesicht war in dem schwindenden Tageslicht wieder angespannt und ängstlich.

Plötzlich sagte sie in gedämpftem Ton: »Ich hätte nicht hier oben bleiben dürfen. Es ist ein zu großes Risiko. Ich war ein Idiot. Ich hätte mit den anderen zurückfahren sollen.«

»Risiko?« wiederholte Sarah scharf. »Was meinen Sie? Welches Risiko bedeutet es, hier oben zu sein?«

»Darum geht es gar nicht«, sagte Janet. »Sondern ... ach was, vielleicht spielt es keine Rolle.« Sie wandte den Kopf, um einen Blick auf die steile Bergwand zu werfen, die sich hinter der kleinen Hütte erhob, und auf den klaren, sternfunkelnden Himmel darüber, und fügte scheinbar zusammenhanglos hinzu: »Immerhin scheint heute nacht der Mond.«

Ein Gewirr dunkler Figuren kam hinter ihnen durch den aufstiebenden Schnee angeschossen und verwickelte sich zu einem heillosen Wirrwarr vor der Hüttentür. »Nimm deine Skier aus meinem Haar, Alec«, verlangte Ian Kelly. »Wo sind die anderen, Sarah?«

»Einige sind bereits angekommen, und die anderen stoßen gerade dazu«, antwortete Sarah. »Hallo, Reggie. Wo bist du gewesen?«

Reggie Craddock und zwei seiner Begleiter, ein langer, schlanker Inder mit einem Profil, das eine griechische Münze geziert hätte, und Meril Forbes, ein dünnes Mädchen mit rotem Haar, wasserhellen Augen und einer Fülle Sommersprossen, kamen um die Hütte herum und stießen zu der Gruppe an der Tür.

»Rauf zum Gipfel des Gujar Gully«, sagte Reggie, seine Skier abstreifend. »Übrigens, ihr kennt euch alle, ja? Miß Forbes und Mir Khan – alle Ihre Namen kann ich mir nicht merken, Mir.«

Der lange Inder lachte. »Einer genügt. Aber wir haben uns wohl alle schon früher getroffen.«

»Höchst schmerzhaft, was mich angeht«, bemerkte Ian Kelly. »Ich traf auf Mir in einer Karambolage, als ich vor zwei Jahren vom Red Run herunterfuhr, und bin noch immer grün und blau davon. Wo haben Sie Ski laufen gelernt, Mir? Hier oben?«

»Nein, in Österreich, und dann in Italien. Hier oben bin ich

vor diesem Jahr noch niemals Ski gelaufen. Aber es gibt hier guten Schnee.«
»Den besten der Welt!« behauptete Reggie Craddock, der treue Sekretär des Skiklubs. »Übrigens, ich will morgen früh einen Lauf zu den Eis-Seen machen. Start fünf Uhr dreißig. Kommt jemand mit? Was ist mit dir, Janet?«
»Nein, danke. Zuviel Schufterei.«
»Ich gehe mit«, sagte Mir Khan, »und Ian ebenfalls. Es tut ihm gut. Er hat zugenommen. Vor zwei Jahren war er eine Gazelle – ein Reh!«
»Ach, Jugend! Jugend!« seufzte Ian Kelly. »Damals war ich noch jung – höchstens neunzehn. Nun ja, ich werde mich wohl etwas plagen müssen. Kommst du mit uns, Sarah?«
»Ich überleg's mir«, erwiderte Sarah. »Los, Janet, sehen wir nach, ob jemand die Lampen angezündet hat und ob der Ofen brennt. Ich friere.«
Die Tür schloß sich hinter ihnen, und innerhalb von Minuten schwand der letzte Schimmer Tageslicht von den Bergspitzen. Sterne glitzerten frostig am kalten Himmel, und weit entfernt, hinter dem hochaufgetürmten Gipfel des Nanga Parbat, züngelte ein Geflacker von Blitzen über die Bergketten. Aber darüber blieb der Himmel klar und wolkenlos im ersten fahlen Schimmer des aufsteigenden Mondes.
Das Innere der Hütte war in drei Räume aufgeteilt: ein Gemeinschaftszimmer, von dem es links zum Männerschlafraum und rechts zum Frauenschlafraum ging. Eine Doppelreihe von Schlafkojen lief rund um die drei Seiten jedes Schlafraums; vierzehn Kojen für jedes Zimmer mit drei zusätzlichen Kojen im Gemeinschaftsraum, für Notfälle. Aber die Tage, an denen die Skihütte voll belegt war, waren vergangen. Reggie Craddock war überrascht und erfreut gewesen, als es ihm gelungen war, jene Handvoll anzumustern, die jetzt die einunddreißig Gäste früherer Jahre ersetzte.
Fudge Creed, die damit beschäftigt war, am eisernen Ofen, der in der Mitte des Frauenabteils stand, Strümpfe zu trocknen, begrüßte Sarah und Janet mit Begeisterung. Ihre Stimme zu einem aufgeregten Flüstern senkend, sagte sie:

»Gott sei Dank, daß ihr kommt: noch weitere zehn Minuten, und ich wäre im Erdboden versunken. Mir war vorher gar nicht klar, wie unbedeutend meine Vorfahren waren, und daß ich kaum mit ›richtigen‹ Leuten verkehre. Ich glaube, ich kenne keinen einzigen Aristokraten, den ich beim Vornamen nennen könnte – von seinem Spitznamen ganz zu schweigen!«

Janet brach in Gelächter aus und sah auf einmal jünger und weniger ängstlich aus: »Es handelt sich wohl um Helen, nehme ich an! Wo ist sie?«

»Wachst ihre Skier nebenan.«

»Mir war doch, als hörte ich beim Hereinkommen Frauenstimmen auf der Männerseite. Äußerst schockierend.«

»Pssst!« warnte Sarah. »Da kommt eure kleine Busenfreundin.« Doch es war nicht Helen Warrender, die die Tür aufstieß und eintrat, sondern Meril Forbes: eine in jeder Beziehung farblose junge Frau, die trotz ihrer Sommersprossen ganz hübsch ausgesehen haben könnte, wenn sie nicht den gehetzten Ausdruck gehabt hätte, den sie üblicherweise zur Schau stellte. Meril hatte das Unglück, Waise zu sein und als einzige Verwandte eine ältliche und autoritäre Tante zu besitzen, die mehr oder weniger ständig in Kaschmir lebte. Hätte sie jemals Charakter besessen, hätte sie sich bald dem Einfluß der Persönlichkeit ihrer Tante entzogen, denn Lady Candera war eine jener dominierenden alten Damen, die das ungenierte Aussprechen ihrer Gedanken bis an die Grenze der Unhöflichkeit als Form gesellschaftlicher Machtpolitik betrieben und als Folge davon gefürchtet waren.

»Hallo, Meril«, sagte Janet, setzte sich auf den Fußboden vor den Ofen und zog ihre Stiefel aus. »Fein, daß du es doch noch einrichten konntest, zum Treff heraufzukommen. Ich habe läuten hören, du könnest nicht. Was war denn los? Hat Tante Ena eine Herzattacke erlitten?«

Merils Gesicht errötete leicht unter der Puderschicht über den Sommersprossen. »So was Ähnliches«, gab sie zu. »Zuerst sagte sie, sie wolle nichts davon hören. Und dann sagte sie plötzlich, ich könne gehen.«

»Wenn ich du wäre, würde ich die alte Pest mit einem Hackebeil erschlagen«, rief Janet freimütig. »Kein Gericht würde dich schuldig sprechen. Du hast ein freundliches, gütiges Wesen, Meril; das ist dein Kreuz. Was dir fehlt, ist ein gehöriger Rausch, um deiner alten Tante die Unabhängigkeitserklärung aufzusagen.«
Meril Forbes lächelte blaß. »Sie war im großen und ganzen recht gut zu mir, weißt du. Ich meine, wäre sie nicht gewesen, hätte ich niemanden gehabt. Sie hat eine Menge für mich getan.«
»Na schön«, erwiderte Janet, als sie aufstand, »solange du es so siehst . . . – Was glaubst du, was es zum Abendbrot gibt? Ich habe seit dem Frühstück nichts gehabt.«
»Ich kann's euch sagen«, meldete Fudge mit einiger Genugtuung: »Hammelfleisch und Geschmortes. Beides gut – ich hab's gemacht. Eine Menge Kaffee – auch von mir. Und Zitronen-Käsekuchen, den das Hotel heraufgeschickt hat. Was denkt ihr wohl, was ich gemacht habe, während ihr drei mit euren Freunden ringsherum auf den Skihängen die Zeit verplempert habt? Abendessen kochen – das ist was wert!«
»Sei gesegnet. Mir träumte, ich hätte es selbst getan. Nun laßt uns das Zeug ohne Zögern hinunterschlingen.«
Der Rest der Gruppe war schon im Gemeinschaftsraum um den Ofen versammelt, und alle nippten vorsichtig an einem seltsamen Gebräu aus heißem Rum, Zitrone und diversen mysteriösen Ingredienzien, beschafft und hergestellt von Johnnie Warrender.
»Ah – die Damen!« rief Johnnie und schwenkte dabei ein dampfendes Glas. »Kommt und probiert ein Schlückchen hiervon, ihr Süßen. Genau das rechte, um die Kälte zu vertreiben. Man nennt es ›Höllenschönheit‹, ein riesig netter Name!« Er lachte dröhnend. Es war deutlich erkennbar, daß Johnnie schon »schwer in Fahrt« war – kein ungewöhnlicher Zustand bei ihm. Sarah akzeptierte ein Glas und zog sich damit ans andere Ende des Raums zurück, wo sie behutsam daran nippte und die anderen Gäste mit Interesse beobachtete; insbesondere Johnnies Frau, Helen, die mit Mir Khan

und Reggie Craddock sprach. Die anderen Frauen der Gruppe trugen genau wie die Männer Hosen und Wollpullover. Nur Helen Warrender hatte als einzige der Gruppe für die Gelegenheit ein exotisches Gewand zum Wechseln mitgebracht: ein elegant drapiertes Wollkleid, tief ausgeschnitten und kurzärmlig, in lebhafter smaragdgrüner Schattierung. Ihre seidengrün bestrumpften Beine endeten in grünen Schuhen mit Pfennigabsätzen. Am Ausschnitt ihres Kleides waren ein Paar großer Straß-Broschen befestigt, an ihren Ohren dazu passende Clips.

Dies war ebenfalls eine Frau, die, genau wie Meril, hübsch, vielleicht sogar schön ausgesehen haben könnte, wenn ihre Miene diese Vorstellung nicht beeinträchtigt hätte: in ihrem Fall der Ausdruck einer chronischen Langeweile und Unzufriedenheit, den keine noch so dicke Schicht gekonnt aufgetragenen Make-ups kaschieren konnte. Der verschwenderische Gebrauch des Lippenstifts reichte auch nicht aus, die Bitterkeit der verdrossen herabgezogenen Mundwinkel zu überdecken, während der purpurrote Nagellack, den sie bevorzugte, nur dazu angebracht schien, die Ruhelosigkeit ihrer Hände zu betonen, die nervös und ununterbrochen Zigaretten ergriffen, die sie eine an der anderen ansteckte, sobald die erste halb geraucht war.

Alles in allem, fand Sarah, brachte Mrs. Warrender eine grelle und unpassende Note in die heimelige Skihütte. Eine Note, so künstlich und unangebracht wie die Straßornamente, die in dem dunstigen Licht der Petroleumlampen funkelten und blitzten.

Der Raum war sehr heiß. Die Hitzewellen vom rohen, eisernen Ofen, verbunden mit dem dicken Zigarettenqualm, dem Stimmengewirr und den Dünsten von Johnnies »Höllenschönheit«, bewirkten, daß Sarah sehr schläfrig wurde. Und so schnell wie möglich nach der Mahlzeit, obgleich es erst kurz nach neun war, zog sie sich gähnend in ihre Schlafkoje zurück.

Die anderen brauchten nicht lange, um ihrem Beispiel zu folgen, denn sie waren frühzeitig aufgestanden, und es war

ein langer, gesunder Tag gewesen. Darüber hinaus war morgens vor dem Frühstück die beste Skilaufzeit, wenn der Schnee noch fest und trocken vom nächtlichen Frost war. Gegen zehn Uhr wurde die letzte Öllampe gelöscht, und die Skihütte lag ruhig im Dunkel.
Es mußte eine Stunde vor Mitternacht gewesen sein, als Sarah aufwachte. Der Mond stand klar über den Höhen des Khilanmarg, und das Glitzern der Schneewüsten verstärkte seine Leuchtkraft in der Finsternis der kleinen Skihütte.
Ein oder zwei Minuten lang lag sie ganz still, ließ den Blick über die schattigen, fremden Umrisse des engen Raums mit den kaum sichtbaren Schlafkojen wandern, horchte auf das gedämpft rhythmische Schnarchgegrummel, das von der anderen Seite der Scheidewand kam, wo Reggie Craddock vermutlich auf dem Rücken schlief. Ein Windhauch vom Apharwat säuselte unter den schneebedeckten Dachvorsprüngen, bahnte sich zischelnd seinen Weg über die leeren weißen Flächen, und unten im Pinienwald krachte scharf ein Ast, der unter seiner Schneelast brach.
Einen Augenblick später wiederholte sich das ferne Geräusch im Inneren der Hütte. Die Helligkeit hatte plötzlich zugenommen, und Sarah konnte die deutlichen Umrisse des kleinen eisernen Ofens erkennen, der einen Augenblick zuvor nur ein dunkler Fleck gewesen war. Da wurde ihr klar: Jemand mußte die Hüttentür geöffnet haben.
Ein oder zwei Sekunden lag sie still und lauschte. Doch außer dem plötzlichen Knarren einer Türangel gab es kein weiteres Geräusch. Sie setzte sich vorsichtig auf und spähte über den Rand ihrer Schlafkoje.
Es gab nur *einen* Eingang zu der Skihütte, die Tür nämlich, die in den Gemeinschaftsraum führte. Aber die Innentür zwischen der Frauenabteilung und dem Wohnraum stand offen; und die Außentür der Hütte ebenfalls, denn der Gemeinschaftsraum lag im hellen Mondlicht, und durch seinen Widerschein konnte Sarah genau erkennen, daß das leise schnarchende Bündel in der Nachbarkoje Meril Forbes war. Die Koje daneben war Janets – und sie war leer. Der Wider-

schein vom offenen Eingang des Nebenraums ließ deutlich die zerwühlten Decken erkennen. In jähem Schrecken erinnerte sich Sarah wieder an die Spur der Fußabdrücke auf der leeren Veranda und an die Art, wie das Licht am Lauf der kleinen Automatik in Janet Rushtons Hand aufgeblitzt hatte . . .

Im nächsten Moment war sie aus dem Bett und stieß die Füße in ihre Skistiefel. Sie zog den schweren Mantel von der Koje, wickelte ihn um ihre Schultern, war schon an der Tür, durchquerte den Gemeinschaftsraum und blickte in die Nacht hinaus. Irgend etwas bewegte sich an der Wand der Skihütte, und als sie einen Schatten wahrnahm, zischte sie: »Janet!« und stieß einen Seufzer der Erleichterung aus.

Der Schatten blieb stehen, und sie hörte Janets Stimme in scharfem Flüsterton: »Sarah! Was um alles in der Welt machen Sie hier draußen? Gehen Sie sofort zurück, bevor Sie sich eine Lungenentzündung holen!«

»Ich hörte die Tür knarren, als Sie rausgingen«, erklärte Sarah mit klappernden Zähnen. »Das weckte mich auf, und als ich aus meiner Koje blickte und sah, daß Sie nicht da waren, bekam ich Angst, es sei etwas passiert.«

Sie zwang die Arme durch die Ärmel ihres Mantels, knöpfte ihn bis zum Hals zu, und trat in den Schnee hinaus, wo sie sich wie in Gedanken umdrehte und die Tür schloß: Es gab keine Notwendigkeit, die anderen in der Hütte zu wecken. Die Türangel knarrte wieder schwach, und der Riegel fiel mit einem leisen Klicken zu.

Janet Rushton lehnte an der Hüttenwand und schnallte ihre Skier an. Sie war vollständig angezogen und trug eine knapp anliegende dunkle Skikappe über den blonden Locken sowie einen dicken Wollschal um den Hals. Als sie die steife Bindung festschnallte, summte sie leise einen alten Schlager, den Sarah während des Krieges oft im Radio gehört hatte – wie lange war das schon her?

Der Mond in einer Märchennacht
Und jede süße Melodie,
Sie wurden nur für dich gemacht.
Der Frühling und die Sommerpracht
Und auch der goldne Ehering,
Sie wurden nur für dich gemacht.

Sie befestigte den letzten Riemen, richtete sich auf, zog ein Paar fellgefütterte Skihandschuhe an und hob einen ihrer Skistöcke auf. In dem klaren Mondlicht konnte Sarah sehen, daß ihre Augen leuchteten und sie wieder jung und fröhlich aussah, als ob eine schwere Last von ihren Schultern genommen sei.
»Was haben Sie vor?« fragte Sarah. »Was ist geschehen, Janet? Wohin wollen Sie?« Ihr Geflüster klang scharf in der Stille.
»Pssst! Sie wecken die anderen auf. Kommen Sie hier herüber.« Der Schnee knirschte laut unter ihren Füßen, als sie aus dem Schatten der Skihütte ins volle Mondlicht traten.
Janet sagte: »Er ist gekommen, Sarah. Endlich ist er gekommen. Nun wird alles gut, und morgen kann ich fort von diesen schrecklichen Bergen und wieder frei sein. Schauen Sie dort hinüber!«
Sie ergriff Sarahs Arm und zeigte mit einer behandschuhten Hand dorthin, wo weit unter ihnen das Mondlicht die Mulde von Gulmarg mit milchigem Licht erfüllte.
»Was?« wisperte Sarah. »Ich sehe nichts.«
»Dort, zwischen den Bäumen, links von der Schlucht.«
An der entlegensten Seite von Gulmarg, in der Pelzdecke der fernen Baumkronen, die sich eisengrau im Mondlicht zeigten, glomm ein einziger Lichtfleck wie ein winziger roter Stern in einem stürmischen Himmel. Ein Nadelstich der Wärme gegen die Unendlichkeit der kalten, mondbeschienenen Welt, die unter ihnen lag.
»Ich kann einen Lichtfleck sehen, falls es das ist, was Sie meinen«, flüsterte Sarah. »Ein rotes Licht.«
»Ja, das meine ich. Wir haben seit Tagen darauf gewartet.

Seit wir hergekommen sind, hielt eine von uns jede Nacht nach ihm Ausschau. Ich fing schon an zu glauben, es würde niemals kommen. Das ist einer der Gründe, warum ich mich entschloß, heute nacht hier oben zu bleiben. Ich wußte, daß ich es von hier aus ebensogut sehen konnte wie von meinem Hotelzimmer. Vielleicht besser.«

»Aber was haben Sie vor? Sie können doch jetzt nicht hinunterlaufen.«

»Natürlich kann ich. Ich bin eine gute Skiläuferin. Schneller als die meisten hier. Ich kann in einer halben Stunde dort unten sein.«

»Das ist doch absurd!« Sie hatten bisher geflüstert, doch Sarahs Stimme wurde jetzt bedenklich lauter. »Sie finden bei Nacht doch niemals den Weg durch den Wald.«

»Sst! Sie wecken noch jemanden auf. Ich nehme nicht den üblichen Weg, sondern werde den Slalom-Hügel und den Blue Run hinunterfahren. Reggie schaffte es in zehn Minuten und ich kann es in acht schaffen. Danach nehme ich die Abkürzung direkt über den *marg*. Sagen wir höchstens weitere zwanzig Minuten.«

»Janet, Sie sind verrückt. Das können Sie doch nicht tun. Und Sie dürfen nicht über den Blue Run hinunter. Sie haben gehört, was Reggie darüber sagte – und – und –«

Janet lachte leise; ihr Atem bildete weiße Nebel in der stillen Luft. »Ist schon gut, Sarah. Schauen Sie nicht so erschrocken. Ich halte mich an den Außenrand des Run, und ich kenne die Route wie meinen Handrücken. Haben Sie keine Bange, um diese Nachtzeit wird dort unten kein Mörder auf mich lauern, und lange vor dem Morgen werde ich zurück sein. Falls nicht, falls ich mich verspäten sollte, gehe ich statt dessen zum Hotel zurück und tue so, als sei ich vorzeitig hinabgelaufen. Würden Sie das den anderen sagen, wenn ich nicht rechtzeitig zurück bin?«

Sarah sagte: »Ich kann Sie so nicht fortlassen. Irgend etwas – alles mögliche – kann passieren. Passen Sie auf – wenn Sie nur eine Minute warten, bis ich meine Skier geholt und ein paar Sachen angezogen habe, komme ich mit Ihnen.«

»Nein. Sie sind ein großartiges Mädchen, Sarah, aber Sie laufen nicht gut genug Ski. Sie würden sich dabei entweder den Hals brechen oder mich aufhalten!« Sie lächelte in Sarahs ängstliches Gesicht hinein. »Ich bin wirklich auf alles vorbereitet.«
Sie steckte die Hand in eine Tasche ihres Skianzugs und zog die kleine Pistole heraus. Eine Sekunde lang blitzte und blinkte das Mondlicht auf dem kalten Metall, dann ließ sie die Waffe zurückgleiten und zog die Tasche mit einem kleinen Metallreißverschluß zu.
»Wollen Sie sagen, Sie hätten das Ding den ganzen Tag in der Tasche mit sich herumgetragen?« fragte Sarah erneut geschockt.
»Nicht in meiner Tasche: in dem Halfter, hier –« Janet klopfte auf ihre linke Achselhöhle. »Doch in letzter Minute wurde mir klar, daß zu dieser Nachtzeit niemand eine Ausbuchtung an meinem Skianzug bemerken würde. Deshalb nahm ich sie heraus und steckte sie in die Tasche; dort ist leichter an sie heranzukommen. Nicht, daß ich sie heute nacht benutzen wollte – oder überhaupt jemals. Doch ich muß die ganzen Unterlagen mit mir herumtragen, denn ich wage es nicht, etwas zurückzulassen. Aus Angst, daß irgendeine hilfreiche Aufräumerin wie Meril es findet und anfängt, Fragen zu stellen.«
Sarah sagte plötzlich: »Janet, was kommt eigentlich bei alledem für Sie heraus?«
Janet machte eine kleine Pause, und nun schien ihr Gesicht im Mondlicht nüchtern und nachdenklich. Nach einem Augenblick sagte sie langsam: »Nichts von den Dingen, für die die meisten Leute arbeiten. Kein großer materieller Gewinn oder öffentlicher Erfolg. Erregung vielleicht; doch am meisten von allem Furcht; Furcht, die einen krank und kalt und hirnlos und rückgratlos macht.«
»Warum dann?«
»Mein Vater«, sagte Janet, »war ein berühmter Soldat. Wie mein Großvater und mein Urgroßvater. In meiner ganzen Familie sind alle immer nur Soldaten gewesen. Aber mein

ältester Bruder wurde 1936 an der Grenze getötet, John starb in Italien und Jamie in einem japanischen Gefangenenlager. Ich bin die einzige, die übriggeblieben ist, und dies ist meine Art des Kampfes. Man muß tun, was man kann. Es genügt nicht, nur patriotisch zu denken.«

Sarah dachte plötzlich an eine andere, lang verstorbene Engländerin, die den deutschen Exekutionskommandos gegenüberstand und deren unsterbliche Worte Janet Rushton unbewußt umschrieb: »Patriotismus allein ist nicht genug.«

Sie gab ihr die Hand. »Viel Glück, Janet.«

»Danke. Sie sind ein Prachtkerl, Sarah, und ich bin Ihnen schrecklich dankbar. Ich wünschte, ich könnte Ihnen zeigen, wie sehr ich es zu schätzen weiß.«

Sarah lächelte sie an – ein kumpelhaftes Lächeln. »Für ein vernünftiges Mädchen reden Sie garantiert eine Menge Unsinn. Geben Sie acht auf sich!«

»Werde ich«, versprach Janet. »Keine Sorge.«

Sie neigte sich vor und küßte geschwind und unerwartet Sarahs kalte Wange. Im nächsten Moment, mit einem kräftigen Abstoßen ihrer Skistöcke und lebhaft aufstiebendem Schnee war sie davon – eine dunkle, fliegende Gestalt im kalten Mondlicht, die auf den lang abfallenden Hängen der Schneefelder dahinschrumpfte und bald mit der Finsternis der Wälder verschmolz.

Sarah drehte sich mit einem kleinen Schauder um und ging zu der Hütte zurück. Jetzt erst nahm sie die intensive Kälte war, die ihre Hände und Füße taub gemacht und ihre Wangen zu Eis verwandelt hatte. Janet hatte recht, dachte sie. Ich werde mir eine Lungenentzündung holen, und es geschieht mir recht!

Das Mondlicht fiel schräg auf das Skihüttendach und verwandelte den tiefen, weißen Schnee in weiße Seide, unter der die Wände der Blockhütte sich tintenschwarz im Schatten zeigten. Die Nacht war so still, daß Sarah das ferne, schwache Donnergrollen hinter den entlegenen Bergen des Nanga Parbat, der sich jenseits des Tales entlangzog, noch als Geflüster vernehmen konnte. Sie hatte jedoch keine zwei Schritte auf

die Hütte zu getan, als sie ein anderes Geräusch vernahm; ein Geräusch, das sich in ihr Gedächtnis grub und sie noch in vielen langen Nächten in ihren Träumen heimsuchen sollte: Das Knarren einer Türangel.
Sarah blieb wie angewurzelt stehen und erstarrte beim Anblick der Tür, die sie doch erst so kurz vorher geschlossen hatte. Jemand mußte sie unbemerkt geöffnet haben, während sie sich mit Janet im Schnee unterhalten hatte, und schloß sie jetzt wieder – langsam und mit extremer Behutsamkeit –, und dann hörte sie das schwache Klicken, als der Riegel sacht in seine alte Lage zurückfiel. Es dauerte lange, bevor sie sich zu rühren wagte. Und wie sie in dem eisigen Mondlicht stand, überlief sie eine Gänsehaut, die mit der kalten Nachtluft nichts zu tun hatte, und sie entsann sich Janets argloser Worte, die sie vor wenigen Augenblicken über den Blue Run gesagt hatte: »Um diese Nachtzeit wird dort unten kein Mörder auf mich lauern.«
Vielleicht nicht. Vielleicht weil hier oben die ganze Zeit ein Mörder gelauert hatte – dicht neben ihr unter dem schneebedeckten Dach der kleinen Skihütte am Khilanmarg.

4

Erst als Reggie Craddocks Wecker mit ohrenbetäubendem Geschrill verkündete, daß es fünf Uhr morgens sei, und auf der anderen Seite der Trennwand Geräusche auf das widerwillige Aufstehen der Herren Craddock, Kelly und Khan (der Rest der Gruppe hatte sich den Freuden des Skilaufens vor Sonnenaufgang unzugänglich gezeigt) schließen ließen, fiel Sarah endlich in einen unruhigen Schlummer.
Sie hatte stundenlang wach gelegen, frierend zusammengekauert zwischen den Decken in ihrer engen Schlafkoje. Sie hatte auf die monotonen Schnarchtöne, die von der anderen Seite herüberdrangen, auf das schnaufende Atmen von Meril Forbes gehorcht. Und wieder und wieder das verstohlene Schließen der Tür vor sich gesehen.

Jemand hatte dort gestanden, beobachtet und gelauscht. Und falls es nur jemand war, der wie sie aus dem Schlaf gerissen worden war, würde er sich dann nicht gemeldet haben? In dem klaren Mondlicht war es ausgeschlossen, daß er sie und Janet übersehen oder nicht erkannt hatte; jeder, der glaubte, er habe Stimmen gehört, und beschloß, der Sache auf den Grund zu gehen, würde sich bemerkbar gemacht haben. Außerdem ... Sarah erschauerte erneut bei der Erinnerung an die sich schließende Tür ... war sie so überaus langsam geschlossen worden, so ungemein sanft ...
Elf Menschen befanden sich in der Hütte, sie selbst und Janet inbegriffen. Sie konnte keinen von ihnen ausnehmen, denn bis sie ihren Mut zusammengenommen hatte, um die Hütte zu betreten, hatte derjenige, wer immer es war, der die Tür geschlossen hatte, genügend Zeit gehabt, ruhig in seine Koje zurückzuschlüpfen.
Sarah ging im Geiste alle durch, die sie von der Gruppe kannte und die in der Skihütte versammelt waren.
Da war Reggie Craddock, der Sekretär des Klubs: ein stämmiger kleiner Mann in den späten Dreißigern, der über eine Handvoll Baumwollspinnereien und eine verzehrende Leidenschaft für Wintersportarten verfügte. Er hatte während des Krieges in einem indischen Regiment gedient und war erst kürzlich entlassen worden. Er war in Indien geboren, hatte den größten Teil seines Lebens hier verbracht und war von einem zum anderen Ende dieses geselligen Landes gut bekannt. Angesichts dessen schien es unwahrscheinlich, daß Mr. Craddock von Craddock & Company, zuletzt Mitglied der Bombay-Grenadiere, in subversive Tätigkeiten oder einen Mord verwickelt sein sollte.
Dann war da Ian Kelly. Über Ian wußte sie ein bißchen mehr, da er ein junger Mann war, der gerne von sich selbst sprach, insbesondere zu hübschen Mädchen – in diesem Zusammenhang muß betont werden, daß Sarah Parrish ein sehr hübsches Mädchen war. Aber nichts von dem, was er ihr erzählte, hätte in ihr die Vorstellung aufkommen lassen, er könne in irgendeiner Form mit Spionage zu tun haben. Zunächst ein-

mal hatte er an dem Tag, an dem der Mord an Mrs. Matthews geschah, ständig nur mit ihr getanzt und konnte die Tat wohl nicht selbst verübt haben. Im letzten Jahr hatte er auch ein MC, ein Militärkreuz, erhalten und war dreimal in Kriegsberichten erwähnt worden. Schon das schien die Möglichkeit auszuschließen, daß er sich als ausländischer Spion betätigen könnte.

Johnnie Warrender... Es war sehr wenig, was sie über Johnnie Warrender wußte, nur, daß er eine aufreizende Frau besaß und anscheinend Polo spielte – oder gespielt hatte. Sie mußte Fudge über ihn befragen. Er schien eine umgängliche Person zu sein; drahtig und quirlig, am Rand der Vierzig, großzügig und mit der Veranlagung, mit jedem auf gutem Fuß zu stehen. Seine Schwäche war das Trinken, denn es verging kaum ein Abend, an dem Johnnie nicht das war, was er selbst als »nur mäßig angeheitert« bezeichnete, während seine Barrechnungen am Ende jedes Monats vierstellige Ziffern in der örtlichen Währung erreichten.

Mir Khan. Eine weitere unbekannte Größe. Ian Kelly hatte sie während ihres ersten Tages in Gulmarg mit Mir bekannt gemacht, doch hatte sie bisher nicht viel mit ihm gesprochen. Er war ein Freund Reggie Craddocks, und Reggie schien ihm eine enorme Bewunderung entgegenzubringen. Wie weit das lediglich auf der Tatsache beruhte, daß Mir Reggie alle Tage beim Skilaufen übertraf und als einer der besten indischen Schützen galt, wußte sie nicht, denn sie hatte bemerkt, daß das Urteil ihres Landsmannes sehr stark von der sportlichen Leistungsfähigkeit eines Menschen abhing. Vorausgesetzt, daß ein Mann einen Ball weiter schlagen konnte als seine Kameraden oder eine bestimmte Anzahl von Vögeln im Fluge treffen konnte, dann wurde er von Reggie automatisch zum »guten Kumpel« und »ausgezeichneten Sportskameraden« erklärt.

Mir besaß solche Fähigkeiten bis zu einem bemerkenswerten Grade; dazu kam der Charme seiner Umgangsformen und eine Reihe exotischer Titel, die er seiner Verwandtschaft mit einem fürstlichen Hause verdankte. Er hatte jenseits vom

Gilgit Schneeleoparden geschossen und auf seinem Weg nach Süden Station in Gulmarg gemacht, um dem Skiklubtreffen beizuwohnen. Seine Popularität, sein Charme, seine Freundlichkeit waren aber kein Grund zu der Annahme, daß er nicht antibritisch eingestellt sein konnte.

Schließlich, dachte Sarah, als sie in der Dunkelheit hustete, ist es *sein* Land und wir sind die »Weißen Radschas« – die Eroberer –, selbst wenn wir unmittelbar vor dem Abzug stehen! War es Mir Khan, der in der Dunkelheit gestanden und sie von der Hüttentür aus beobachtet hatte? Wo war er an dem Tage, als Mrs. Matthews starb, gewesen? Soweit sie sich erinnern konnte, mit Reggie Craddock und einer Gruppe auf den Hängen jenseits des Khilan. Gleichzeitig setzte sie im Geiste ein Fragezeichen hinter Mir Khan . . .

Blieben nur noch die Coply-Zwillinge. Fröhlich, charmant, überschäumend vor guter Laune, waren sie im zarten Alter von achtzehn in Indien eingetroffen, nur wenige Monate bevor der Fall einer Atombombe auf Hiroshima den Zweiten Weltkrieg beendet hatte. Zu ihrem Verdruß hatten sie keinen Kriegseinsatz erlebt, und dies war ihr letzter Abschied von Indien, bevor sie zu ihrem Regiment nach Palästina aufbrachen.

Sarah würde sie von der Liste der möglichen Verdächtigen gestrichen haben, wären da nicht noch zwei Punkte gewesen; beide fand sie unter den obwaltenden Umständen ein bißchen störend. In ihren Adern floß russisches Blut, und am Tage von Mrs. Matthews Tod waren beide alleine Ski laufen gewesen. Ihr Vater, jetzt ein General in der indischen Armee, hatte eine Weißrussin geheiratet, und die Zwillinge selbst wuchsen zweisprachig auf. Sarah war Nadia Coply in Peshawar begegnet und hatte sie mit der Grausamkeit der Jugend als fett und scheinheilig eingestuft.

Nadia war eine willensstarke Frau, die dafür verantwortlich war, daß die Zwillinge Boris und Alexis getauft wurden, aber die Zeit und eine britische Internatsschule hatten daraus Bonzo und Alec gemacht, und Bonzo und Alec waren sie geblieben. Gewiß, Nadia war, wenn man ihren Erzählungen glauben wollte, ein Mitglied des alten russischen Adels gewesen. Es gefiel ihr, mit einer Fülle dramatischer Details zu berichten, wie sie als kleines Kind – »und so bildschön« – auf den Knien des Zaren gesessen hatte und von ihm mit Bonbons aus einer juwelenbesetzten Schachtel gefüttert worden war. Eine Frau mit ihrem Vorleben würde wohl kaum etwas anderes als Feindschaft für die Kommunisten empfinden. Dennoch – es war russisches Blut in den Zwillingen, und die meiste Zeit an jenem verhängnisvollen Donnerstag waren sie allein draußen gewesen.

Sarah wälzte sich ruhelos in der Dunkelheit. Wenn man nur genau feststellen könnte, wann Mrs. Matthews gestorben war! Aber darüber konnte wohl niemand jemals sicher sein. Die intensive Kälte konnte toten Körpern übel mitspielen, und selbst die Ärzte würden darauf keine Gutachten abgeben. Sie hatten gesagt, sie müsse – grob geschätzt – vier oder fünf Stunden, bevor der Leichnam gefunden wurde, gestorben sein. Das wäre um sieben Uhr früh gewesen. Aber Janet hatte sie um vier gefunden, und ihr Körper war schon steif, wie sie sagte – Sarahs Gedanken schauderten vor der Erinnerung an den steif gefrorenen, verzerrten Leichnam.

Die Coply-Zwillinge *konnten* nicht dafür verantwortlich sein. Sie waren so jung. Und dennoch – und dennoch? Sarah erinnerte sich an Fotografien von deutschen Gefangenen nach der Invasion von Frankreich. Blondhaarige Jungen von zehn bis zwanzig Jahren, die nur kurze Zeit davor Frauen und Kinder in den Straßen kleiner Marktflecken mit Maschinengewehren beschossen hatten und hochexplosive Sprengladungen auf Hauptverkehrsstraßen mit hilflosen Zivilflüchtlingen abgeworfen hatten. Nein, Jugend war kein Alibi in dieser Zeit. Jugend konnte hart und unbarmherzig und intolerant sein, ohne Mitleid für Alter und Schwäche.

Was war mit den Frauen? – denn es war eine Frau gewesen, die jene Fußabdrücke hinterlassen hatte, obgleich Sarah überzeugt war, daß das gesichtslose Wesen, das den Riegel an Janets Fenster durchgefeilt hatte, ein Mann gewesen war. Fudge konnte sofort gestrichen werden. Meril würde nicht den Mut gehabt haben, und so allergisch Sarah auch gegen Helen Warrender war, so konnte sie doch nicht glauben, daß die ausnehmend elegante, katzenartige Frau mit ihrer fortgesetzten Bezugnahme auf die »richtigen Leute« sich in etwas gesellschaftlich so Verdammenswertes wie einen Mord verwickeln ließe.

Reggie Craddock, Ian Kelly, Johnnie Warrender, Mir Khan, die Coply-Zwillinge, Fudge, Meril Forbes und Helen. Einer von diesen. Sarahs schmerzender Kopf ließ sie alle Revue passieren, immer und immer wieder in endloser Prozession, bis das gedämpfte Gerassel von Reggies Wecker den bösen Zauber der Nacht brach und sie endlich einschlummerte. Sie träumte von Janet; hilflos und von panischer Angst erfüllt wurde sie von gesichtslosen Gestalten über endlose Veranden verfolgt.

Sie erwachte müde und unerfrischt von dem Geruch gebratenen Schinkenfetts und dem willkommenen Geräusch eines kochenden Kessels, um festzustellen, daß die übrige Gruppe schon draußen war, im Morgenschnee. Mit Ausnahme von Meril Forbes, die das Frühstück mit großem Energieeinsatz und Unvermögen zubereitete. Von Janet keine Spur.

»Mrs. Creed sagte, ich soll dich schlafen lassen«, sagte Meril, wobei sie hilflos nach dem um sich greifenden Rauch schlug, der den Gemeinschaftsraum von der vernachlässigten Bratpfanne her füllte. »Sie hat zuerst versucht, dich zu wecken, doch du schienst so fest zu schlafen, daß sie sagte, wir sollten dich lieber liegenlassen. Sie laufen alle am Gully Ski; alle, außer Reggie. Und Mir, nehme ich an.«

»Wer sind *sie*?« fragte Sarah.

»Oh, der ganze Rest«, erwiderte Meril unbestimmt.

Im Hinblick auf Janets Abschiedsbitte wollte Sarah nicht nach ihr fragen, aber da Meril sie unerwähnt ließ, bestand die Möglichkeit, daß sie tatsächlich zeitig genug zurückgekommen war, so daß niemand ihre Abwesenheit bemerkt hatte. Nun lief sie wahrscheinlich mit den anderen Ski.

Sarah zog sich an, fror in der kalten Hütte und ging nach draußen.

Die Sonne war noch hinter dem Grat des Apharwat verborgen, doch ihre Glut warf einen Glorienschein auf die Schneefelder. Der Himmel war ein blasses, verwaschenes Türkis, gegen das die Gipfel violette Muster schnitten, und von irgendwoher zwischen den Pinienwäldern unterhalb des *marg* stieg eine dünne Rauchfahne von einem Holzfällerfeuer in die stille Morgenluft auf. Trotz der leuchtenden Helligkeit der Morgendämmerung schien etwas Bedrohliches und Bedrückendes in der windstillen Kälte des Morgens zu liegen: ein vibrierendes Unbehagen. Und als Sarah über das ferne Tal hinausblickte, sah sie, wie der große Wall der Nanga-Parbat-Kette von der Decke einer grau-braunen Wolke, die den Horizont von Ost nach West überspannte, verhüllt wurde und den Himmel darüber wie mit bösem Vorzeichen in gelbe Flecke verfärbte. Während sie es beobachtete, flackerten Blitze im Bauch der Wolke auf, und sie konnte über die Bergketten hinweg das schwache Murmeln eines weit entfernten Sturms vernehmen.

Meril Forbes' Stimme, gequält und ängstlich, rief: »Oh, zum Henker! Ich habe den Schinken wieder verbrannt!« und weckte in Sarah so etwas wie Pflichtgefühl. Sie bot sich als Hilfsköchin an und wurde dankbar akzeptiert. An dem Schinken war nichts mehr zu retten, und so wandte sie sich statt dessen der Aufgabe zu, große Mengen Kaffee und Toast zuzubereiten. Allein, der Gedanke an Janet quälte sie. Zu indirektem Vorgehen entschlossen, sagte sie kurze Zeit später: »Wer schaut nach Bonzo und Alec? Ich könnte mir vorstellen, daß Reggie sie nicht mitgenommen hat?«

»Kaum!« sagte Meril, die am anderen Ende des Raums mit Tassen und Tellern klapperte. »Auf Skiern sind sie wie ein Paar Meerschweinchen oder noch schlimmer! Nein, sie sind mit den anderen zum Christmas Gully gelaufen und versuchen sich dort die Hälse zu brechen. Sie sind vor etwa einer Stunde abgezogen, und wenn sie nicht zeitig zurück sind, sollten wir ohne sie zu frühstücken anfangen, meinst du nicht auch? Die anderen werden vor einigen Stunden nicht zurück sein, wenn sie wirklich zu den Eis-Seen gelaufen sind.«

Draußen hörte man ein forsches Heranpreschen durch den frischen Schnee, und eine fröhliche Stimme verkündete: »Heim kehrt der Skiläufer, heim vom Skilauf, und der Hungrige kehrt vom Hügel heim! Sarah, meine Schöne, du bist eine faule kleine Made und eine Schande für die Nation. Warum bist du nicht mit uns gekommen, statt dich in deiner Koje zu wälzen?«
»Ich bin allergisch gegen frühes Aufstehen«, erklärte Sarah bündig. »Was machst du hier in der Gegend? Wir hatten dich vor Stunden nicht erwartet. Wo hast du die anderen gelassen?«
»Sich selbst überlassen. Ich nehme an, der alte Reggie treibt sich noch irgendwo auf dem Rücken des Apharwat herum, und Mir zog zu Mary's Shoulder ab: sagte, er wolle Sprungnummern üben oder so was. Ich dachte, ich hätte genug, nachdem ich ein paar Stunden beim Bewundern des Sonnenaufgangs vertrödelt habe. So beschloß ich, zurückzukommen und dafür dich und den Schinken zu bewundern.«
»Oje! Ich fürchte, der Schinken ist verbrannt«, sagte Meril schuldbewußt. »Aber du kannst ein gekochtes Ei haben.« Sie ging zur Tür und spähte hinaus. »Da kommen die anderen ja schon. Wo ist Janet, Ian? Ist sie mit Reggie zu den Eis-Seen gegangen, oder ging sie mit Mir?«
»Weder – noch«, sagte Ian. »Sie kam überhaupt nicht mit. Du vergißt, daß wir uns zu der gräßlichen Zeit von fünf Uhr dreißig aus unseren gemütlichen Kojen gerissen haben. Sie wird mit den anderen gegangen sein.«
Meril blickte verwirrt. »Aber das ist sie nicht. Ich meine, sie war schon weg, als sie gingen, und wir dachten, sie hätte sich entschlossen, mit euch zu gehen.«
»Nun, jedenfalls ist sie das nicht«, erwiderte Ian, »und wenn ich mir erlauben darf, die Rede auf das Essen zurückzubringen, falls du denkst, ein Ei sei genug für mich, Meril-Schatz, so bist du im Irrtum. Ich verschlinge mindestens sechs.«
Meril sagte ängstlich: »Aber wenn Janet nicht mit euch gegangen ist –«
Sarah unterbrach hastig: »Ich nehme an, sie ist sehr frühzei-

tig allein aufgebrochen. Sie sagte gestern abend schon so was, daß sie im Hotel frühstücken will; wahrscheinlich will sie heute morgen bei den Anfängerläufen zusehen.«
Die Ankunft der Coply-Zwillinge, schneevermummt von dauernden Stürzen, zusammen mit Fudge und den Warrenders, unterbrach die Unterhaltung; eine halbe Stunde später trat Reggie in Erscheinung. Das Wetter war ihm zu unsicher erschienen, so daß er auf seinen beabsichtigten Abstecher zu den Eis-Seen verzichtet hatte. Von Mir Khan kein Zeichen. Anscheinend wurde er voll und ganz davon beansprucht, seine Sprungnummern auf dem Schneekamm zu üben, der als Mary's Shoulder bekannt war.
Reggie nahm ein eiliges Frühstück ein und schaute auf seine Uhr. »Es ist noch ziemlich früh«, verkündete er, »also schlage ich vor, wir rutschen hinunter und halten die Leute zurück, die heute heraufkommen wollen. Jene Wolken dort gefallen mir ganz und gar nicht. Es kommt ein schmutziger Sturm auf, und ich denke, er ist schneller hier, als wir glauben. Ich bin nicht dafür, eine Menge Leute bei schlechtem Wetter hier oben zu haben. Was sagst du, Johnnie?«
Johnnie Warrender rekelte sich an der Tür und blickte nach dem äußersten Rand des Tals, wo sich der Himmel über der Wolkenbank, die den Nanga Parbat verbarg, verdunkelt hatte. Die Sonne schien noch freundlich, doch der seltsame, schmutzige, gelbe Fleck über der schwarzen Wolkenschranke breitete sich rapide am kalten Blau des Himmels aus, und in der Luft lag ein unbehagliches Raunen.
»Vielleicht hast du recht«, pflichtete Johnnie bei, der im morgendlichen Sonnenschein müde und verdrießlich aussah. Unter seinen Augen hingen dunkle Säcke, und er hatte sich beim Rasieren geschnitten. »Ich würde sagen, es wird trotzdem erst in einigen Stunden hiersein, wenn überhaupt. Es könnte auch über dem Tal herunterkommen und uns völlig übergehen. Wie dem auch sei, es sieht auf jeden Fall so aus, als braue sich dort drüben etwas Unerfreuliches zusammen, und ich denke, wir gehen besser auf Nummer Sicher.«
Sie hatten ihr Bettzeug zusammengerollt, und die verschiede-

nen Stücke, die von den Kulis heruntergebracht wurden, bereitgelegt, packten ihre Rucksäcke und streiften ihre Skier an, als Reggie Craddock fragte: »Wo ist Janet?«
»Schon nach unten voraus«, sagte Ian Kelly. »Was ist mit Mir?«
»Oh, Mir ist durchaus in der Lage, für sich selbst zu sorgen. Ich konnte ihn nirgendwo ausfindig machen, als ich zurückkam, doch ist er wahrscheinlich auch schon nach unten abgefahren. Falls nicht, hinterlasse ich ihm einen Zettel an der Tür, daß wir aufgebrochen sind.« Reggie kritzelte ein paar Worte auf eine Seite seines Taschenkalenders, riß sie heraus, schrieb mit Großbuchstaben Mirs Namen quer über die Vorderseite und befestigte das Blatt unter dem Riegel, wo es niemand übersehen konnte. »Also los, machen wir uns lieber auf die Beine, damit wir den Rest am Heraufkommen hindern. Wir laufen über den Red Run nach unten. Ihr beide« – er wandte sich an die Coply-Zwillinge – »haltet euch besser genau in der Spur. Ich will nicht, daß ihr eure Hälse riskiert. Wir geben euch eine Viertelstunde Startvorsprung. Schiebt ab.«
Die Zwillinge brachen in empörten Protest aus, doch Reggie blieb steinhart. Fudge erbot sich freiwillig, sie zu begleiten, um aufzupassen, daß sie ohne Panne heil hinunterkamen, und nach einem Moment des Zögerns entschloß sich Helen Warrender, ebenfalls mit ihnen zu gehen. Sie war keine besonders gute Skiläuferin und mochte keine schnellen Rennen – bestenfalls auf offenem Schnee.
Fünfzehn Minuten nach ihrer Abfahrt hakte Reggie Craddock seinen Rucksack fest, und spurtete hangabwärts mit Sarah, Ian, Johnnie Warrender und Meril im Gefolge. Sie schwärmten aus zum Kamm des Slalom-Hügels. Jeder nahm seine eigene Richtung, um über den Kamm hinabzustoßen; wie ein Schwarm von Schwalben tauchten, wogten, wendeten sie in einem Zischen aufsprühender Kristalle und ließen klare Kurvenspuren auf dem glitzernden Schnee hinter sich zurück. Die eisige Luft, die sie umpeitschte, sang ihnen schrill in den Ohren, als sie rund um die Brookland-Kurve schwenk-

ten, über den Hügel »Sechzig« schossen. Bald darauf befanden sie sich zwischen hohen Baumstämmen und wedelten den Pfad unter den dunklen, schneebeladenen Zweigen der Pinien und Deodarbäume hinunter.

Unweit der ersten Häuser kreuzt der Red Run den Blue Run; die Verbindung der beiden Abhänge trägt die Bezeichnung »Schmutzige Kurve«: denn an dieser Stelle prallen die Skiläufer oftmals in voller Fahrt aus verschiedenen Richtungen aufeinander.

Sarah schoß die Kurvenspur hinunter, machte mit sachkundiger Präzision einen Wendesprung und kam in der Geraden über der Kreuzung der beiden Pisten wieder zum Vorschein, einen einzigen Meter vor Ian Kelly – nur um plötzlich von einer Schneewehe gestoppt zu werden.

Sie sah Ian, der ihr auszuweichen versuchte, vorbeischoß und mit einem Baumstamm karambolierte, wo er in einem Strudel von Skiern, Stöcken, Schnee und erschreckenden Flüchen in einer hochgetürmten Schneewehe landete. Sie hörte Reggie hinter sich brüllen, als er etwa einen Meter links von ihr entrüstet zum Stillstand kam. Aber sie bewegte sich nicht. Ihre Augen, gebannt und weit aufgerissen, waren auf zwei Figuren gerichtet, die sich unmittelbar vor ihr befanden: die Coply-Zwillinge, die an der Kreuzung der beiden Hänge standen.

Alec bückte sich und riß wie wahnsinnig an den Bindungen seiner Skier, während Bonzo, die Hände trichterförmig vor dem Mund, gleichzeitig etwas Unverständliches zum Hang hinaufschrie und hinunterzeigte.

»Was, zur Hölle –!« sagte Reggie Craddock ungestüm. Er stieß sich kräftig mit seinen Skistöcken ab und schoß die Piste hinunter; die anderen folgten ihm, nur Sarah blieb, wo sie war, gepackt von der plötzlichen Vorahnung einer Katastrophe.

Alec hatte sich von seinem zweiten Ski befreit, als sie bei ihm eintrafen, und rannte jetzt rutschend und stolpernd über die trügerische Oberfläche des Blue Run hinab, während Meril mit lauter, überschnappender Stimme, die sich anhörte, als

käme sie aus einem Grammophon, sagte: »Aber sie haben Mrs. Matthews doch weggebracht – ich weiß, daß sie sie wegbrachten! Sie kann nicht mehr hiersein. Sie brachten sie weg!«
Sarah warf einen Blick auf die ausgestreckte Gestalt, die am Fuße des eisigen Hanges unter ihnen lag, ein dunkler Schmutzfleck inmitten der Weiße. Sie nahm den Hang mit einem einzigen Satz. Sie hörte Reggies warnenden Schrei und Merils Gekreisch. Dann hatte Alec sie aufgefangen, und sie waren zusammen zwischen die schneebedeckten Geröllblöcke neben die andere Gestalt gefallen, die so still dalag.
Es war natürlich Janet. Sarah hatte gewußt, daß nur sie es sein konnte. Vielleicht war es ihr, unterbewußt, schon von dem Moment an klar gewesen, da sie in der Skihütte erwachte, mit schweren Augenlidern und elend vor Sorge, und entdeckte, daß Janet nicht zurückgekehrt war. Die gestikulierenden Coply-Zwillinge hatten nur die tödliche Bestätigung für das geliefert, was sie bereits befürchtet hatte.
Sarah streckte die Hand aus und berührte sie. Janet lag auf der Seite im Schnee, in einer merkwürdig vertrauensvollen Haltung, fast, als ob sie eingeschlafen sei. Ihre Knie waren angezogen, ihre Arme lagen ausgestreckt an den Seiten, ihre Hände umfaßten noch die Skistöcke. Da war ein kleiner scharlachroter Fleck auf dem Schnee unter ihrem Kopf, und ihre blauen Augen standen offen. Es lag weder eine Spur von Überraschung noch Erschrecken auf ihrem toten Gesicht, sondern eher ein leiser, deutlicher Ausdruck von Verachtung: als ob sie den Tod erwartet hätte und darüber spottete. Jetzt erst nahm Sarah Reggie Craddocks heftiges Fluchen wahr, Merils hysterisches Schluchzen und Fudges Arme, die sie fortzogen.
»Komm da weg, Sarah. Schau nicht hin, Liebes. Wir können gar nichts tun. Sie ist tot.«
Sarah riß sich los und stand auf. Sie hatte in jenen ersten paar Minuten alles gesehen, was sie sehen wollte, und es bestätigt gefunden, als sie die Hand ausstreckte und auf eine Tasche von Janets schneebestäubtem Skianzug legte.
Der kleine Metallreißverschluß war zugezogen, aber die

Pistole war fort. Und kurz nachdem sie die schlanke, steife Gestalt den Hügel hinunter zum Hotel getragen und sie ohne Rücksicht auf Sarahs Nerven in dem leeren Zimmer eines unbewohnten Flügels niedergelegt hatten, erfuhr sie von Francis, Dr. Leonards Frau, die ihrem Mann geholfen hatte, die Kleidung des toten Mädchens zu entfernen, so daß er und Major McKay eine gründliche Untersuchung vornehmen konnten, um die Möglichkeit eines Verbrechens auszuschalten – daß nichts Ungewöhnliches festgestellt worden sei. Was nur bedeuten konnte, daß Halfter und Schlinge gleichfalls entfernt worden waren, da ihre Entdeckung mit Sicherheit Neugier und Spekulation wachgerufen hätte.

5

»Wohin gehst du, Sarah?« Ians Stimme klang stets fröhlich.
»Raus«, sagte Sarah kurz. Sie zog ihre Skihandschuhe über, nahm ihre Skistöcke auf und schritt aus der überhitzten Atmosphäre der Hotelhalle in die Kälte des dämmerigen Nachmittags.
»Dann komme ich mit dir und behalte dich im Auge.«
»Nein danke, Ian«, erwiderte Sarah und erlaubte ihm, ihr die Skier anzuschnallen. »Ich gehe nur über den *marg* und würde lieber alleine bleiben, wenn du nichts dagegen hast.« Sie zog die Schlaufen ihrer Skistöcke über die Handgelenke, als Ian den letzten Riemen befestigt hatte, aufstand und den Schnee von seinen Knien klopfte.
»Sei nicht albern, Sarah. Ich weiß, die Sache hat dich ein bißchen durcheinandergebracht, aber es besteht kein Grund, warum du dich nicht vernünftig aufführen solltest. Es kommt ein höllischer Sturm auf, und es macht die Situation nicht besser, wenn du in ihm verlorengehst. Laß mich wenigstens mitkommen, wenn du meinst, du müßtest über den *marg* latschen.«
Sarah sagte: »Ich *will* dich aber nicht dabeihaben, Ian. Und

sorg' dich nicht. Ich gehe nicht verloren. Wir sehn uns dann beim Tee – und danke für deine Hilfe.«
Sie glitt geschwind den schneebedeckten Pfad hinab, gewann an Fahrt, als er sich scharf abwärts senkte, und verschwand hinter der Rundung des Hügels. Ian Kelly murmelte böse vor sich hin und kehrte übellaunig ins Hotel und zu den bedrückten Gruppen der Skiläufer zurück, die die neue Tragödie in der Hotelhalle diskutierten.
Am Fuß des Hügels schwenkte Sarah rechts ab, zog den Saum entlang, der zum Ende des Red Run führte und wendete sich dann hinauf zum Wald.
Der Himmel war inzwischen völlig bedeckt, und obgleich es erst zwei Uhr nachmittags war, war der Tag in zwielichtige Dämmerung übergegangen. Kleine Windstöße bliesen über den offenen *marg*, aber unter den schneebeladenen Ästen war die Luft kalt und still, als Sarah sich vorsichtig den Weg durch die Baumstämme bahnte und bald darauf die Kreuzung der beiden Abfahrten erreichte, wo die Zwillinge heute morgen gehalten hatten. Sie bürstete den Schnee von einem Baumstumpf, löste ihre Skier, setzte sich. Sie mußte endlich einmal in Ruhe nachdenken.
Einer Sache war sie vollkommen sicher. Janet war, wie Mrs. Matthews, ermordet worden. Keinen Augenblick lang glaubte sie der Diagnose der Ärzte, daß es sich um einen Unglücksfall handelte, nämlich um einen Sturz aus voller Fahrt, bei dem sie mit dem Kopf gegen einen Felsen schlug. Sie war hingegen überzeugt, daß der Schlag, der Janet getötet hatte, ihr absichtlich zugefügt worden war; der Beweis war, wie in Mrs. Matthews Fall, die fehlende Pistole.
Die Frage war: *wie?* Sarah rief sich erneut die Unterhaltung mit Janet im Mondlicht vor der Khilanmarg-Hütte in Erinnerung, und wieder schien es ihr, als höre sie Janets leises, zuversichtliches Lachen, als sie sagte: »Ist schon gut, Sarah. Schauen Sie nicht so erschrocken. Ich halte mich an den Außenrand des Run, und ich kenne die Route wie meinen Handrücken. Haben Sie keine Bange, um diese Nachtzeit wird dort unten kein Mörder auf mich lauern.«

Der Außenrand des Run ...
Sarah stand auf, schulterte ihre Skier und stieg an der Seite des Blue Run hoch, wobei sie sich zwischen den Bäumen hielt. Kurz darauf wechselte sie zur anderen Seite hinüber, und eine Minute später fand sie, wonach sie gesucht hatte: eine einzelne Skispur am äußersten rechten Rand des Run, zwischen den Baumstämmen.
Sie machte kehrt, folgte der Spur bergab, und an der Kreuzung der beiden Runs hielt sie inne, um ihre Skier anzuschnallen, bevor sie erneut die Fährte aufnahm. Sie führte bergabwärts, der Richtung des Blue Run folgend, passierte ohne Unterbrechung den kleinen purpurroten Fleck, der die Stelle markierte, wo Janets Leichnam gelegen hatte, und setzte sich einige hundert Meter weiter fort, bis sich die Bäume am Rande des *marg* lichteten; an diesem Punkt führte sie nach rechts und verlor sich zwischen mehreren einander überkreuzenden Spuren, die die Anfängerklassen hinterlassen hatten.
Sarah lehnte sich gegen einen beschneiten Baumstamm und starrte mit leeren Augen über die verödeten Flächen des *marg* – also war Janet allem Anschein nach nicht auf dem Wege vom Khilan ins Tal getötet worden. Sie hatte sich am Außenrand des heimtückisch vereisten Runs gehalten, war über die offenen Flächen des *marg* gefahren und hatte ihre Verabredung eingehalten, die irgendwo zwischen den dunklen Pinienbäumen, von wo in der vergangenen Nacht das rote Licht wie ein kleiner böser Stern schimmerte, stattgefunden haben mußte. Das hieß, sie mußte auf dem Rückweg zum Khilan, nach vollendeter Mission, getötet worden sein. Aber irgend etwas daran stimmte dennoch nicht.
Sarah drehte sich um und warf einen Blick zurück auf den unteren Grat des Apharwat, der sich frostig weiß gegen den schiefergrauen Himmel abhob. In diesem Augenblick wurde ihr klar, daß Janet, obgleich sie von der Skihütte über den Blue Run heruntergekommen sein mochte, niemals auf derselben Route zurückgekehrt wäre, denn der schnellste Weg nach unten war zugleich auch der steilste Weg zurück. Sie

würde eher den Waldpfad genommen haben. Warum wurde ihre Leiche dann am Blue Run gefunden?
Eine Theorie formte sich wie von selbst in Sarahs Kopf. Gegen die rauhe Borke des Baums gelehnt und mit geschlossenen Augen, versuchte sie sich Gulmarg vorzustellen, wie sie es in der letzten Nacht gesehen hatte, als sie der Richtung von Janets Hand gefolgt war, die auf den kleinen fernen Lichtpunkt gezeigt hatte.
»Auf gleicher Höhe mit der Schlucht«, sagte Sarah laut, »und nicht weiter als eine Viertelmeile von hier aus.«
Sie öffnete die Augen und richtete den Blick in die Richtung des Hotels, und dann mit einem Stirnrunzeln zu dem niedrigen Himmel darüber. Dann, mit einem plötzlichen Zusammenpressen ihrer schmalen Kinnbacken, stieß sie sich resolut in die Richtung der Schlucht ab.
Fünfzehn Minuten später befand sie sich wieder zwischen Bäumen am entferntesten Ende des *marg* und hatte gefunden, wonach sie suchte. Auf halber Strecke hatte sich eine einzelne Fährte aus der Vielzahl der Spuren der Skilaufanfänger gelöst, die allein weiter auf einen Punkt an der rechten Seite der Schlucht zulief. Diese Richtung wurde normalerweise von Klubmitgliedern nicht frequentiert. Daher war Sarah ziemlich sicher, daß sie der Fährte folgte, die Janets Skier in der vergangenen Nacht hinterlassen hatten.
Die Fährte führte im Zickzack den Hang zu dem Weg hinauf, der rund um den Saum der Golfplätze lief. Als sie ihn erreicht hatte, folgte sie dem Weg über etliche hundert Meter, bevor sie in einen Seitenpfad zwischen den Bäumen abbog: Nach kurzer Zeit stand Sarah plötzlich vor einem wackligen Holzgatter, hinter dem – halb verdeckt von Bäumen und schneebeladenen Zweigen – ein niedriger hölzerner Bungalow im üblichen Stil von Gulmarg stand.
Die holzgefertigten »Hütten« – wie alle Blockhäuser hier genannt wurden – wurden nur während der Sommermonate bewohnt. Wenn der Herbst kam und die Kastanienbäume den Pinienwäldern strahlend goldene Farbtupfer aufsetzten und der Schnee von den Bergspitzen herunterzukriechen

begann, zogen sich die Bewohner auf die Hausboote und Hotels in Srinagar im unteren Teil des Tals zurück, und die Hütten blieben verschlossen und leer bis zum folgenden Mai. Diese hier bildete keine Ausnahme – abgesehen davon, daß auf dem kurzen Weg, der zur Eingangstür führte, Spuren zu sehen waren und daß die Oberleiste des Gatters von Schnee freigefegt worden war.
Mindestens drei Leute hatten den Bungalow während der letzten vierundzwanzig Stunden betreten und wieder verlassen, wahrscheinlich sogar noch mehr, denn die Spur, der Sarah gefolgt war, wurde von anderen überkreuzt, die aus der Richtung der Schlucht kamen. Und es gab noch zwei weitere Spuren, die vom Gatter fortführten und einander so nahe folgten, daß sie fast eine einzelne hätten abgeben können. Trotz alledem schien das Haus vollkommen verlassen.
Das Dach lag unter einer dicken Schneedecke verborgen. Eine Eiszapfenfranse hing von den Dachvorsprüngen herunter. Die Tür war zu, und überall waren rohe Fensterläden angenagelt, außer vor einem der Fenster: die nackte, mit rohem Rahmen versehene Fensterscheibe blickte frei auf die umstehenden Bäume, zum Hotel und zu den Höhen des Apharwat sowie auf die langen Skihänge des Khilanmarg.
Dann war es von diesem Fenster, dachte Sarah mit plötzlicher Überzeugung, woher das Licht die letzte Nacht geschienen und Janet in den Tod gelockt hatte.
Sie glitt aus und rutschte, wo die Spuren früherer Besucher den Schnee zu Eis gehärtet hatten. Ein jäher leichter Windstoß, Vorbote des kommenden Sturms, raunte um die rauhen Holzwände des leeren Hauses, stob über den *marg* und rauschte zwischen den Deodarbäumen, wo er den Schnee von übergewichtigen Ästen fegte.
Sarah versuchte vorsichtig, die Vordertür zu öffnen, entdeckte, daß sie unverschlossen war, nahm ihren ganzen Mut zusammen und stieß sie auf. Die Angeln widerstrebten kreischend. Jäh erschreckt durch die völlige Dunkelheit und Stille drinnen, wäre sie am liebsten umgekehrt und den ausgetretenen Pfad zurückgerannt, hinaus auf den offenen *marg*, aber

der Gedanke an Janet, die allein im Mondschein zu ihrem letzten Skilanglauf durch einsame Wälder aufgebrochen war ... »Sarah!« sagte sie mit zornigem Unterton zu sich selbst, »du bist ein lausiger kleiner Feigling – und schlimmer als die V-Bomben kann es ohnehin nicht sein!«

Sie schnallte die Skier ab, legte sie neben den Pfad, biß die Zähne zusammen und überschritt die Schwelle des Hauses.

Die Luft im Inneren war abgestanden und kalt, und das Haus roch feucht und modrig. In dem engen, dunklen Korridor lag schwacher Zigarettendunst sowie ein weiterer schwacher Geruch, kaum mehr als eine Duftspur: ein widerlicher Geruch; süßlich, ekelerregend und gänzlich ungewohnt.

Sarah rümpfte die Nase und blieb stehen, um eine halbgerauchte Zigarette aufzuheben. Sie berührte sie zaghaft, so als ob sie noch brannte, ließ sie dann aber mit einer Grimasse des Abscheus zu Boden fallen. Die Tür hatte sich teils geschlossen, und nun sah sie, daß ein Stuhl dahinter stand. Es war ein gewöhnlicher Verandastuhl mit hölzernen Armlehnen und einem durchhängenden Rohrgeflechtsitz. Jemand mußte noch vor kurzem darin gesessen haben, denn daneben lagen ein paar Zigarettenstummel und ein Häufchen verstreuter grauer Asche.

Da war etwas auf der Armlehne des Stuhl, das Sarahs Herz zum Hüpfen brachte: ein kleiner, dreieckiger Blutspritzer, der auf dem unlackierten Holz feucht wirkte. Als sie aber ihren Skihandschuh ausgezogen und einen gekrümmten Finger ausgestreckt hatte, um ihn zu berühren, war es keineswegs Blut, sondern nur ein Fetzelchen von schwach glänzendem roten Gummi, vielleicht von einem geplatzten Kinderluftballon.

Sarahs Erleichterung war so groß, daß die plötzliche Erregung, die soeben noch ihr Herz schneller schlagen ließ, jetzt in ein unkontrollierbares, fast hysterisches Gekicher umschlug. Oh, um des Himmels willen! dachte sie, wobei sie ihre Augen mit dem Handschuh trocknete. Ich muß aufhören, bei jeder Kleinigkeit Schreckensbilder zu sehen. Das bringt mich keinen Schritt weiter!

Sie brachte sich mit beträchtlicher Anstrengung wieder unter Selbstkontrolle und sah sich um. Zur Linken des Flurs, in dem sie stand, waren drei Türen, die sich bald als verschlossen erwiesen, während rechts ein schmaler Durchgang zu einem anderen Raum führte, vermutlich zum Wohnzimmer. Der Durchgang war dunkel, roch nach Ratten, Pinienholz und billigem Firnis. Auf dem teppichlosen Fußboden waren Flecke, feuchte Schmutzflecke. Sarah ging vorsichtig darüber hinweg, und als sie die Tür am Ende probierte, fand sie sie unverschlossen und leicht zu öffnen.

Als die Fährte, der sie über den *marg* gefolgt war, zu dem Gatter zwischen den Pinien führte, hatte sie nicht daran gezweifelt, daß es das Haus war, zu dem Janet in der letzten Nacht gegangen war. Falls sie noch eines Beweises bedurft hätte, hier war er – denn dies war das Zimmer mit dem unverbarrikadierten Fenster.

Die Bäume, die das kleine Haus dicht umstanden, hatten dieses eine Fenster ausgelassen, so daß es in direkter Linie einen freien Blick auf den *marg* gewährte, hinüber zum Hotel, zur Mauer des Waldes, der sich dahinter erhob, und noch höher auf die ferne Ausdehnung des Khilanmarg.

Es stand sehr wenig Mobiliar im Zimmer – jedes Polsterstück wie Sofas und Armsessel war wahrscheinlich in einem der verschlossenen Zimmer untergebracht. Aber es war ein kleiner runder Tisch vor das einzige, unabgeschottete Fenster gezogen worden, und auf ihm, zwischen einem Wust von abgebrannten Streichhölzern, Zigarettenenden und grauer Asche, stand eine alte, aber offenbar betriebsfähige Petromax-Lampe. Das Glas der Lampe war rot, und das Zimmer war etwas wärmer als das übrige Haus. Und wieder nahm Sarah einen sonderbaren Geruch war, der sich mit dem abgestandenen Zigarettendunst mischte. Diesmal aber war es ein anderer Geruch, der ihr bekannt vorkam. Sie stand still, schnupperte die dumpfe, stickige Luft – *Pulver!* Jemand hatte einen Schuß in dem kleinen Raum abgefeuert. War es Janet gewesen?

Plötzlich überfiel sie eine schauerliche Angst vor dem kalten,

mit Fensterläden vernagelten Haus und den verschlossenen Zimmern, die am anderen Ende des Durchgangs lagen. Hastig drehte sie sich um, machte die Tür hinter sich zu, schob mit zitternden Fingern den Riegel davor und schloß sich mit dem spärlichen Mobiliar und der verräterischen Lampe ein.
Ein tiefes Donnergrollen erschütterte die Luft und echote zwischen den Bergen; und wieder trieb ein Windstoß über den *marg*, stöhnte zwischen den Pinienbäumen, rüttelte an den Fensterläden und winselte durch ein Astloch im Pinienholz.
Nein. Kein Astloch – Ein Einschußloch!
Sarah riß sich zusammen, durchquerte rasch den Raum, um es genauer zu untersuchen. Sie hatte schon zu viele Einschußlöcher auf zu vielen Zielscheiben gesehen, um sich zu täuschen. Der Fußboden war wie ein dunkler Schattenteich in dem fahlen Licht, doch neben der Lampe lag eine halbvolle Streichholzschachtel. Sie entzündete eines der Hölzer mit unsteten Fingern. Eine kleine Flamme flackerte auf, zitterte schwach, als Sarah sie über den Fußboden hielt, und verlosch kurz darauf. Aber das Licht hatte ausgereicht, den häßlichen, ausgedehnten Fleck sichtbar zu machen, der die rohgezimmerten Bohlen des staubigen, teppichlosen Fußbodens entstellte.
Es konnte keinen Irrtum geben: In diesem kleinen kalten Zimmer war jemand gestorben – und zwar innerhalb der letzten vierundzwanzig Stunden, denn das Blut in den Ritzen zwischen den Dielen war noch leicht klebrig. Es konnte nicht von Janet stammen, denn sie war durch einen Hieb an der Schläfe getötet worden, und es hatte nur einen geringen Blutverlust gegeben, während es sich hier um eine große Menge Blut handelte – mehr als jemand verlieren könnte ohne zu sterben. Es stand im übrigen außer Frage, daß kein Mörder es riskiert hätte, einen toten Körper etwa eine Meile weit rund um den *marg* zu tragen, um ihn an der schlimmsten Stelle des Blue Run abzuwerfen.
Ganz plötzlich erinnerte sich Sarah an die Skispuren, die vom Gatter fortführten; die beiden Spuren, die nicht parallel ge-

wesen waren, sondern einander so dicht folgten, daß sie fast wie *eine* Spur erschienen. In blitzartiger Intuition fand sie die häßliche Erklärung für jene Spuren und hatte keinen Zweifel daran, daß sie zu dem Rundweg führten, der den *marg* umsäumte, und von dort durch das schneebedeckte Unterholz über schmale Seitenpfade zum Fuß des Blue Run. Oder daß sie von Janet und ihrem Mörder stammten – Janet wie ein Schaf zur Schlachtbank getrieben, mit einem Gewehr im Rücken, um zuletzt im hellen Mondlicht am Fuß des eisigen Hangs des Blue Run den tödlichen Schlag zu empfangen ... mit jenem spöttischen Halblächeln, das der Tod nicht von ihrem Gesicht zu tilgen vermochte.
Sarah richtete sich mit einem leichten Stöhnen auf, lehnte sich gegen den Tisch und stützte ihre Hände auf die staubige Oberfläche. Langsam und gründlich sah sie sich im Zimmer um, sah die Asche und die Zigarettenkippen auf dem Tisch und die einzelne blutgetränkte Kippe, die auf der befleckten Stelle des Fußbodens lag. Demnach waren es zumindest zwei Männer gewesen: einer, der die Lampe angezündet, auf Janet gewartet und dabei seine eigenen Zigaretten gerollt und geraucht hatte; und ein zweiter, der im Flur auf dem Stuhl hinter der Tür gesessen hatte und dabei eine bekannte, vielfach empfohlene Sorte rauchte ...
Sarah ließ die Streichholzschachtel in ihre Tasche gleiten, zwang sich, die Tür zu entriegeln und durch den dunklen Durchgang zum Korridor zurückzukehren. Dort zündete sie ein weiteres Streichholz an und hielt es über den Kopf. Aber außer der verstreuten Zigarettenasche, den ausgedrückten Kippen und dem kleinen dreieckigen Gummifetzen auf dem Stuhl hinter der Tür konnte sie nichts sehen, was auf die Person, die dort gesessen und im Dunkeln gewartet hatte, näher hätte schließen lassen. Selbst der eigenartige, unerklärliche Geruch, der die stickige Luft überlagert hatte, als sie zuerst das Haus betrat, hatte sich verflüchtigt – verweht von dem kalten Luftzug von der offenen Tür.
Das Streichholz verglühte, versengte ihre Finger; sie warf es auf den Fußboden und zündete ein zweites und dann noch

weitere an. Lange stand sie dort und starrte intensiv in den engen, schattigen Flur, als könnten ihr die schweigenden, verschlossenen Türen, die dunklen Wände, die leeren, von außen vernagelten Fensterscheiben erzählen, was sie gesehen hatten.

Allein, es gab wenig, erkannte Sarah, was sie ihr hätten sagen können, was die Skispuren draußen im Schnee nicht bereits verraten hatten, und sie kam zu folgenden Schlußfolgerungen:

Der Mann, der die Lampe angezündet und ins Fenster gestellt hatte, mußte eine lange Zeit in dem kalten Wohnzimmer am Ende des Durchgangs gewartet haben, denn es lagen annähernd ein Dutzend Zigarettenenden auf dem Tisch und dem staubigen Fußboden verstreut. Weil Janet sich verspätet hatte . . .

Dank einer unerwarteten Schicksalsfügung, die Hugo Creed daran gehindert hatte, sich am vorhergehenden Tag der Gruppe anzuschließen, hatte sie in letzter Minute seinen Platz eingenommen. Mit dem Ergebnis, daß sie nicht, wie angenommen, auf ihrem Hotelzimmer war, als die Signallampe aufleuchtete, sondern in der Skihütte auf dem Khilanmarg. Und obgleich sie eine erfahrene Skiläuferin war, hatte sie für den langen Abfahrtslauf im Mondschein sicher mehr als eine halbe Stunde gebraucht, so daß jemand anders vor ihr eingetroffen war. Jemand, der eine Waffe trug und nicht nur Janet, sondern auch den Agenten, zu dem sie geeilt war, getötet haben mußte: den Mann, der die Lampe entzündet und in dem kleinen kalten Zimmer am Ende des Durchgangs auf sie gewartet hatte und der auf dem staubigen Fußboden zwischen verstreuter Zigarettenasche gestorben war.

Aber wieso hatte Janet, als sie schweigend über den verschneiten *marg* eilte, nicht den Widerhall des Schusses gehört und war rechtzeitig gewarnt worden? Die Nacht war so still gewesen. So totenstill, daß der Laut selbst aus den geschlossenen Wänden eines Zimmers heraus über den *marg* hätte dringen müssen. Wie war es möglich, daß Janet ihn nicht gehört hatte? Oder war der Schuß erst abgefeuert worden, nachdem

sie das dunkle Haus betreten hatte? Der Stuhl hinter der Tür und die beiden Zigarettenkippen schienen diese Theorie zu widerlegen, denn eine der Zigaretten war so weit wie möglich heruntergeraucht worden, während die andere gerade eben angezündet worden war, bevor sie fortgeworfen wurde. Sie war auch nicht etwa ausgedrückt, sondern lediglich fallen gelassen worden. Beides sprach klar für jemanden, der bequem in der Dunkelheit vor dem Eingang gewartet hatte und nicht allzu lange hatte warten müssen . . .
In diesem Augenblick erinnerte sich Sarah einiger Geräusche, die die Stille der eisigen Nacht unterbrochen hatten: das scharfe Krachen eines Waldbaums, dessen Saft unter seiner Rinde gefror, oder ein überladener Ast, der unter dem Gewicht des Schnees abgebrochen war, hatte das nicht wie Pistolenschüsse geklungen? Die Schüsse aus einer fernen Pistole hatte wohl auch Janet für gewöhnlichere Geräusche gehalten, und es hatte nichts gegeben, was sie hätte warnen können, als sie in die Falle lief. Janet, die gesagt hatte: »Morgen kann ich fortgehen . . . und bin wieder frei!«
Sie mußte vertrauensvoll den kurzen, schneebedeckten Pfad heraufgekommen sein und erst in dem Augenblick, als sie die Tür zu dem dunklen Gang aufstieß, gewußt haben, daß in jener Nacht eine andere Art von Freiheit auf sie wartete . . .
Erst wenn die Frühlingssonne den Schnee vom Walde fortgeschmolzen hatte, mochten vielleicht einige umherschweifende Holzfäller über den verwesten Leichnam eines Mannes stolpern, der die Lampe angezündet und auf Janet gewartet hatte und dessen Blut in den Fußboden des kalten Hauses zwischen den Pinienbäumen gesickert war. Doch selbst das war unwahrscheinlich, denn es gab zu viele einsame Schluchten und überwucherte Hohlwege in den Wäldern, in denen ein Leichnam unentdeckt liegen konnte, bis die Schakale und umherstreifenden Leoparden seine Knochen verstreut hatten.
Erneutes Donnergrollen hallte zwischen den Bergen wider. Als der anschwellende Wind den offenen Fensterladen des Zimmers am Ende des Durchgangs mit einem Krachen zustieß, schlug Sarah das Herz bis zum Halse. Doch gleich

darauf erfolgte ein weiteres, weitaus erschreckenderes Geräusch – das leise Knarren einer Diele, zweimal wiederholt, aus einem der drei Räume, die hinter den verschlossenen Türen lagen. Es zerfetzte Sarahs Nerven. In panischem Schrecken ließ sie die Streichholzschachtel fallen und stürzte Hals über Kopf aus dem Haus.
Blitze zuckten über den *marg*, als sie ihre Skier und Skistöcke hochriß und über den schneebedeckten Zugangsweg und durch das Gatter flüchtete, das jetzt wie verrückt im Winde schwang. Auch wenn ihr Instinkt sie zum Laufen zwang und am Laufen hielt, behauptete sich – sobald sie außerhalb der Sichtweite des Hauses war – ihr gesunder Menschenverstand und sie zwang sich, stehenzubleiben und ihre Skier anzuschnallen. Denn eins war sicher: wer immer hinter einer der verschlossenen Türen gelauert hatte, konnte keine Skier tragen. Hatte sie aber erst ihre eigenen an den Füßen, konnte sie leicht außer Reichweite eines Fußgängers gelangen.
Ihre Finger waren vor Kälte und Panik so klamm, daß sie an die drei Minuten brauchte, ihre Riemen zu befestigen. Schließlich schaffte sie es, hob ihre Skistöcke aus dem frischen Schnee, wo sie sie hatte hinfallen lassen, und bog vom Wege ab, um den *marg* zu überqueren.
Der Schnee hatte zu fallen begonnen, als sie das Haus verließ, und nun trieben die weißen Flocken so dicht herunter, daß sie nicht mehr als einen Meter Sichtweite hatte. Sarah zögerte kurz, dann wechselte sie die Richtung in der Absicht, ein Querstück auf dem Hang zu nehmen, welches sie zur Hauptstraße brachte, die von der Schlucht zum Klub hin lief. Die Straße führte hinauf zum Hotel, zweigte auf halbem Wege davon ab, und obgleich es der längere Weg war, wurde es weniger wahrscheinlich, daß sie sich im Sturm verlor. Sie hatte jedoch kaum Fahrt aufgenommen, als sich vor ihr im dichten Schneetreiben undeutlich eine Gestalt abzeichnete.
Verzweifelt versuchte sie auszuweichen – aber es war zu spät. Und nach dem Aufprall wäre sie sicherlich gestürzt, wenn sie nicht von starker Hand am Arm gepackt und wieder aufrecht auf den Hang gestellt worden wäre. Wieder wurde

sie von Panik ergriffen: Sie versuchte sich loszuwinden, aber der Griff um ihren Arm war wie aus Stahl, und eine Männerstimme sagte barsch: »Wer sind Sie? Was zum Teufel tun Sie hier?«
Sarah öffnete den Mund, brachte aber keinen Ton heraus: Ihre Kehle schien vor blankem Entsetzen stumm geworden zu sein. Der Wind trieb dicke Schneeflocken in ihre Augen und machte sie blind; ihr Gesicht hatte sich zur festen Schneemaske verwandelt.
»Was ist los? Haben Sie die Sprache verloren?«
Ihr Bezwinger wischte ihr mit seinem dicken Skihandschuh roh den Schnee aus dem Gesicht und blickte sie durch die schneedurchwirbelte Dunkelheit scharf an. In dem treibenden Schnee konnte sie gerade erkennen, daß ihr Gegenüber recht groß war und kieselgraue, zornige Augen hatte – dann nahmen ihr die Schneeflocken wieder die Sicht.
Die Stimme, die sie nicht kannte, murmelte irgend etwas Unverständliches, und für einen Augenblick lockerte sich der Griff an ihrem Arm. In dieser Sekunde, mit einer Kraft, die ihrer Angst entsprang, riß Sarah sich los, stieß sich energisch mit den Skistöcken ab und war auf und davon.
Zum Glück ging es schnell bergab. Da der unbekannte Mann in die andere Richtung blickte, würde er wohl ein oder zwei Sekunden brauchen, um ihre Fährte aufzunehmen. Sie glaubte, einen Schuß hinter sich fallen zu hören, schwenkte scharf nach links und entschwand in einer dichten Mauer von Weiß.

Zwanzig Minuten später, blind von Schneeflocken und vom Wind geschlagen, atemlos und zitternd – sie hatte ihren Weg mindestens ein halbes dutzendmal verfehlt – erreichte Sarah das Hotel. Aber sie kam gerade noch rechtzeitig an, denn das Schneetreiben, das sie auf dem *marg* umtobt hatte, war nichts als ein Vorbote des aufkommenden Sturms. Die ganze Nacht wütete er in einem kreischenden Blizzard von wirbelndem Schnee und brüllendem Wind über Gulmarg hinweg. Schnee und Sturm, die verräterische Spuren auf dem *marg* und den verlassenen Waldpfaden für immer vernichteten. Zwei Monate später, wenn der *marg* wieder grün war und Sommergäste über den steilen, sich windenden Pfad geritten kamen, der von Tanmarg am Fuß des Berges aufwärts führte, würde der *chowkidar* – der indische Hausmeister – in einer der Hütten zwischen den Pinienwäldern beim Frühjahrsputz eine staubige Petromax-Lampe aus rotem Glas finden und sie sich geruhsam aneignen. Da war auch ein merkwürdiger Fleck auf dem schmutzigen Fußboden, doch wenn der Teppich darüber lag, war er nicht mehr zu sehen.

Der Sturm wütete zwei Tage und zwei Nächte, wechselte von Schnee zu Hagel und von Hagel in strömenden, blendenden Regen, der die dicken Schneekappen von den erdrückten Dächern wegwusch und Lawinen über die steilen Hänge des Apharwat zu Tal donnern ließ.

Am dritten Tage – nachdem der Regen den Frostboden aufgetaut hatte – begruben sie Janet auf dem durchweichten kleinen Friedhof. Dann gingen sie den Hügel nach Tanmarg zu ihren wartenden Autos hinunter, durch den Schlamm und die schmutzigen Schneehaufen, während ein trauriger Wind durch die hinter ihnen liegenden Wälder wimmerte.

»Auf Wiedersehen, Sarah. Gute Reise. Schreib mir mal. Thal ist ein langweiliges Nest. Schätze, wir halten uns dort nicht lange auf.«

»Auf Wiedersehen, Ian. Natürlich schreibe ich. Tschüs, Meril. Ich hoffe, ich seh' dich mal wieder.«

»Oh, bestimmt. Du wirst doch auf jeden Fall im Sommer in Srinagar sein, nicht?«

»Nein. Ich verbringe den Sommer mit ein paar Freunden auf Ceylon.«

Reggie Craddock kam heran, blies auf seine kalten Finger, sah krank und verfroren aus. »Wiedersehen, Fudge. Du und Hugo, ihr nehmt doch Sarah mit im Auto hinunter, ja? Einer der verdammten Busse ist nicht eingetroffen, also werde ich hier vermutlich stundenlang herumhängen, nur um sicher zu sein, daß alle heil weggekommen sind. Tut mir leid, daß die Show auf diese Weise endete. Eine undankbare Aufgabe!

Vermutlich hätte ich eine Wachmannschaft auf den Run mitnehmen sollen oder alle anseilen oder sonstwas. Ein Elend, daß Frauen es hassen, das zu tun, was man ihnen sagt. Abscheulich! Ach ja, ich hoffe, wir sehen dich im Sommer wieder. Ich bin wieder in Srinagar, falls ich Urlaub bekomme. Merkwürdig, sich vorzustellen, daß es für einige von uns wahrscheinlich das letzte Mal war. Man kann es irgendwie nicht richtig glauben. Du und Hugo, ihr kommt doch noch hinauf, nehm' ich an?«

»Ja, auf ein freundliches Lebewohl und so. Ich glaube nicht, daß noch viele Leute oben sind. Bis dann; und quäl dich nicht zu sehr wegen – wegen Janet und Mrs. Matthews. Du konntest es nicht verhüten.«

Reggie nickte schwermütig und wandte sich ab, als Major McKay durch die Menge der schnatternden Kulis stieß.

Der Major sah ebenfalls müde und zerquält aus. Es kam Sarah so vor, als ob von beiden Tragödien auf dem Blue Run, so unerfreulich sie waren, das Hauptgewicht der Unerfreulichkeit auf ihn gefallen war. Er hinkte leicht, und seine normalerweise frische Gesichtsfarbe erschien blaß unter den Heftpflasterstreifen – Denkmäler seiner verbissenen Bemühungen auf den Idiotenhügeln. Er schüttelte Fudge und Sarah förmlich die Hände, wünschte ihnen eine gute Fahrt nach Peshawar und wandte sich dann an Meril Forbes: »Sie wollen nach Srinagar, nicht wahr, Meril? Was haben Sie für eine Transportmöglichkeit?«

»Oh, für mich ist gesorgt. Vielen Dank«, sagte Meril. »Tante Ena hat mir den Wagen geschickt. Es ist nur Ihr Bus nach Rawalpindi, der bis jetzt noch nicht eingetroffen ist.«

»Nun, es nützt mir ohnehin nichts, wenn er eintrifft«, sagte der Major grämlich. »Ich habe gerade erfahren, daß ich wieder nach Srinagar muß. Ich dachte, wir sind mit allen Formalitäten der unglücklichen Sache durch, doch es scheint – also, die Sache ist die: glauben Sie, Sie könnten mich im Wagen Ihrer Tante mitnehmen?«

»Natürlich kann ich Sie mitnehmen. Wie gräßlich für Sie, trotz alledem.«

»Ich fürchte, Ihr Skiurlaub ist nicht allzu angenehm für Sie gewesen«, sagte Fudge mitfühlend.
»Ich kann mir nicht vorstellen, daß er für irgendeinen von uns angenehm war«, versetzte Major McKay. »Ich persönlich –«
Die Fanfarenstöße eines Elektrohorns unterbrachen ihn, und Fudge sagte hastig: »Das ist Hugo. Er möchte zum Tee in Rawalpindi sein. Ich muß mich beeilen. Wiedersehn, George. Tschüs, Meril, Liebes. Komm, Sarah.«
Sie verließen Meril und Major McKay, und die zurückbleibenden Skiläufer standen in dem kalten Wind zwischen den zertretenen Schneehaufen und den sich gegenseitig herumschubsenden Kulis. Einige Augenblicke später rollte Hugos großer, gepäckbeladener Chevrolet aus Tanmarg hinaus und startete zu seiner Zweihundertfünfzig-Meilen-Reise über die lange, gewundene Gebirgsstraße von Kaschmir talwärts, der Sonne, dem Staub und den Rosen von Peshawar entgegen.

Teil 2

PESHAWAR

»Es braucht kein Geist vom Grabe herzukommen,
um das zu sagen.«

William Shakespeare, Hamlet

6

»Das«, sagte Sarah nachdenklich, während ihre Augen der weißgekleideten Erscheinung auf dem rasenden Polo-Pony folgten, »ist bei weitem der attraktivste Mann von Peshawar.«
Sarah, Hugo und Fudge Creed saßen in Liegestühlen am Rand des Polofelds und schauten einem Knock-up-Spiel zwischen zwei zerschrammten Mannschaften zu.
»Ich danke dir«, sagte Hugo huldvoll und zog seinen Hut eine Nuance weiter über die Nase, um die Augen gegen das grelle Sonnenlicht zu schützen: »Du hast natürlich mich gemeint.«
»Oh, das galt nicht dir.«
»In diesem Fall ziehe ich meine Dankbarkeit zurück.«
»Unterbrich mich nicht, Hugo! Ich wollte sagen, es galt nicht dir, weil du ein solider Ehemann bist und allein deshalb nicht konkurrenzfähig. Natürlich, wärst du nicht schon mit Fudge verheiratet, würde ich mich dir glatt an den Hals werfen.«
»Vermeide doch bitte diese neumodischen Schlagwörter, mein Kind«, flehte Hugo. »Übrigens, bei dem Ausdruck, den du gerade benutztest, fällt mir eine bestimmte Witwe ein, die sich bei einer Wohltätigkeitsveranstaltung mit katzenhaftem Sprung auf das letzte Rosinenbrötchen stürzte. Um aber zum Gegenstand deiner Bemerkung zurückzukehren, die ich nun statt auf mich auf Charles Mallory beziehe, so kann ich nur sagen: Falls du im Sinn hast, ein romatisches Interesse für ihn zu entwickeln, so kannst du dir eine Menge Ärger sparen, wenn du Mr. Punschs berühmten Rat für Heiratswillige befolgst: Tu's nicht!«
Sarah lachte. »Ich hatte nicht die Absicht. Aber warum nicht?«
Hugo schnippte mit einem Finger seine Hutkrempe hoch und beäugte Sarah von der Seite.

»Kann ich mich darauf verlassen?«
»Ich fürchte, ja. Ich habe schon seit Wochen versucht, ihn mit meinem frischen jungen Charme zu umgarnen, aber ohne das leiseste Resultat. Ich glaube tatsächlich, er ist der einzige Mann, der mich jemals standhaft und mit Absicht übersehen hat, und ich muß dir sagen, daß das eigentlich eine heilsame Erfahrung ist.«
»Hmm«, brummte Hugo skeptisch. »Anscheinend ist auch das nicht ganz ohne Reiz – der hohen Verkaufsziffer einiger Romane nach zu schließen, die von weiblichen Schreibern verfaßt werden und ausschließlich von breitschultrigen Helden handeln, die sich ständig herumprügeln und kessen Blondinen nachstellen.«
»Ich bin weder blond noch für Brutalität empfänglich«, antwortete Sarah heiter.
»Nein. Du bist rothaarig, grünäugig und stupsnasig, und ich frage mich oft, warum die örtlichen Mauerblümchen sich nicht zusammentun und dir die Augen auskratzen, anstatt dir aus der Hand zu fressen.«
»Charme«, erwiderte Sarah selbstzufrieden. »Charme und Persönlichkeit sowie eine freundliche Sinnesart sind Dinge, von denen du niemals was gehört hast. Hör auf, an meinen Knöcheln herumzuschnüffeln, Lacro!« Sie beugte sich hinunter und klaubte einen kleinen, schwarzbraunen Dackelwelpen hoch, der um ihren Stuhl scharwenzelte. »Erzähl mir mehr über meinen heimlichen Schwarm, Hugo. Warum würde ich Zeit vergeuden und Ärger mit ihm bekommen?«
»Mit dem hübschen Prinz Charlie? Weil er immun ist, mein Kind. Immun und hartgesotten. Es gibt meilenweit im Umkreis keine Frau, die ihre Technik nicht an ihm erprobt hätte, um sich dann mit bösen Blessuren zurückzuziehen. Er zieht Außensportarten der Innensportvariante vor.«
»Falls es dich interessiert«, warf Fudge ein, die der Unterhaltung auf ihrem Liegestuhl zur anderen Seite Sarahs müßig gefolgt war, »er spricht auch fünf Sprachen und ein halbes Dutzend Dialekte, und ist das, was Reggie Craddock ›einen Kumpel und Sportskameraden‹ nennen würde. Schließlich,

o weh, hat er daheim ein unheimlich bezauberndes Mädchen, das – den übergroßen Fotos nach zu schließen, die seine Räume schmücken – auf den Namen Cynthia hört und einen gigantischen Solitär am Finger trägt, vermutlich ein Geschenk von besagtem Charles.«

»Ja«, sagte Sarah mit dem Anflug eines Lächelns. »Das habe ich bemerkt.«

»Oh, hast du das tatsächlich? Wie und wann – falls es keine allzu persönliche Frage ist?«

»Jerry Dugan und ich haben ihn gestern auf dem Weg zum Klub besucht. Jerry wollte sich einen Steigbügelhalter oder irgend so was bei ihm leihen. Sie ist sehr hübsch, nicht?«

»Ausgesprochenes Helena-von-Troja-Format, würde ich sagen. Sehr deprimierend.«

»Was hab' ich dir gesagt?« sagte Hugo. »Der Kerl ist pure Zeitverschwendung.«

»Nun, vielleicht hast du recht. Hallo, da kommt Tante Alice, um mich zu fragen, warum ich keinen Tropenhelm trage – oder wie diese gräßlichen Champignonkörbe sonst genannt werden – und welche Seite gewinnt. Und ich weiß auf keines von beidem eine Antwort.«

Eine mollige, grauhaarige Dame in einem geblümten Seidenkleid nahte aus der Richtung, wo eine Reihe Autos am Rand des Polofeldes parkte.

»Sarah, Liebes! Kein Tropenhelm! Du wirst dir noch einen Sonnenstich holen. Welche Seite gewinnt im Augenblick? Nein danke, Hugo. Ich setze mich hierhin. Warum spielt der Maharadscha nicht mit? Rajgore, meine ich? – Captain Mallory reitet eines seiner Ponys, wie ich sehe.«

»Es gibt ein wenig Aufregung im Staate. Ein Betrugsunternehmen hat sich mit Rajgores Smaragden davongemacht«, erklärte Hugo. Mit bedauerndem Seufzer fügte er hinzu: »Ich wünschte, es wären meine gewesen. Ich denke, ich werde so eine Art von Tombola veranstalten müssen, wenn ich aus der Armee entlassen werde. All diese Prinzen und Potentaten, die schlicht vor Diamanten triefen, sind eine öffentliche Aufforderung zum Verbrechen.«

»Also *darum* spielt Captain Mallory auf einem seiner Ponys! Sarah, Liebes, wie oft hab' ich dir schon gesagt, daß es gefährlich ist, vor vier Uhr ohne Tropenhelm auszugehen?«
»Aber es ist schon nach fünf, Liebe«, stellte Sarah fest, »und du weißt, ich besitze gar keinen Tropenhelm und wäre außerdem zu eitel, ihn aufzusetzen, falls ich einen besäße. Außerdem glaube ich nicht, daß hier draußen während der letzten zehn Jahre jemand einen getragen hat. Du hast ja selber keinen auf.«
»Oh, aber wir sind daran gewöhnt, Liebes. An die Sonne, meine ich. Doch wenn man von Hampshire kommt –«
»Liebes Tantchen, ich wünschte, ich könnte es aus deinem Kopf herausbringen, daß ganz Hampshire ein zugiges, kaltes Nest voller Feuchtigkeit und Nebel ist.«
»Nicht Nebel, Liebes. Blizzards. Ich weiß noch, wie deine Mutter und ich einmal zu Weihnachten mit unseren Großeltern in Winchester waren und es nicht aufhören wollte zu stürmen und zu schneien. Ich mußte eine Wollweste über meiner Unterwäsche tragen. Welches Team, sagtest du, gewinnt, Liebes?«
»Ich weiß es nicht, Liebste. Der eine, Johnnie Warrender, ist der Kapitän, nehme ich an. Ich habe mit Fudge getratscht und nicht sonderlich auf das Spiel geachtet. Es ist ohnehin nur eine Art von Holzerei, nicht? Da kommt Onkel. Onkel Henry, hat euer Haufen gewonnen?«
»Selbstverständlich«, keuchte General Addington, ließ sich in einen Liegestuhl fallen und fächelte sich mit seinem Hut Luft zu. »Ich war Schiedsrichter und mußte aufpassen. Tatsache ist«, fügte er nachdenklich hinzu, »daß sie nahe am Verlieren waren, trotz Johnnies hervorragenden Leistungen. Dieser junge Protegé des Gouverneurs ist ein harter Brokken.«
»Das findet Sarah auch«, warf Fudge maliziös ein. »Nicht wahr, Sarah?«
»Ah, wirklich? In meiner Jugend pflegte man ein Lied zu singen«, lachte der General, »und das ging etwa so:

Die Angel hab' ich wohl gesehn,
Dem Köder kann ich widerstehn,
Sie werden mich nicht fangen.

Vergeude nicht deine Zeit, Sarah.«
»Hugo hat mir gerade fast den gleichen Rat gegeben. Noch ein bißchen mehr davon, und ich werde richtig neugierig.«
»Das erinnert mich an etwas«, unterbrach Mrs. Addington lebhaft. »Ich *wußte*, ich hatte etwas vergessen. Ich habe Mallory heute zum Abendessen gebeten. Ihr wißt doch, der Wohltätigkeitsball im Klub. Ein Mann mehr ist manchmal ganz nützlich. Wie ich ihm sagte, hatte ich keine Ahnung, daß ich dreizehn Personen geladen hatte, bis ich kurz nach dem Tee den Tischplan schrieb. Sonst hätte ich jemand anderen bitten müssen. Manche Leute sind so komisch, wenn ausgerechnet dreizehn am Tisch sitzen.«
Sarah spürte einen jähen, unangenehmen Schauer auf dem Rücken: Wo hatte sie denn schon eine ähnliche Unterhaltung gehört? Ja, richtig! . . . Hugo war damals bei der Gruppe zum Khilanmarg ausgefallen und da blieben dreizehn übrig, was Janet zum Kommen bewogen hatte. Sie zuckte ein wenig mit den Schultern, als wolle sie die schlimme Erinnerung abwerfen, und sagte: »Tante Alice, du hast es ihm doch nicht wirklich so gesagt?«
»Was, Liebes?«
»Daß du ihn nur gebeten hättest, weil du in letzter Minute entdecktest, daß du eine Gesellschaft mit dreizehn zu Gast hast?«
»Aber es sind jetzt keine dreizehn mehr, Liebes. Er wird der vierzehnte sein. So ist alles ganz in Ordnung. Nicht, daß ich selbst im mindesten abergläubisch wäre – außer natürlich bei schwarzen Katzen. Einmal hätte ich fast eine mit dem Fahrrad überfahren, und nur eine halbe Stunde später hörte ich, daß ›Fünfter April‹ das Derby gewonnen hat – genau wie ich es vorausgesagt hatte.«
»Wieviel hatten Sie auf ihn gesetzt?« fragte Hugo interessiert.

»Oh, ich hatte kein Geld auf ihn gesetzt. Ich wette nie. Das beweist aber nur, daß an diesem alten Aberglauben manchmal etwas dran ist, nicht wahr?«
Sarah gab den ungleichen Kampf auf und gab sich hilflos einem Kicheranfall hin, während Fudge, zum ursprünglichen Thema zurückkehrend, sagte: »Ich möchte wissen, warum er nicht abgelehnt oder irgendeine Entschuldigung oder dergleichen erfunden hat. Es sieht Charles nicht ähnlich, sich zu Klubtänzen drängen zu lassen.«
»Oh, ich erwarte gar nicht, daß er zum *Tanzen* kommt, meine Liebe. Ich sagte ihm, solange er zum Abendessen käme, wäre alles Nötige getan. Ich bin sicher, es würde niemanden stören, dreizehn tanzen zu sehen. Es ginge natürlich gar nicht auf. Aber ich weiß wirklich nicht, was es da zu kichern gibt, Sarah. Es hat ihn überhaupt nicht gestört, daß ich aufrichtig zu ihm gewesen bin, was du auch immer denken magst. Er ist ein junger Mann mit sehr guten Manieren, und ich kann mir überhaupt nicht vorstellen, warum Mrs. Crawley und Mrs. Gidney, oder Kidney, oder wie sie gleich heißt, und Joan Forsyth und diese Mrs. Roberton so giftig auf ihn sind.«
»Folgen einer falschen Erwartung«, schlug Fudge vor. »Reden sie boshaft über ihn?«
»Nun, meine Liebe, Sie müssen zugeben, es ist schon ein bißchen merkwürdig. Ich meine, schließlich war doch noch Krieg – als er hier ankam, das ist es. Und dann, als sein Regiment nach Palästina oder zu den Pyramiden abzog oder dorthin, wo sie Hunderte von Italienern gefangennahmen – obgleich ich mir nicht denken kann, was in aller Welt sie von ihnen wollten . . . – Und was taten wir mit ihnen, als wir sie hatten? Überlegt doch mal, wieviel die gegessen haben müssen! Und nicht nur Spaghetti oder so was. Dennoch stellten sie ein oder zwei gute Tanzorchester in Gegenden wie Murree, oder war es Mussorie?«
Sarah sagte: »Tante Alice, wovon redest du eigentlich?«
»Natürlich über Captain Mallory, Liebes. Du hast nicht aufgepaßt. Eine Menge Leute waren geneigt, ihn scharf zu

kritisieren. Weil er als Adjutant sozusagen zum Zivildienst abkommandiert wäre, während wir noch im Krieg waren. Sie meinten, er hätte kämpfen sollen wie der Rest; sein Regiment meine ich – nicht Mrs. Kidney und Mrs. Roberton, obgleich der Herrgott weiß, daß sie genug zu kämpfen hatten. Aber ich muß sagen, wir fanden es auch ein bißchen eigenartig vom Gouverneur, auf einem regulären Offizier zu bestehen, wo doch so viele Tabakhändler da waren, die viel mehr vom Gesellschaftsleben verstanden und mindestens genauso gut tanzten. Aber es gibt natürlich viele Leute, die einem Mann nicht verzeihen können, daß er nicht im Krieg mitkämpfte. Wie dumm von ihnen! Denn es ist doch schließlich viel vernünftiger, oder nicht? Wenn das alle getan hätten, wo würden Leute wie Hitler dann wohl heute sein?«

»Im Buckingham-Palast und im Weißen Haus, vermute ich«, grunzte ihr Ehemann.

»Sei nicht töricht, Liebster. Wie könnte er wohl in zwei Palästen gleichzeitig sein. Aber wie ich schon sagte, meine liebe Sarah, er war immer eine Art Adjutant irgendwo, während der Krieg noch im Gange war – Captain Mallory meine ich, nicht Hitler –, und als er vorüber war, blieb er weiter hier. Und nun schicken sie sein Regiment nach Palästina oder irgendwohin, wo sie anscheinend immer noch kämpfen, und jeder dachte, er würde mitziehen, weil es jetzt nicht mehr ›zu‹ gefährlich sein kann – ich meine, nicht wie am *D-Day* und in Burma – aber es sieht so aus, als ob er statt dessen eher hierbleiben wird.«

»Ich denke«, sagte General Addington zu Sarah, »daß deine Tante für diesen Abend wohl genug geredet hat. Laß sie uns schnell wegbringen, bevor ihr Schlimmeres einfällt. – Komm jetzt, Alice, es ist schon nach sechs, und deine vierzehn Gäste treffen in knapp zwei Stunden ein.«

»Nur elf Gäste, Liebster. Die anderen drei sind Sarah, du und ich. Wiedersehn, Antonia. Wiedersehn, Hugo. Ihr zwei müßt nächstens wirklich zu uns kommen. Kommt einfach irgendwann abends auf ein Glas herein, ja? . . . Ach, ihr kommt heute auch zum Abendessen? Wie nett.«

»Alice!«
»Ich komme, Henry. Komm jetzt, Sarah. Du darfst deinen Onkel nicht warten lassen.«
Die Prozession überquerte den staubigen Poloplatz, wo der Wagen des Generals am Straßenrand wartete.

7

Es lag ein Stapel Post auf dem Tisch in der Halle des großen weißen Bungalows an der Promenade. Adressiert an Miß Sarah Parrish. Die Briefe waren mit der Nachmittagspost eingetroffen. Sarah stürzte sich gierig darauf. Der Anblick der englischen Briefmarken auf den gebauschten Umschlägen versetzte ihr einen jähen Stich von Heimweh. Sie zog sich auf ihr Zimmer zurück, um sich einer Orgie von Neuigkeiten und Klatsch von daheim hinzugeben.
Sie las noch, als ihre Tante eine halbe Stunde später anklopfte, um zu verkünden, sie habe vergessen, die Tischkarten für die Abendtafel zu schreiben; ob Sarah bitte versuchen könne, frühzeitig herunterzukommen, um dies für sie zu erledigen?
Sarah fuhr schuldbewußt hoch, überflog hastig die letzten beiden Seiten des Briefes, den sie in der Hand hielt, und stopfte alles in ihre Frisierkommode. Da war nur noch ein Umschlag, den sie ungeöffnet ließ, weil er eine indische Briefmarke trug und aussah, als ob er eine Rechnung oder ein Rundschreiben enthalten würde, da die Adresse mit der Maschine geschrieben war.
Etwa eine halbe Stunde später verließ sie ihr Zimmer und durchschritt in einer Wolke von grauem Tüll die Halle, das rotschimmernde Haar kultiviert geglättet, die grünen Augen wie Smaragde zwischen gebogenen Wimpern glänzend, deren natürliche Schwärze ein ständiger Dorn im Fleisch ihrer rothaarigen, aber weizenblond bewimperten Bekannten war.
Jemand wartete in dem unbeleuchteten Salon. Ein verfrühter Gast, der beschämt im Schatten steht, dachte Sarah; sie wunderte sich, warum die Diener, die ihn hereinließen, nicht

die Lampen eingeschaltet hatten. Das letzte Tageslicht lag noch über dem Garten, doch im Salon war es nahezu dunkel. Sie drückte beim Eintreten auf den Schalter und ging mit einem Lächeln der Entschuldigung wegen des Versäumnisses weiter. Aber ihre Augen – oder war es ihre Phantasie? – hatten ihr offenbar einen Streich gespielt, denn es war niemand da.

Der große Raum mit den hohen Decken war leer. Sarah sah sich stirnrunzelnd um. Der Eindruck, daß da jemand gewartet hatte, war so stark gewesen, daß es ihr schwerfiel, an einen Irrtum zu glauben. Vielleicht ein Schatten, hervorgerufen durch die Scheinwerfer eines hinter der Gartenmauer vorbeifahrenden Autos, dachte sie. Sie bekam eine Gänsehaut, zog die Schultern zusammen und trat auf die weitläufige Veranda hinaus, wo die Abendtafel heute angerichtet war, da das heiße Wetter selbst die großen Räume des alten Bungalows warm und stickig zu machen begann.

Der Himmel hinter den gefiederten Ästen der Pfefferbäume am äußersten Ende des Gartens hatte sich von zitronengelb in ein sanft schimmerndes Grün verwandelt, ein schwerer Rosen- und Jasminduft lag in der Luft und mischte sich mit dem Wohlgeruch von Wasser auf trockener, sonnenverbrannter Erde. Als Sarah über den fast dunklen Garten hinwegblickte, wurde sie sich eines beunruhigenden und unerklärlichen Gefühls bewußt. Doch als sie die Geschehnisse des vergangenen Tages noch einmal im Geist an sich vorüberziehen ließ, fand sie nichts, das diese plötzliche böse Vorahnung gerechtfertigt hätte.

Ein schwaches Geräusch hinter ihrem Rücken ließ sie herumfahren. Es war jedoch nur eine kleine, perläugige Eidechse, die über die Fußmatten raschelte, und nicht etwa ... nicht ... nun was? *Was* hatte sie zu sehen erwartet? Ein Mädchen in einem blauen Skianzug? Ja – das war es! Mit einem kalten Schauder ungläubigen Entsetzens wurde sie sich bewußt, daß sie beim Umschauen Janet zu sehen erwartet hatte!

Seitdem Sarah vor zwei Monaten wieder in Peshawar einge-

troffen war, schien sich alles, was sich während der wenigen Tage des Skiklubtreffens zugetragen hatte, ins Unwirkliche zu verflüchtigen. Es war, als sei alles ein Alptraum gewesen, aus dem sie erwacht war, um sich in einem sicheren und bekannten Zimmer wiederzufinden. Und da sie nicht die Absicht hatte, dieses Zimmer zu verlassen, hatte sie sich mit einer nahezu fieberhaften Fröhlichkeit in das Gesellschaftsleben der Saison gestürzt. Die Erinnerung an Janet in den Hintergrund ihrer Gedanken zu drängen, die Schneefelder des Khilanmarg, den Blue Run und eine Serie von Fußabdrükken auf der Veranda zu vergessen war das beste für sie gewesen. Dabei war sie schließlich zu der Überzeugung gelangt, daß – bis zu einem gewissen Grade zumindest – ihre Phantasie, und auch die von Janet, mit ihnen durchgegangen war und daß das Eis des Blue Run tatsächlich die einzige Ursache jener Tragödien gewesen war.
An das Haus zwischen den Pinienbäumen wollte sie gar nicht mehr denken, aus Angst, daß ihre heile Welt wieder zerbrechen könnte. Jetzt aber, ganz plötzlich, erinnerte sie sich wieder an Janet . . . War es wegen dieser Gesellschaft, die beinahe aus dreizehn Personen bestanden hätte – und weil Janet damals wohl nie mitgegangen wäre, wenn sie nicht selbst zu Reggie gesagt hätte, er müsse für ein vierzehntes Mitglied sorgen! Aber das, dachte Sarah in Selbstverteidigung, hätte an Janets Schicksal nicht viel geändert, da sie sonst den roten Lichtschimmer eben vom Hotel aus gesehen hätte und gegangen wäre, um ihr Rendezvous einzuhalten mit–––
»Sarah!«
Mrs. Addington trat plötzlich am anderen Ende der Veranda in Erscheinung. Sie trug einen knallbunten Kimono über einer gestrickten rosa Pumphose, wie sie in ihrer Jugend modern gewesen war. Das Haar hatte sie in unzählige Lokkenwickler gedreht.
»Was ist los, Tantchen? Großer Gott! Weißt du, daß es fast fünf nach acht ist, und du hast deine Gäste für 8.15 Uhr bestellt? Oder hast du vergessen, daß heute ein Abendessen stattfindet?«

»Natürlich nicht, Liebes. Ich vergesse niemals etwas. Mir fiel nur gerade ein, daß die Creeds heute abend kommen. Antonia sagte es mir vorhin.«
»Ich weiß, daß sie kommen«, sagte Sarah geduldig. »Du hast sie vor mindestens sechs Wochen eingeladen.«
»Ja, ja, Liebes. Unterbrich mich nicht. Ich wollte nur sagen, daß ich sie ganz vergessen hatte, als ich die Tischordnung festlegte. So waren es also gar nicht wirklich dreizehn – sondern fünfzehn Gäste.«
»Ach Tante, dir ist nicht zu helfen! Und nun hast du den unglücklichen Charles Mallory unter falschen Vorspiegelungen geradezu erpreßt, zu deiner Dinnergesellschaft zu kommen. Ich schäme mich für dich!«
»Nun, das war's, worum ich dich bitten wollte, Liebes. Meinst du, wir können ihn anrufen und ihm sagen, daß wir ihn letztlich doch nicht brauchen? Es geht nämlich um die Nachspeise, Liebes: Es gibt ›Angels on Horseback‹ und es sähe doch dumm aus, wenn nicht genug für alle da ist. Er schien auch gar nicht besonders begierig, zu kommen. Deshalb nehme ich an, er wird entzückt sein, wenn er wegbleiben darf.«
Daran zweifle ich nicht«, versetzte Sarah trocken. »Aber das gönne ich ihm nicht! Nein, meine Liebe, ich weigere mich glatt, deinen guten Ruf in Taktfragen aufs Spiel zu setzen. Wir beide können ja so tun, als ob wir ›Angels on Horseback‹ nicht mögen, oder du streichst den Gang überhaupt. Du hast die Wahl.«
»Ja, das wird vielleicht das beste sein. Und jetzt, wo ich darüber nachdenke, Liebes, glaube ich gar nicht mehr, daß es ›Angels on Horseback‹ waren. Ich hatte es in Käsestangen umgeändert, und der *khansamah* (ein Koch) macht immer Hunderte davon: letztes Mal hatten wir davon noch am folgenden Tag beim Tennis-Tee. Mrs. Kidney sagte, es sei *so* eine originelle Idee gewesen. Guter Himmel! Ist es schon viertel nach acht? Du solltest mich hier wirklich nicht aufhalten, Liebes. Sonst werde ich niemals rechtzeitig fertig.«
Sie verschwand erst, als die kleine goldene Uhr im Salon Viertel schlug.

Sarahs weiter Tüllrock flüsterte über die Matten auf der Veranda, als sie den langen Tisch mit seiner Last von Silber, geschliffenem Glas und Schalen mit Maréchal-Niel-Rosen für die hinzugekommenen zwei Extraplätze neu arrangierte, assistiert von Mohammed Bux, dem stattlichen *khidmatgar* (ein Butler).

Sie hielt die Tischordnung ihrer Tante in der einen Hand und einen kleinen Stapel Tischkärtchen in der anderen, doch hätte ihr jemand über die Schulter geguckt, wäre es aufgefallen, daß sie die Karten nicht ganz in Übereinstimmung mit dem Originalplan verteilte. Das revidierte Arrangement enthielt – abgesehen von der Einbeziehung der Creeds – noch eine Veränderung; denn als die Gäste eine halbe Stunde später ihre Plätze eingenommen hatten, befand sich Major Gilbert Ripon, der zur Rechten Sarahs hätte sitzen sollen, am unteren Ende der Tafel, während Captain Mallory seinen Platz eingenommen hatte.

»Nicht, daß es die Mühe gelohnt hätte«, gestand Sarah später, als sie über Fudges Schulter gelehnt in den Spiegel des Garderobenraums im Peshawar-Klub äugte, »denn er hat fast ausschließlich mit dem robusten Patterson-Mädchen gesprochen. Und bei der einzigen Gelegenheit, als es mir gelang, eine Unterhaltung zu beginnen, mischte Archie Lovat sich ein. Etwa zehn Minuten lang redeten sie über mich hinweg und diskutierten über die Jagd in den letzten Tagen, bis sie mich zum Schluß fast völlig vergessen hatten. Anschließend, wie sollt' es auch anders sein, bemerkte Tante Alice plötzlich die Änderung in ihrem Tischplan und begann natürlich – tpyisch Tante Alice – die Sache lauthals zu kommentieren. Verfluchte liebe alte Mottenkugel! Charles hob nur eine Braue und blickte leicht erstaunt – der Teufel soll ihn holen –, und Gilbert Ripon glotzte, und das häßliche Patterson-Mädchen fing zu kichern an. Alles in allem, liebste Fudge, eine meiner bittersten Niederlagen.«

»Nicht ganz so bitter«, bemerkte Fudge tröstend. »Schließlich ist er doch bis zum Tanz geblieben, oder nicht? – trotz aller freimütigen Kommentare deiner wohlmeinenden, aber wirr-

köpfigen Tante. Und das – laß dir das von mir gesagt sein – will bei ihm schon etwas heißen. Na dann – viel Glück, Liebes, aber sage später nicht, ich hätte dich nicht gewarnt.«
»Und wenn du mich jetzt noch einmal warnst«, entgegnete Sarah, »fange ich an, deinen Motiven zu mißtrauen; und nun hör auf, dein Gesicht zu bearbeiten. Laß uns tanzen gehen.«
Da sie ein beliebtes Mädchen war, war die Reihe ihrer potentiellen Tanzpartner lang, und es verging fast der halbe Abend, bevor Charles Mallory dazu kam, mit der Nichte seiner Gastgeberin zu tanzen. Er erwies sich als überraschend guter Tänzer, was sie aus irgendeinem Grunde nicht von ihm erwartet hatte. Sarah applaudierte enthusiastisch nach einer Zugabe. Die Band, die einen munteren und ziemlich geräuschvollen Quickstep gespielt hatte, tat ihr den Gefallen mit einem Walzer, und als die Strophe endete, sang der Bandleader den Refrain mit nasalem Schmelz . . .

»Der Mond in einer Märchennacht,
Und jede süße Melodie,
Sie wurden nur für dich erdacht.
Der Frühling und die Sommerpracht,
Und auch der goldne Ehering,
sie wurden nur für dich gemacht.«

Sarah stolperte und ihre silberbeschuhten Füße verloren den Takt. Charles Mallory spürte, wie sie in seinen Armen erstarrte. Als er zu ihr hinunterschaute, bemerkte er, daß ihr Gesicht plötzlich jede Spur von Farbe verloren hatte.
»Sollen wir lieber aussetzen?« schlug er vor. »Ich bin nicht besonders gut im Walzertanzen.«
»Bitte«, sagte Sarah mit dünner, atemloser Stimme. Charles brachte sie aus dem heißen, überfüllten Tanzsaal in die kühle Nachtluft des Klubgartens. Einmal dort, führte er sie entschlossen über den Rasen zu einem Korbstuhl.
Mit einer steilen Falte zwischen den Augen stand er da und sah zu ihr herunter: sie schien wirklich etwas verstört zu

sein. Er sagte kurz: »Warten Sie hier. Ich hole Ihnen etwas zu trinken.«
Er ließ sie im Sternenlicht sitzen und kehrte wenige Minuten später mit einem vollen Glas in jeder Hand zurück. Sarah dankte ihm, noch immer mit dünner Stimme, und trank schweigend, indes Charles einen zweiten Stuhl heranzog und sich setzte. Ohne sich den Anschein zu geben, beobachtete er sie über den Rand seines Glases hinweg; sein eigenes Gesicht blieb im Schatten.
Die Band im Saal hinter ihnen, offenbar zufrieden mit der Forderung nach einer Zugabe, ließ sich auf eine Wiederholung des Schlagers ein, und Sarah erschauerte dabei, daß ihre Zähne gegen den Rand des Glases schlugen.
In den vergangenen paar Wochen war das Leben so lustig gewesen, daß sie sich von dem Alptraum von Gulmarg befreit glaubte. Aber aus irgendeinem Grund schien er sie heute abend wieder heimsuchen zu wollen; obgleich sie ihn zu verdrängen versucht hatte, war er ihr gefolgt. Auch jetzt war er hier – hervorgerufen durch eine abgedroschene, schmalzige Melodie –, und plötzlich sah sie sich wieder in dem unheimlichen Mondlicht vor der schneeumhüllten Skihütte auf dem Khilanmarg stehen. Janet befestigte ihre Skier zu ihrem letzten Lauf und summte die weiche, mitreißende Melodie . . .

»Der Herbst und auch die Winterpracht,
Die schönste aller Welten,
Sie wurden nur für dich gemacht«,

sang der Bandleader.

Sarah sagte: »Warum müssen sie auch immerzu diese Schnulze spielen!« Es lag eine deutliche Spur von Hysterie in ihrer Stimme. Charles Mallory beugte sich vor und entfernte das Glas aus ihren bebenden Fingern. »Sie werden es verschütten und Ihr Kleid verderben«, sagte er mit nüchterner Stimme. »Es ist kein besonderes Lied, nicht wahr? Aber sie werden in einer Minute damit aufhören.«

Er bot Sarah eine Zigarette an. Als sie ablehnte, steckte er sich selber eine an und ließ sich beiläufig auf eine erstaunliche Geschichte über einen verarmten Tanzorchesterleiter in einem Budapester Café ein, der ein gebürtiger Prinz aus kaiserlichem Hause war: Mit seiner Erzählung gab er ihr Zeit, sich wieder zu fassen und ihre Gedanken von der Musik abzulenken, die durch die offenen Fenster des Tanzsaals zu ihnen herüberwehte.
Bald darauf verstummte die Band, und die Tänzer kamen in die kühlere Luft des laternenbeleuchteten Gartens geströmt.
Sarah sagte: »Es tut mir leid. Es war dumm von mir, mich so zu benehmen. Ich weiß nicht, was heute abend mit mir los ist, aber die Melodie erinnerte mich an etwas Unangenehmes, und . . .«
»Worüber lästert ihr zwei?« schnitt Helen Warrender ihr heiter das Wort ab. »Ich bin sicher, es muß was schrecklich Interessantes gewesen sein. Dürfen wir mithören?«
Charles stand auf, und sie ließ sich schwer auf seinen geräumten Stuhl fallen, befahl ihrem Partner, ihr einen Brandy mit Soda zu holen, kehrte Sarah den Rücken zu und sagte: »Ist es nicht heiß, Charles? Ich ersticke einfach in meinem Kleid. Das ist das Schlimmste am Taft; selbst wenn man ein wahres Vermögen für ein Modell bezahlt, verhält er sich in der Hitze wie Fliegenpapier. Gott sei Dank reisen wir nächste Woche nach Kaschmir. Ich kann diese Hitze wirklich nicht länger ertragen. Wir machen bei Douglas in Murree Station. Ich nehme an, du kennst ihn, ja? Er ist der Sohn von Lord Seeber. Ein solcher Schatz! Hol' dir einen anderen Stuhl, Charles. Und einen für Tim.«
Charles brachte zwei weitere Stühle und einen kleinen grüngestrichenen Tisch, als Helens Tänzer mit gefüllten Gläsern über den Rasen zurückkam.
»Danke, Tim. Oh, verdammt! Sie haben Eis hineingetan! Warum können sie die Sodas nicht kalt halten, statt Eiswürfel hineinzuwerfen? Na, macht nichts – es ist wirklich nicht dein Fehler. Gib mir eine Zigarette, Tim, sei so nett!«
Tim tat ihr gehorsam den Gefallen und nahm den freien

Stuhl. Helen rückte ihren Stuhl herum, um Charles anzusehen: »Charles, nun sag mal, was du von dem Polospiel heute nachmittag gehalten hast. Insgesamt, meine ich. Glaubst du, ihr werdet jemals in der Lage sein, genügend Leute aufzubringen, die überhaupt richtig Polo spielen können? Wenn Johnnie heute nachmittag nicht gegen diese Extrabelastung hätte spielen müssen, hätten wir euch noch weit höher geschlagen. Aber dann wäre es wirklich kaum noch fair – bei diesen unausgeglichenen Mannschaften!«
Charles sagte steif: »Vielen Dank, Helen.«
»Wofür? Oh! Aber ich habe doch nicht *dich* gemeint, Charles. Ich habe dich in Delhi und Meerut spielen sehen und finde es unheimlich sportlich von dir, mit diesem Krethi-und-Plethi-Haufen zu spielen. Ich nehme jedoch an, wir sollten ihnen sogar dankbar sein. Schließlich liefern sie uns ein paar Übungsspiele. Also wirklich, Tim! Du weißt doch, ich rauche niemals so starke Zigaretten! – Vielen Dank, Charles. – Also wie ich gerade sagte –«
Sarah gähnte, öffnete ihre Abendtasche und entnahm ihr eine flache, emaillierte Puderdose. Mit ihr zusammen fiel etwas zu ihren Füßen ins Gras. Es war der uninteressant aussehende Briefumschlag, für den sie keine Zeit gefunden hatte, ihn mit ihrer übrigen Post zu öffnen, und den sie in ihre Tasche gestopft hatte, um ihn später zu lesen. Sarah hob ihn auf und warf einen Blick auf ihre Begleiter. Da Mrs. Warrenders taftdrapierter Rücken Charles Mallory verdeckte und sie ausdrücklich von der Unterhaltung ausschloß, während der unbefriedigte Tim sich mit seinen zurückgewiesenen starken Zigaretten in die Nacht hinwegbegeben hatte, zuckte sie die Schultern und öffnete das Kuvert; sie hielt es so, daß das Licht von den Laternen in den Bäumen darauf fiel.
In dem Umschlag befand sich ein zweiter, zusammen mit einem Begleitschreiben von einer Anwaltsfirma in Rawalpindi, zwei Tage zuvor datiert. Nachdem sie es aus dem so beliebten Juristenjargon in schlichtes Englisch übersetzt hatte, verstand Sarah, daß sich das beiliegende Schreiben in einem Paket befunden habe, das im Januar zur sicheren

Aufbewahrung im Bürosafe von *Nedou's Hotel* in Srinagar abgegeben worden war – und zwar von der verstorbenen Miß Janet Elizabeth Rushton. Der Manager hatte das Paket »gemäß Anweisung« ihrer Bank ausgehändigt. Von dort war es an ihre Anwälte weiterbefördert worden, die seinen Inhalt in Verwahrung nahmen, bis die gerichtliche Testamentsbestätigung vorlag. Das erklärte die lange Verzögerung, da Anwälte und Nachlaßpfleger bekanntlich, wie die Mühlen Gottes, langsam mahlen . . .

Sarah wandte ihre Aufmerksamkeit dem versiegelten Umschlag zu, der ihren Namen und Adresse in ihrer eigenen Handschrift trug und den Janet unbeoachtet Mr. Croal, dem Manager von *Nedou's Hotel*, an dem Tag gegeben haben mußte, als sie nach Srinagar hinunterfuhr, um dem Begräbnis von Mrs. Matthews beizuwohnen. Als sie ihn jetzt erneut in der Hand hielt, war ihr, als ob ein kalter Hauch von den Schneemassen und den Schatten der dunklen Pinienwälder über den übervölkerten Rasen kroch.

Dies also war die Ursache ihrer sonderbaren Vorahnung, die sie bei der Rückkehr in das große Haus zwischen den Pfefferbäumen empfunden hatte: der Grund, warum Janets Geist an diesem Abend plötzlich hinter ihr zu stehen schien.

Sarah konnte Janet mit unangenehmer Deutlichkeit vor sich sehen, wie sie damals in dem kleinen, vom Feuerschein erhellten Zimmer stand und eben diesen Brief in ihrer Hand wog. Sie hatte etwas gesagt wie »ich kann ihn mit hinunternehmen« – nach Srinagar natürlich, wo sie und Mrs. Matthews für den Winter Zimmer belegt hatten und wo Mrs. Matthews begraben worden war, weil der Schnee oben in Gulmarg noch zu hoch lag und der Boden hart gefroren war . . .

Das Wachs des Siegels zerbrach unter Sarahs kalten Fingern und fiel auf den hauchdünnen Stoff ihres Rocks wie winzige Blutspritzer. Mit einem Schreckensschauer strich sie sie weg und zog die zwei Blätter heraus, die der Umschlag enthielt. Janet schrieb in einer markanten Schulmädchenhandschrift ohne jede Einleitung oder Erläuterung folgendes: »Ich hinterließ wichtige Aufzeichnungen auf Abdul Gaffoors Hausboot

Waterwitch in Srinagar. Begeben Sie sich so schnell wie möglich dorthin und schauen Sie sich danach um, falls mir etwas zustoßen sollte. Ich habe das Boot bis Ende Juni diesen Jahres im voraus bezahlt und arrangiert, daß, falls ich es nicht selbst benutzen kann, eine mir befreundete Person, die im Besitz beigefügter Quittung ist, es statt meiner übernehmen kann.« Dann, in schwankendem Gekritzel, als ob ihre Nerven und ihre Hand ihr plötzlich den Dienst versagten: »Ich weiß, daß ich es eigentlich nicht tun sollte, doch ich fühle, daß ich es tun muß. Mehr kann ich nicht sagen. Ich kann es nicht. Aber es ist dort.«

Der Brief trug keine Unterschrift, und es existierte kein Hinweis auf die Person oder die Personen, für die Janet ihn ursprünglich bestimmt hatte. Aller Wahrscheinlichkeit nach war er erst nach Mrs. Matthews' Tod geschrieben worden. Höchstwahrscheinlich erst ein oder zwei Stunden bevor Sarah im Mondlicht zu Janets Tür gerannt kam, um sie vor dem gesichtslosen Mann im Schnee zu warnen.

Das zweite Blatt Papier war eine quittierte Mietsrechnung für das Hausboot *Waterwitch*, bis Ende Juni 1947 im voraus bezahlt; auf der Rückseite, gegengezeichnet von dem Hausboot-Agenten, standen die Mietbestimmungen.

Sarah las die kurze Nachricht mit ihren knappen, unglaublichen Instruktionen nochmals und schließlich mit unterdrücktem Weinen ein drittes Mal, bevor die Worte irgendeinen Sinn für sie ergaben. Es war unmöglich, geradezu phantastisch, daß sie, Sarah Parrish, hier unter indischem Sternenhimmel sitzen sollte, in der uralten Stadt Peshawar, und den Schlüssel zu geheimen internationalen Verwicklungen in der Hand hielt, an dem vielleicht Schicksal und Leben unzähliger Menschen hing. Ein paar Zeilen, geschrieben von einem ermordeten Mädchen . . .

Wiederum las sie es, langsam und überlegend, als könne sie das Geheimnis, das hinter den dürftigen Worten lag, aus dem Papier herausziehen; das Wissen, das Janet gehört hatte, als sie es niederschrieb und das ohne diesen Fetzen Papier mit ihr gestorben wäre. Dennoch sagte es ihr nur wenig. Für

wen war es bestimmt gewesen, als sie es niederschrieb? Was hatte sie damit zu bewirken geglaubt? Warum hatte sie es überhaupt geschrieben?
Zumindest zur letzten Frage schien es eine klare Antwort zu geben: weil sie den Tod fürchtete. Nicht so sehr um ihrer selbst willen, sondern des Wissens wegen, das sie besaß. Sie fürchtete, dieses Wissen könne verlorengehen, und aus diesem Grunde hatte sie sich dazu treiben lassen, ein verzweifeltes Risiko einzugehen. Zwei Risiken! Einmal die Möglichkeit, daß die geschriebene Information in falsche Hände geriet, und zweitens die vielleicht noch größere Gefahr, ihre plötzliche Entscheidung, Sarah Parrish zu vertrauen, könne sich als katastrophaler Fehler erweisen . . .
Mrs. Warrender, die eine große, mit einem Regimentswappen geschmückte Puderdose hervorgeholt und sich die Nase gepudert hatte, während sie von den alten Tagen in Ranelagh und Hurlingham erzählte, ließ die Dose zuschnappen und wandte sich jetzt an Sarah: »Sie gehen vermutlich den Sommer über nach Kaschmir, Sarah? Wir reisen übernächste Woche dorthin. Nicht, daß das jetzt ein Vergnügen wäre! Ich glaube aber, es ist die letzte Saison, die wir hier überhaupt noch erleben werden, was mit der Übergabe, die für nächstes Jahr festgesetzt ist, zusam . . . Oh, hallo – ist das die Anzeige für das Pferderennen?«
Sie neigte sich vor und entwand das Blatt Papier gelassen Sarahs Fingern.
Sarah handelte ohne zu überlegen: Sie holte aus, schlug ihr den Brief aus der Hand und brachte es mit der gleichen Bewegung fertig, auch Mrs. Warrenders kaum berührtes Glas vom Tisch zu stoßen, dessen Inhalt sich über die scharlachroten Falten ihres Taftkleides ergoß und ihren Schoß mit halbgeschmolzenen Eisstücken füllte. Mrs. Warrender schrie auf und sprang auf die Beine. Sarah stand schnell auf, setzte einen kleinen Silberschuh auf das vergessene Blatt Papier, schob ihre wogenden Röcke darüber und entschuldigte sich mit einem nervösen Bedauern und Verlegenheit vortäuschenden Wortschwall.

Mrs. Warrender funkelte sie wie eine wütende Katze an und sagte im gleichen Atemzug, es mache überhaupt nichts aus, und daß ihr Kleid ruiniert sei; dabei gestattete sie Charles Mallory, das Überschüssige mit seinem Taschentuch wegzuwischen.

Sarah sagte: »Ich kann mir gar nicht vorstellen, wie das passiert ist. Ich muß wohl gegen den Tisch gestoßen sein. Vielleicht gibt es keine Flecke, wenn Sie sofort nach Hause fahren und das Kleid ins Wasser tun?«

»Unsinn. Es ist ganz unmöglich, Taft zu waschen. Ich werde es zur Reinigung geben müssen. Vielen Dank, Charles. Das reicht. Es wird in ein oder zwei Minuten trocknen. Nein, natürlich nicht! Ich würde nicht im Traum daran denken, es auszuziehen. Schaut her, es trocknet schon. Tim kann – Tim! Wo ist der verdammte Kerl denn hin? Also wirklich, die jungen Offiziere heutzutage sind wirklich völlig unbrauchbar. Da fängt die Band wieder an. Komm und tanz diesen mit mir, Charles. Eigentlich wollte ich ihn mit Johnnie tanzen, aber du weißt ja, wie Ehemänner sind. Er wird jetzt ohnehin schon zu beschwipst sein und unterbricht mir immer meine Tänze.«

Charles sagte: »Tut mir leid, Helen, doch dieser Tanz wurde mir schon von Miß Parrish versprochen.« Seine Stimme klang höflich, aber sehr bestimmt, und er sah Sarah nicht an, sondern blickte Mrs. Warrender starr in die Augen.

Helen Warrender war, wie Fudge einmal sehr richtig bemerkt hatte, eine ziemlich dumme Frau, doch es lag etwas in Charles starrem Blick, was sogar eine dumme Frau bemerkte. Eine dunkle, unkleidsame Röte überzog ihr Gesicht. Sie blickte von ihm zu Sarah und wieder zurück und sagte mit einer Stimme, die plötzlich grell klang: »Ach – das tut mir ja *so* leid. Ich hatte gar nicht bemerkt, daß ich da in ein Tête-à-tête hineingeraten bin. In diesem Falle werde ich besser gehen und Johnnie aufstöbern.« Zu Sarah gewandt sagte sie mit metallischem Lachen: »Nehmen Sie ihn nicht allzu ernst, hören Sie? Falls Sie es noch nicht wissen sollten, er ist schon fest liiert. Ist es nicht so, Charles, Darling?«

Charles' Gesichtsausdruck veränderte sich nicht, aber er zog einen Stuhl zurück, als wolle er ihr den Weg freigeben. Sie entschwebte mit zurückgeworfenem Kopf über den Rasen. Ihre Taftsäume zischten wütend über das trockene Gras.
Sarah bückte sich und hob das Blatt Papier auf. Überrascht stellte sie fest, daß ihre Knie vor Zorn bebten und zitterten. Sie setzte sich schnell, griff nach ihrem kaum berührten Glas, trank es durstig aus, stellte das Glas zurück und sah zu Charles hoch.
»Danke«, sagte sie mit der Andeutung eines Lächelns. »Das war sehr nett von Ihnen. Könnten Sie – würden Sie mir vielleicht Ihr Feuerzeug leihen? Nein, ich möchte keine Zigarette, danke sehr.«
Charles reichte ihr ein kleines silbernes Feuerzeug, sie ließ es aufschnappen und hielt Janets Brief in die Flamme. Das gerettete dünne Papier ließ sich leicht entzünden – obwohl es einige Spritzer von Helens Brandy-Soda abbekommen hatte –, flackerte auf und verbrannte rasch, bis zuletzt nur die vier Worte am untersten Rand erkennbar waren – »Aber es ist dort!« Mit Tränen, die hinter ihren Wimpern prickelten, sah Sarah auch sie in Flammen aufgehen und dachte: Oh, arme Janet! Dann warf sie die verkohlten Schnitzel auf den Rasen und trat sie mit dem Absatz in das ausgedörrte Gras.
»Und nun«, sagte Charles, »sollten Sie mir vielleicht erzählen, warum Sie Helen Warrenders Brandy mit Soda vergossen haben? Daß sie Sie zu einer derartigen Demonstration herausgefordert hatte, versteht sich. Dennoch werden Sie zugeben, daß es ein wenig drastisch war.«
Sarah errötete. »Ich hatte nicht – ich meine –, es war wirklich eine Art Malheur.«
Charles hob skeptisch eine Augenbraue: »Wirklich?«
»Ja, wirklich!« gab Sarah ärgerlich zurück.
Charles antwortete lachend. »Mein Irrtum. Ich dachte, Sie hätten es absichtlich getan.«
»Na schön. Ich hab's mit Absicht getan, und sie hat's herausgefordert. Sonst noch was?«

»Nichts. Ich war nur neugierig. Es schien mir eine recht effektvolle Art, Ihr Mißvergnügen zum Ausdruck zu bringen.«
»Ich fürchte, es war ein spontaner Impuls«, verteidigte sich Sarah. »Schauen Sie, es war ein recht privater Brief, und ich hatte Angst, sie könnte die Zeit finden, einige Worte zu lesen. Aber falls sie es getan hat, möchte ich wetten, daß sie sie in der nächsten Sekunde vergessen hat, denn nichts ist so wirksam wie ein richtig häßlicher Schock, um Dinge aus einem Gedächtnis zu vertreiben.«
»Ich werde es mir für zukünftige Zwecke merken«, sagte Charles ernst. Er steckte sich eine Zigarette an, lehnte sich in seinem Stuhl zurück und beobachtete Sarah durch das schwache, graue Rauchgekräusel, während die Band im Tanzsaal hinter ihnen einen Slowfox spielte; eine träumerisch rhythmische Weise, die in den ersten Kriegsjahren sehr populär gewesen war.
Von irgendwoher aus der Dunkelheit jenseits des Klubterrains drang das unheimliche Heulen eines Schakals herüber. Ein anderer Schakal stimmte in das Geheul mit ein: ein gellender, schriller Chor wie aus den Kehlen gemarterter Seelen. Sarah erschauerte, und eine jähe Woge der Angst überflutete sie. Angst vor dem gewaltigen, sonnengedörrten Land und den unfruchtbaren Khyber-Bergen, die weit außerhalb Peshawars lagen, bedrohlich und geheimnisvoll im Sternenlicht. Jenseits jener Berge lag Afghanistan mit seinen wilden, gesetzlosen Stämmen, indes sich weiter und weiter gen Nordosten die lange Gebirgskette des Himalajas erstreckte; und irgendwo dazwischen waren die Schneehänge des Khilanmarg.
Eine kleine Brise strich über den Rasen, brachte den Geruch von Staub und blühenden Bäumen mit sich, zerstreute die verkohlten Schnitzel von Janets Brief und blies sie weiter über die verlassene Terrasse ... Es ist nicht richtig, dachte Sarah verzweifelt – ich weiß, ich hab's versprochen, aber ich kann nicht zurück nach Kaschmir! Ich *will* nicht. Es geht mich überhaupt nichts an, und ich will diese Berge nie mehr wiedersehen ...

Ihr war, als müsse sie sich gegen Janets bleichen, anklagenden Geist gegenüber rechtfertigen und ihm bedeuten, daß der Brief ja schon geschrieben, das Kuvert bereits versiegelt war, als sie, Sarah, in der Nacht an ihre Tür kam. Er konnte also unmöglich für sie bestimmt gewesen sein. Hätte der Zufall sie nicht dorthin geführt, hätte Janet ihn vielleicht jemand anderem übergeben. Reggie Craddock, oder Meril, oder Ian Kelly . . . wem auch immer. Jetzt war er verbrannt, und nun konnte sie alles vergessen. Aber konnte sie das wirklich . . . ?

Sie sah vor ihrem geistigen Auge die lange, gewundene Gebirgsstraße auftauchen, die sich über zweihundert Meilen aus der Hitze und dem Staub der Bezirksstadt Rawalpindis nach Srinagar, der Hauptstadt des grünen Tals von Kaschmir, hinaufwand. Aber der Gedanke, in jenes Tal mit seinem kalten Rand schützender Berge, seinen schwarzen Deodarwäldern zurückzukehren, erfüllte sie mit panischer Angst. Sie konnte nicht zurück – sie konnte nicht . . .

Charles Mallorys ruhige Stimme brach in den Aufruhr ihrer Gedanken und brachte sie in die Wirklichkeit zurück. »Was ist los, Sarah? Sie sehen aus wie ein Gespenst.«

Er hatte sich erhoben und stand jetzt neben ihr. Sarah stand abrupt auf. »Tut mir leid. Ich bin heute abend ein bißchen nervös. Gehen Sie nur hinein und tanzen Sie mit Helen. Ich bleibe besser allein.«

Ihre Stimme klang selbst in den eigenen Ohren dünn und zittrig. Charles sagte: »Reden Sie keinen Unsinn. Sie zittern ja wie ein nasses Kätzchen. Was hat das alles zu bedeuten, Sarah? Sie haben sich in der letzten halben Stunde verhalten, als hätte man Ihnen gerade erzählt, wo eine Leiche begraben liegt. Was ist los? Schlechte Nachrichten?«

»Nein«, sagte Sarah aufgewühlt und kämpfte gegen einen plötzlichen Tränenausbruch an. »Es ist nichts, wirklich. Ich – ich bin . . .«

»Fühlen Sie sich krank? Möchten Sie, daß ich Sie nach Hause bringe?«

»Nein. Nein, ich fühle mich ganz in Ordnung. Ich glaube, es ist nichts.«

»Nun, in diesem Falle«, sagte Charles munter, »schlage ich vor, Sie reißen sich zusammen, kommen mit herein und tanzen. Sie können hier nicht sitzenbleiben und den ganzen Abend Gespenster sehen.«
»Oh, gehen Sie doch weg!« sagte Sarah, und ihre Stimme zitterte schon ganz hysterisch. »Können Sie nicht sehen, daß ich alleine bleiben will?«
»Damit Sie sich womöglich in einen noch schlechteren Nervenzustand hineinmanövrieren? Aber das würde nichts helfen, wissen Sie. Kommen Sie, Sarah. Sie sehen nicht aus wie ein Mädchen, das zur Hysterie neigt. Zeigen Sie sich tapfer.«
»Ausgerechnet Sie«, sagte Sarah wütend, »wollen darüber Bescheid wissen.«
»Worüber?« Charles' Stimme klang fast gefährlich.
»Über Tapferkeit«, sagte Sarah deutlich betont. »Ich hörte, Ihr Regiment sei nach Palästina abkommandiert worden.«
Eine eisige Sekunde lang glaubte sie, Charles würde sie schlagen. Instinktiv tat sie einen Schritt zurück, doch hinter ihr stand der Stuhl, und so blieb sie stehen.
Charles sah zu ihr herunter und lachte; freilich nicht angenehm. Und dann, sie wußte nicht genau, wie und warum, waren seine Arme um sie, fest und kräftig. Er legte seinen Arm um ihren Kopf und küßte sie ausgiebig.
»Danach hast du doch verlangt«, sagte Charles gelangweilt, »seit Wochen.« Er schob sie von sich fort und nahm sein ungeleertes Glas auf.
Sarah starrte ihn einen langen Augenblick an. Dann riß sie ihre Abendtasche an sich, wirbelte herum, ließ ihn einfach stehen und rannte über den Rasen zum hellerleuchteten Tanzsaal.

Teil 3

Srinagar

»Suche nach mir, wenn das Mondlicht scheint;
Erwarte mich beim Mondenschein;«

Alfred Noyes, The Highwayman

8

Es war die letzte Maiwoche – zehn Tage nach dem Wohltätigkeitsball des Peshawar-Klubs –, und die Creeds, von einem unerwarteten Fahrgast in Gestalt Sarah Parrishs begleitet, waren auf dem Wege nach Kaschmir, wo Hugo seinen Diensturlaub verbrachte.

Nur wenige Stunden vorher – auf der langen Fahrt von Peshawar nach Attock am Indus, und weiter durch den Punjab nach der großen Garnisonsstadt Rawalpindi, wo eine der Hauptrouten nach Kaschmir von der Grand-Trunk-Straße zu den Vorgebirgen abzweigte – waren sie noch versengt worden von der Hitze und beinahe erstickt vom Staub der Ebenen . . . und jetzt picknickten sie am Straßenrand zwischen Pinien, Kiefern und Deodarbäumen, atmeten die kühle Bergluft.

»Wie hat die gute alte Schachtel, deine Tante Alice, diese plötzliche Planänderung aufgenommen?« fragte Hugo, während er einen Mundvoll Curry-Windbeutel kaute. »Ich hätte nicht gedacht, daß sie es jemals billigen würde.«

»Seltsamerweise«, berichtete Sarah, »nahm sie es ganz ruhig auf. Ich glaube, es hat ihr letztlich gedämmert, daß jedes Mädchen, das während der letzten Unannehmlichkeiten bei den Streitkräften gedient hat, fähig sein sollte, auf sich selbst aufzupassen. Übrigens, sobald ich sagte, ich wolle mit euch hier herauf, war alles in Ordnung. Antonia ist nämlich ›*so* ein liebes Mädchen‹ und Hugo ›*so* ein netter Mann‹.«

»Wie recht sie hat«, sagte Hugo selbstzufrieden. »Was mich betrifft, meine ich. In ihrer Wertschätzung für meine Frau hat sie allerdings ein bemerkenswertes Fehlurteil gefällt, doch dafür kann sie nicht getadelt werden. Sie hat sie vermutlich mit zwei anderen Frauen durcheinandergebracht.«

Ein Auto zischte vorbei, bedeckte sie mit Staub und blieb zwanzig Meter weiter mit kreischenden Bremsen stehen.

»Möchte wissen, was das soll!« sagte Fudge und wehrte die Staubwolke ab, indem sie mit einem Geflügel-Sandwich vor ihrer Nase herumwedelte. »Was glaubst du, ist ihnen das Benzin ausgegangen oder wollen sie nach der Uhrzeit fragen?«
»Solange sie sich kein Bier pumpen wollen, können sie alles kriegen, was ich habe, meine Frau inbegriffen«, sagte Hugo. »Oh, verflucht, es ist Helen! Ich hätte es wissen müssen. Geh und lenk sie ab, meine Süße. Sie belästigt mich schlimmer als Bienenschwärme.«
Fudge sagte: »Gemeines Scheusal!« glitt von der niedrigen Mauer und ging der eleganten grüngekleideten Erscheinung entgegen, die sich vom Auto her näherte.
»Meine Liebe!« – Helens Stimme erinnerte einen unwillkürlich an einen Pfau – »Ich *wußte*, ihr seid's! Ich ließ Johnnie stoppen. Wir fahren schon seit zwei Stunden, und da dachte ich, wir sollten anhalten und mit euch gemeinsam picknicken. Ich hatte ganz *vergessen*, daß ihr heute heraufkommt. *Welch* ein Glück, euch getroffen zu haben! Gott, wie diese Reise mich anödet! Wenn dort nur jemand Annehmbares wäre, zu dem man gehen könnte. Aber natürlich ist dort niemand. Es wird ja ohnehin keiner von uns je wieder hinfahren. Wenigstens ist es das letzte Mal, Gott sei Dank!«
Bei Sarahs Anblick stockte sie plötzlich. »Herr des Himmels! Da ist ja auch Sarah. Du liebe Zeit, was machen Sie hier, meine Liebe? Ich dachte, Sie hatten die Absicht, nach Ceylon, Singapur oder sonstwohin zu reisen. Erzählen Sie mir ja nicht, Sie seien auch nach Kaschmir unterwegs!«
»Nun, es sieht fast so aus, nicht wahr?« versetzte Sarah honigsüß. Sie hatte plötzlich die felsenfeste Überzeugung, daß Mrs. Warrender den Wagen nicht stoppen ließ, weil sie die Creeds gesehen hatte, sondern weil sie gesehen hatte, daß noch eine dritte Person dabei war. Sie wollte wohl einen bestimmten Verdacht bestätigt wissen. Ihr Erstaunen wirkte zu übertrieben.
»Aber, meine Liebe! Wie reizend. Sie werden Srinagar einfach himmlisch finden; ich persönlich hasse es. Johnnie sagt natürlich, ich sei viel zu wählerisch in bezug auf Leute, mit

denen ich Freundschaft schließe. Ich sage aber immer, man kann in dieser Beziehung nicht wählerisch genug sein. Ich weiß aber, andere sind darin nicht ganz so – nun, wie dem auch sei, ich bin überzeugt, Sie werden dort entzückende Tage verleben. Nicht, daß in diesem Jahr irgend jemand von Bedeutung dort wäre. Tatsächlich hörte ich, da oben sei alles ›völlig tot‹ – obwohl ich annehme, Sie werden hier und da noch einen Funken Leben finden. Oh, hallo Hugo, du bist es.«

»Ja, ich bin's, Helen. In Fleisch und Blut. Komisch, nicht? Sogar Fudge kann mich in diesem Paar Socken kaum erkennen. Was ist mit Johnnie los? Muß er pinkeln, oder schmollt er nur?«

»Er holt den Picknickkorb heraus. Ich fürchte, es liegt ein ziemlicher Haufen Zeug darauf. Da kommt er schon. Oh, Gott sei Dank hast du etwas Bier bei dir, Hugo. Ich habe ganz vergessen, welches mitzunehmen, und wir sind beide schon völlig ausgedörrt vor Durst. Ich könnte gleich sechs Flaschen davon trinken.«

Hugo schloß die Augen und bewegte die Lippen, als verrichte er ein stummes Gebet, was aber wohl kaum der Fall war. Fudge sagte rasch: »Tut mir ja so leid, Helen, doch ich fürchte, dies ist die letzte. Trotzdem, wenn ihr sie euch teilen wollt, sei sie euch gegönnt.« Sie ließ ihren Mantel geschickt über eine der verbleibenden Flaschen fallen und drehte sich lächelnd zu Johnnie Warrender um, der einen großen Picknickkorb unter dem einen Arm und eine Autodecke unter dem anderen trug.

»Hallo, Johnnie. Hier, stell das bloß nicht auf die Sandwiches. Wann bist du aus ›Pindi‹ abgefahren?«

»Sind wir nicht. Das heißt, wir haben die Nacht in Murree verbracht«, sagte Johnnie und setzte seine Last auf der Mauer ab. »Hallo, Sarah. Ich wußte gar nicht, daß du die Absicht hast, in der Hauptsaison nach Srinagar zu kommen.«

»Nun, ich hatte immer schon vor, es irgendwann zu tun«, erklärte Sarah unbestimmt, »und da dies die letzte Gelegenheit zu sein schien, beschloß ich, mich von Fudge und Hugo im Auto mitnehmen zu lassen.«

»s' ist ganz nett dort. Schade, daß du's nicht mehr zu seiner Blütezeit kennengelernt hast. Damals war's ein großartiges Kaff. Wir benutzten es auch für ein paar verdammt amüsante Polospiele . . . Oh, was ist das? Guter Gott, Helen! Ist das alles, was du fürs Picknick zustande gebracht hast?« Er betrachtete die matschige Masse von Tomaten-Sandwiches mit unverhohlenem Abscheu und hielt sich, nachdem er sie über den Abhang geschleudert hatte, an Fudges Curry-Windbeuteln schadlos.

Johnnie Warrender war ein häßlicher kleiner Mann, der wie eine Kreuzung zwischen einem Gentleman-Jockey und Groucho Marx aussah, trotz alledem aber ziemlichen Charme besaß. Wäre es nach ihm gegangen, dann wäre er eine charmante, fröhliche Null geblieben; aber es ging nun einmal ganz und gar nicht nach ihm: Sobald man das erste Mal feststellte, daß Johnnie Warrender von den Lunjore-Ulanen den Bambusball häufiger, weiter und treffsicherer vom Rükken eines galoppierenden Polo-Ponys schlagen konnte als die Mehrzahl seiner Sportskameraden, hatte sich sein Leben geändert, und er wurde in bescheidenem Rahmen zu einer Berühmtheit.

Vergangen waren die Tage glücklicher Anonymität und sorgloser Armut, denn Johnnies magisches Handgelenk und zielsicheres Auge führte ihn in die Kreise der Reichen ein, der müßigen gesellschaftlichen Prominenz. Regierende Häuser und Residenzen im Verein mit Häusern hoher Tiere und kleiner Zinngötter in ganz Indien standen ihm weit offen. Maharadschas, Radschas, Nabobs und Prinzen beeilten sich, dem Beispiel zu folgen: sie liehen ihm Polo-Ponys und luden ihn als Ehrengast in ihre Paläste ein.

Unglücklicherweise hat der Ruhm, selbst in einer so vergleichsweise engen Sphäre, etwas Heimtückisches und Zersetzendes an sich, ausgenommen bei jenen, die ein gefestigtes Naturell und ausgeglichenes Urteilsvermögen besitzen. Und außer in Sachen Pferdefleisch und Polofeld besaß Johnnie Warrender weder Festigkeit noch Urteilskraft. Er galt zwar immer noch als »guter Junge«, doch sein Hang zu allerhand

Lustbarkeiten – vor allem zu Alkohol – nahm unvermindert zu: aus der unbekümmerten, charmanten Persönlichkeit war ein Verschwender und Snob geworden; und in beidem wurde er von seiner Frau noch übertroffen.
Helen, die einmal ein unkompliziertes junges Mädchen gewesen war, wurde fast über Nacht eine harte, selbstsüchtige und intrigante Frau und – die wohl schlimmste aller indischen Plagen – eine unermüdliche gesellschaftliche Streberin. Ihr Ziel war nicht zu hochgesteckt, und mit Schmeicheleien, Entschlossenheit und ihres Mannes Geschick auf Pferderükken, erreichte sie ein beachtliches Maß an Erfolg – wenngleich zu einem nicht geringen Preis. Die Kinder, die sie hatte haben wollen, waren der erste Verzicht, denn sie konnte es sich aus Geld- oder Zeitgründen nie leisten. Jedenfalls nicht jetzt. Eines Tages würde sie natürlich ein Kinderzimmer einrichten wollen. – Aber irgendwie war dieser Tag nie gekommen.
Die Freunde aus früheren Jahren waren der nächste Verzicht; sie wurden sofort vergessen, als sie zu höherem Ruhm aufstieg. Das Geld, das Johnnie hart verdiente, wurde zur Unterhaltung neuer Freunde verschwendet. Die Rechnungen wuchsen, und die überzogenen Beträge der Warrenders erreichten schwindelnde Höhen. Helen aber, sofern sie überhaupt irgendwelche Zukunftsängste hegte, weigerte sich, ihnen ins Auge zu sehen, während Johnnies Motto lautete: »Für heute reicht's noch!« Und jetzt, da ihre Welt um sie herum zu zerbröckeln begann, konnten sie nur noch verlieren.
Der erste Schlag war die Motorisierung der Kavallerie gewesen. »Das wird niemals geschehen«, hatten Johnnie und seinesgleichen immer gesagt. Aber es geschah doch; und mit dem Fortfall der Pferde und ihrem Ersatz durch Tanks und Panzerwagen waren die Möglichkeiten Polo zu spielen bei den weniger begüterten Regimentern erheblich eingeschränkt worden. Dann marschierte Hitler mit seinen Truppen in Polen ein, und der Weltkrieg, den man zwanzig Jahre hinter verrottenden Barrieren eingedämmt hatte, wälzte sich nun mit donnerndem Getöse durch die ganze Welt. Für

Johnnie und Helen sowie für Tausende ihrer Klasse und Einstellung war es nicht der Beginn, sondern das Ende einer Ära, eine Götterdämmerung.
Etwas von alledem ging Sarah im Kopf herum, als sie auf der niedrigen Steinmauer am Rand der Kaschmir-Straße saß und zuhörte, wie Johnnie über Pferde sprach und Helen sich über das unmögliche Betragen britischer Offiziere beklagte, die im Verlauf der letzten Jahre nach Indien geschickt worden waren (»Meine Liebe, die Hälfte von ihnen kann ein Rennpferd nicht von einem Tonga-Pony unterscheiden!«). Im erbarmungslosen Mittagssonnenlicht zeigte das eine Gesicht die Spuren der Ausschweifung und Schwäche, das andere die bitteren Linien der Unzufriedenheit. Vielleicht hatten sie und viele ihresgleichen bei Beendigung des Krieges geglaubt, die Uhr wieder zurückdrehen zu können. Doch die alten Zeiten waren für immer vergangen. Indien würde in die Unabhängigkeit entlassen werden, 150 Jahre britischer Herrschaft gingen zu Ende. Für die Johnnies und Helens würde nichts als Erinnerungen und Schulden übrigbleiben . . .
Plötzlich empfand Sarah für beide und für die unvermeidliche Tragödie ihrer Gesellschaftsschicht heftiges Bedauern. In der Zerstörung zwar kleinbürgerlicher, aber liebgewonnener Besitztümer liegt immer etwas Mitleiderregenderes als im Zusammenbruch von Dynastien. Letzteres ist zumindest spektakulär und dramatisch, ersteres hingegen zählte im Auge der Geschichte kaum mehr als ein zerbrochenes Kinderspielzeug.
Hugo händigte dem stets hoffnungsfreudigen Lacro höflich das letzte der Geflügelsandwiches aus und rutschte von der Mauer: »*En avant, mes enfants!* Die Sonne sinkt rasch, das Taglicht stirbt! – Hymnen A. und M. Mit anderen Worten: es ist fast fünf nach zwei, und wir haben über eine Stunde hier gehockt. Falls wir heute abend noch nach Srinagar kommen wollen, müssen wir einen schnelleren Gang einlegen. Unsere Scheinwerfer sind saumäßig und meine Nerven noch schlechter. Komm von der Decke herunter, Helen, die muß in den Wagen zurück.«

Helen erhob sich träge, kam vor dem Picknickkorb auf die Füße und holte eine mißhandelt aussehende Wassermelone heraus. »Hier, nimm, Hugo. Johnnie haßt Wassermelonen, und schließlich haben wir auch eine ganze Menge von euren Windbeuteln gegessen. Aber fairer Tausch ist keine Räuberei, nicht wahr?«
»Muß ich, Helen? Na schön – sehr rücksichtsvoll von dir.« Hugo nahm den grünen Globus mit unverhohlenem Widerwillen entgegen und verstaute ihn behutsam im Kofferraum.
»Ihr könnt sie morgen zum Frühstück essen. Wo steigen Sie in Srinagar ab, Sarah? Bei Nedou?«
»Ich glaube schon«, entgegnete Sarah. »Obgleich ich mir eventuell ein Hausboot nehme. Es wird sich finden, wissen Sie.«
»Oh, dann bleiben Sie nicht bei Fudge und Hugo?«
»Natürlich bleibt sie bei uns«, sagte Hugo. »Wir haben für die Saison vier Hausboote gemietet. Für jeden von uns eins und eins für den Hund. Wir sind Leute mit weitreichenden Plänen. Ihr müßt uns mal besuchen kommen. He! Ayaz!«
Hugos bärtiger mohammedanischer Träger tauchte hinter der Straßenkurve auf, wo er sein Mahl für sich allein verzehrt hatte, und Helen sagte: »Das machen wir bestimmt. Und ich muß Gwen dazu bringen, euch eines Tages in die Residenz einzuladen. Ihr wißt ja, wir sind bei den Tollivers. Also *au revoir*. Soll ich herzliche Grüße an Charles Mallory bestellen, wenn ich ihm schreibe, Sarah? Aber nein! – Sie schreiben ihm ja sicher selbst, wie alle Mädchen.«
»Sarah«, sagte Hugo fröhlich, »ist immer viel zu sehr damit beschäftigt, Briefe zu lesen, um selber Zeit zum Schreiben zu finden. Du würdest nicht glauben, was für eine Menge Leute ihr schreiben. Also, bis dann. Bei Philippi sehen wir uns wieder.«
Der Wagen glitt davon, nahm die Kurve und war verschwunden. »Roh«, bemerkte Hugo und steckte sich mit einer Hand eine Zigarette an, »doch vermutlich wirkungsvoller als feinere Methoden. Sarkasmus und Feinsinnigkeit wären bei Helen Verschwendung. Also, es ist wirklich nett, dich bei

uns zu haben, Sarah, und ich bin froh, daß du Ceylon in letzter Minute eine Absage erteilt hast.«
»Ja«, erwiderte Sarah langsam, »ich glaube, ich auch.«
Sie lehnte sich zurück, schloß die Augen vor dem grellen Sonnenlicht und der Berglandschaft. Wieder dachte sie an die Ereignisse, die zu ihrer Entscheidung, nach Kaschmir zurückzukehren, beigetragen hatten.
Bebend vor Wut auf Captain Mallory war sie nach dem Wohltätigkeitsball heimgekehrt und entschlossen, so rasch wie möglich nach Ceylon abzureisen. Sie fand sich außerstande, einzuschlafen. Sie hatte Charles Mallory der Feigheit beschuldigt, obgleich sie selbst nicht viel besser war.
Es war nicht richtig, sich hinter der Entschuldigung zu verstecken, Janet habe mit jener Botschaft gar nicht sie gemeint. Natürlich hatte sie das nicht! Nichtsdestoweniger sah sich Sarah zu dieser Aufgabe gezwungen, denn sie hatte ja zu helfen versprochen – wenn Janet »etwas zustoßen sollte«. Nun, es war ihr etwas zugestoßen. Wie konnte sie also von ihrem Versprechen zurücktreten? Nach allem, was sie wußte, mußten Janets Aufzeichnungen schrecklich wichtig sein, und zwar nicht nur für ein paar Individuen, sondern für Hunderttausende, vielleicht Millionen Menschen.
Dennoch, vorausgesetzt, sie reiste selbst nach Kaschmir, übernahm Janets Boot und fand das Gesuchte – was konnte sie schon damit anfangen? Nein, es war völlig unmöglich! Sie mußte das Ganze vergessen und durfte schlafende Hunde nicht wecken. Gäbe es nur jemanden, dem sie den Brief übergeben könnte. Jemanden, dem sie die ganze Verantwortung überlassen könnte ... Sie erwog, zum Gouverneur zu gehen, oder zum Polizeichef. Aber sie hatte nicht vergessen, was Janet gesagt hatte: »Natürlich kann ich nicht zur Polizei gehen. Was sollte ich ihnen sagen? Die Ergebnisse monatelanger Arbeit und Planungen weggeben und alles in letzter Stunde ruinieren?«
Was hätte sie, Sarah, ihnen auch erzählen können, nachdem sie das einzige Beweisstück, das sie besaß – Janets Brief –, verbrannt hatte? Sie fragte sich nun, was sie eigentlich bewo-

gen hatte, dies zu tun. Wiederum Feigheit, dachte sie kläglich, der Drang, sich einer Sache zu entledigen, die ihren eigenen Seelenfrieden hätte stören können. Nun, wenigstens hatte sie die Sache bisher noch geheimhalten können, und früher oder später würde sie sich Gedanken darüber machen, was am besten zu tun sei.

Zu dieser Schlußfolgerung gelangt, schlief sie endlich ein und träumte, daß Charles sie küßte: nicht verächtlich, wie er es auf dem Klubrasen getan hatte, sondern zärtlich und mit Leidenschaft. Und sie war dann reichlich verärgert, als sie den Realitätsbezug ihres Traumes erkannte und beim Erwachen im morgendlichen Sonnenlicht feststellte, daß Lacro begeistert ihr Gesicht abschleckte.

Später am Tag war Sarah in den Garten hinausgegangen und hatte zwischen blühenden Jasminbüschen und scharlachroten Cannasbeeten einen Kampf mit sich selber ausgefochten. Schließlich hatte Janets unbewußte Paraphrase von Edith Cavells Ausspruch »Patriotismus allein ist nicht genug«, mehr noch als ihr leichthin gegebenes Versprechen, den Ausschlag gegeben. Nein, es war wirklich nicht genug, nur patriotisch zu denken, das eigene Land und die eigenen Leute zu lieben, wenn man gleichzeitig nicht bereit war, jedes Risiko einzugehen, jedes Opfer auf sich zu nehmen. Und wenn dies Chauvinismus war, dann hätte man auch Shakespeare dasselbe vorwerfen können, und sie befand sich somit in guter Gesellschaft!

Sie würde doch nach Kaschmir reisen und Janets Boot übernehmen, um die Aufzeichnungen zu finden, die Janet dort hinterlassen hatte. Was sie damit anfangen sollte, wenn sie sie gefunden hatte, wußte sie jetzt noch nicht. Aber damit konnte sie sich später befassen. In der Zwischenzeit würde zumindest ihr Gewissen aufhören, sie zu plagen und der Feigheit zu bezichtigen. Sie würde ein Telegramm nach Ceylon schicken und die Creeds fragen, ob sie sie im Auto mit nach Srinagar nehmen könnten. Es blieb gerade noch Zeit alles zu arrangieren . . .

Und so befand sie sich nun wieder auf den Serpentinen der

Kaschmir-Straße, wurde geschwind hinaufgetragen zu der Stadt Srinagar und dem Dālsee, wo Janet auf dem Hausboot mit dem Namen *Waterwitch* gelebt hatte.

9

Es war schon nach fünf, als der Wagen der Creeds die Berge zurückließ und in das ebene Tal und die lange, schnurgerade, mit Pappeln gesäumte Straße hineinfuhr, die von Barmulla zur Stadt Srinagar führte – jenes merkwürdige Konglomerat aus altem und modernem Indien, noch über dem Jhelumfluß gelegen, beschirmt von einem gekrümmten Ausläufer der Berge und in der Nähe einer herrlichen Seenkette.

Die Sonne stand niedrig am Himmel. Ihre verblassenden Strahlen verwandelten die weißen Schneegipfel, die das Tal umringten, in Rosarot und Bernsteingelb; hier verbreiterte sich der Fluß, der durch die engen Gebirgsschluchten tobte, zu einem weiten, sanften Strom, der zwischen grünen Böschungen, von Weiden und Chenarbäumen umsäumt, heiter dahinfloß.

Zu beiden Seiten der Straße zogen sich gelbe Senffelder hin, smaragdgrünes Getreide, Flicken verspäteter Iris, purpurrot und weiß, kleine, zusammengedrängte Dörfer in Weiden- und Walnußhainen. Schafherden strebten heimwärts, bewacht von braungekleideten Schäferjungen, die auf kleinen roten Flöten spielten. Die Dämmerung war von süßem Vogelsang erfüllt und erinnerte an vergessene Frühlingsträume.

Es war schon dunkel, als sie Srinagar erreichten, und so verbrachte Sarah die ganze Nacht an Bord des Creedschen Hausboots; doch am Morgen darauf, gleich nach dem Frühstück, legte sie in einer *shikara* ab – einem jener schlanken, flachbödigen, mit bunten Baldachinen überdachten Boote, die die Gondeln und Wassertaxis des orientalischen Venedigs sind – und begab sich auf die Suche nach der *Waterwitch*.

Es erwies sich als gar nicht schwierig, diese zu finden, und die Agentur, bei der das Boot zum Verleih registriert war, akzeptierte Sarahs Erklärungen sowie die Quittung ohne sonderliches Interesse. Man beförderte sie unter der Obhut eines höflichen jungen Kaschmiri nach Chota Nagim, einige Meilen außerhalb der Stadt Srinagar, wo das Boot vertäut lag. Sie hatte dieser Fahrt lustlos entgegengesehen, doch der erste Abstecher nach Nagim entzückte sie.

Sobald die *shikara* die Stadt verlassen hatte, glitt sie flußabwärts durch kühle, sonnengesprenkelte, weidenbestandene Wasserstraßen. Die uralten Holzhäuser, die auf Pfählen an den Ufern des Stroms errichtet worden waren, erinnerten in ihrer Knusperhäuschenform an Hänsel und Gretel. Der Weg führte durch Dörfer, deren Mauern aus dem Wasser ragten und deren geschnitzte und verwitterte Balkone über den vorbeifahrenden Booten hingen, Dörfer, deren Hauptstraße der Wasserweg war.

Während die herzförmig geschnittenen Paddel sich gleichzeitig hoben und senkten, glitt das Boot unter uralten Brücken hinweg, an Tempeln vorbei, deren glitzernde Dächer sich bei näherer Betrachtung nicht als mit Silber, sondern mit Stükken von Weißblechkonserven gedeckt erwiesen. Leuchtendblaue Eisvögel blitzten pfeilschnell über die ruhigeren Flußabschnitte, und unzählige Bulbuls (eine orientalische Nachtigallenart) zwitscherten in den Weiden. Schließlich kamen sie zu einem stillen Gewässer in der Nähe der offenen Fläche des Sees. An der grünen Böschung, geschützt von den Zweigen eines gigantischen Chenarbaums, lag ein kleines Hausboot vertäut. Es war ein schmuckes kleines Wasserfahrzeug. Es enthielt einen Salon und einen kleinen Eßraum mit angrenzender Pantry, von wo aus eine kleine Holztreppe an Deck führte. Der Vorderteil des Decks war flach und wurde von einer orange- und weißgestreiften Markise überdacht. Jenseits der Pantry befanden sich zwei kleine Schlafkajüten, die jeweils mit einem winzigen Bad versehen waren.

Abweichend von der Mehrzahl der Hausboote auf dem Fluß waren die Bordwände der *Waterwitch* weiß gestrichen, während die hölzernen Schindeln, die das spitze Dach des achtern gelegenen Bootsteils deckten, grünbemalt waren, so daß es insgesamt an ein Modell der Arche Noah erinnerte. Es war ein so fröhliches, anziehendes Bild, das durch das Grün der Weiden, die sich in dem klaren Seewasser widerspiegelten, noch verstärkt wurde, daß Sarah jäh ein überwältigendes Gefühl der Erleichterung überkam.

Sie hätte gar nicht sagen können, was sie eigentlich erwartet hatte, aber unbewußt hatte sie wohl vermutet, daß ein Hauch von Düsternis, Verwesung und Geheimnis über dem Boot lagern würde, in dem Janet gewohnt hatte. Doch es gab nichts Finsteres oder Geheimnisvolles an dem schmucken kleinen Boot mit seinen frisch gewaschenen Vorhängen, die im Winde fröhlich flatterten.

Als die *shikara* längsseits anlegte, wurde in der Mitte des Boots eine Relingtür geöffnet und der rotbärtige *mānji* (ein Bootseigner) eilte auf den Steg, wand sich und lächelte gewinnend, und nach kurzer Unterhaltung mit dem Mann von der Agentur verneigte er sich tief und beeilte sich, Sarah an Bord zu geleiten.

Die *Waterwitch* war fast im gleichen Stil wie die anderen Hausboote auf dem See eingerichtet. Die holzgetäfelten Wände waren sauber und unbemalt; ebenso wie die niedrigen Decken, die aus kleinen holzgeschnitzten geometrischen Figuren – Rhomben und Sechsecke – dergestalt zusammengesetzt waren, daß sie ein kompliziertes Mosaik ergaben. An den Fenstern hingen billige Baumwollvorhänge; der Salon war mit Möbeln vollgestopft: ein mit verblaßtem, abgenutztem Plüsch bezogenes Sofa, dessen Sprungfedern so aussahen, als ob sie dringend der Reparatur bedurften, drei Armsessel mit sauberen, aber verblichenen Kretonnebezügen, ein großer Schreibtisch, zwei Beistelltische mit komplizierter Walnußschnitzerei sowie verschiedene andere Gegenstände aus Messing oder Pappmaché und eine entsetzlich gemusterte Stehlampe.

Ein schmales Regal mit eingefaßtem Gitterwerk lief in Höhe der oberen Fensterrahmen um den ganzen Raum und war randvoll mit staubigen, eselsohrigen Büchern und alten Zeit-

schriften angefüllt. Sarah registrierte dieses zerfetzte Aufgebot an Literatur mit blanker Bestürzung.
Dort werde ich wohl zuerst suchen müssen, dachte sie; und das Herz sank ihr bei der Aussicht, Tausende von muffigen Seiten durchblättern zu müssen. Sie hatte gehofft, ihre Nachforschungen auf dem kleinen Boot innerhalb von Stunden erledigen zu können, hatte aber nicht mit mehreren Hunderten aussortierter Bücher und Magazine als möglichen Versteckplätzen gerechnet. Es würde Tage und nicht Stunden in Anspruch nehmen, eine wirklich gründliche Durchsicht jener dichtbepackten Regale vorzunehmen . . .
»Sehr hübscher Raum!« betonte der *mānji*. »Gute Sessel zum Sitzen. Alle Bezüge habe ich frisch gewaschen. Viele schöne Bücher. Viele Sahibs haben Bücher schon vor langer Zeit auf meinem Boot gelassen. Hier ist Eßraum. Werfen einen Blick, Miß-sahib, sehr feine Eßraum.«
In dem Durchgang zwischen Salon und Eßraum war keine Tür. Ihr Platz wurde durch einen altmodischen Perlenvorhang ersetzt. Der *mānji* schob ein Bündel der bunten, klirrenden Schnüre beiseite und geleitete Sarah in den nächsten Raum.
Dort sah es gleich besser aus! Der Eßraum schien ein Minimum an Möbeln und Versteckplätzen zu enthalten, was nach dem Durcheinander im Salon geradezu eine Erlösung war. Der Tisch war ein Kunstwerk aus poliertem Walnußholz; oval in der Form, mit einem tief geschnittenen wundervollen Holzschnitzmuster aus Chenarzweigen, das um den Rand lief. Sarah ließ ihre Hand anerkennend über die glänzende Oberfläche gleiten, als sie der *mānji* nachdrücklich darauf hinwies. Dann betrat sie die Pantry. Die Hälfte davon wurde von einer kleinen Holztreppe eingenommen, von der es durch eine Art Falltür an Deck ging.
Eine Schlafkajüte, ein winziges Bad, dahinter eine zweite Schlafkajüte sowie ein weiteres Bad. Das kleine Boot war sauber und aufgeräumt. Ein unpersönliches, ruhiges kleines Boot, in dessen Innerem es keinen Hinweis, kein Gewisper, kein irgendwo lauerndes Geheimnis gab. Tropfen des Son-

nenlichts, reflektiert vom Wasser außerhalb, tanzten eine schweigsame Sarabande an den Decken. Die unebenen Fußplanken krachten laut und fröhlich unter Sarahs Füßen, und das kleine Boot schaukelte sanft auf dem Wasser, das muntere Klatschgeräusche an den Bordwänden verursachte.

Hier schien gar nichts an Janet zu erinnern. Janet gehörte zu den grauen Himmeln, den weißen Schneefeldern, den schwarzen Winterwäldern von Gulmarg; nicht zu dem frohen Grün und Gold und Blau dieses blauen Maitages auf dem Dālsee.

Anderthalb Stunden später war Sarah auf dem Weg zurück nach Gagribal Point und nahm mit Fudge und Hugo zusammen das Mittagessen ein, nachdem sie alle notwendigen Dispositionen mit dem Mann vom Bootsverleih getroffen und Anweisung gegeben hatte, daß die *Waterwitch* an ihrem gegenwärtigen Liegeplatz bleiben sollte. Vorsorglich hatte sie auch gleich den benachbarten *ghat*, oder Ankerplatz, für die Creeds vormerken lassen. »Es macht euch doch nichts aus, euer Hausboot dort anstatt in Nagim festzumachen, nicht, Fudge? Es ist wirklich nur um die Ecke, und es sieht dort so friedlich und geschützt aus. Nagim scheint mir dagegen von Booten überfüllt zu sein.«

»Ob es uns etwas ausmacht? Mein liebes Kind, ich werde dir dafür in meinem Testament die Hälfte meiner Schulden vermachen«, sagte Hugo herzlich. »Fudge denkt in diesen Dingen sehr eingleisig. Sie kann sich einfach keinen anderen Standort vorstellen, wo wir unsere Barke parken können, seit wir vor ewigen Zeiten – während unserer Flitterwochen – diesen heilsamen Kurort aufgesucht haben. Daß das einstmals blühende Eden inzwischen ein Massenbetrieb ist – seitdem hierherum ungeheuerliche Monstrositäten aus Holz und Stahl in Form von Klubhäusern, Cafés, Pensionen usw. entstanden sind –, hat sie gar nicht bemerkt. Es ist so dicht besetzt mit Hausbooten, daß deinem Nachbarn zur Linken niemals entgeht, was dein Nachbar zur Rechten gerade tut. Nein. Ich meinerseits würde also ganz entzückt sein, anderswo zu ankern. Erstens, weil es nicht zu meinen Liebhabereien zählt, auf Abwässern zu schwimmen; und zweitens –«

»Das genügt schon!« unterbrach ihn Fudge hastig. »Es ist eine reizende Idee, Sarah. Wir werden unser Boot gleich nach dem Essen dorthin überführen lassen.«

Den Nachmittag über verbrachten sie an Deck des großen Creedschen Hausboots, während es von einem Arbeitstrupp kräftiger Kaschmiri über die gleichen Wasserwege umgeleitet wurde, die Sarah am Morgen schon passiert hatte. Gegen Abend kamen sie an ihrem Liegeplatz an.

Die *Waterwitch* war mittels eines Kabels von etlichen hundert Fuß mit dem Hauptelektrokabel verbunden worden, das an der Nagim-Straße entlanglief. Als alle Lichter brannten, die Fenster fröhlich in der Dämmerung glühten, war Fudge, die schon versucht hatte, Sarah zum Bleiben auf der *Sunflower* zu überreden, beim Anblick des schmucken kleinen Bootes ganz erleichtert. »Es sieht nicht schlecht aus«, gab sie zu. »Wie bist du denn dazu gekommen, Sarah?«

»Och, nur so – mehr zufällig«, antwortete Sarah unbestimmt. »Sei unbesorgt, ich werde hier absolut sicher sein. Ich habe Lacro bei mir, und euer Boot ist so nah, daß ich nur einen Schrei auszustoßen brauche, falls ich nervös werde.«

Das Creedsche Hausboot war etwa dreißig Meter unterhalb der *Waterwitch* festgemacht worden und lag ihr gegenüber. Das Küchenboot, in dem ihr *mānji* mit seiner Familie hauste, der auch für die Unterbringung von Ayaz sorgte, lag dahinter und außerhalb der Sichtweite. Der *mānji* eines jeden Hausboots vereinigte in sich für gewöhnlich die Pflichten des Kochs, Oberkellners und *valet de chambre* mit jenen des Eigners; aber für heute abend hatte Sarah den kulinarischen Service ihres eigenen Faktotums abgelehnt und speiste an Bord der *Sunflower* bei den Creeds.

Sie hatten kaum die Hälfte der Mahlzeit eingenommen, als sie eine *shikara* in der Dunkelheit längs schrammte und eine Stimme das Küchenboot auf kaschmirisch anrief. Wenige Minuten später erschien Ayaz, der Creedsche Träger, mit einem Kuvert auf einem kleinen Präsentierteller aus Messing. Der Brief erwies sich als Einladung zu einer Cocktailparty in der Residenz für den folgenden Abend, adressiert an Major und Mrs. Creed und Miß Parrish.

»Das war rasche Arbeit«, bemerkte Sarah, als Fudge eine Zusage kritzelte und sie Ayaz aushändigte. »Woher wußten sie, daß wir hier sind? Von Helen vermutlich.«

»Das glaub' ich nicht«, versetzte Fudge. »Hugo und ich trugen unsere Namen heute morgen in das Buch ein und hielten es für angemessen, deinen hinzuzusetzen. Wir haben im Klub Kaffee getrunken und begegneten dort der neuen PA – einer ehemaligen Bekannten von dir.«

»Vergib einem armen, unwissenden Neuankömmling, aber was bedeutet, genau gesagt, PA?« fragte Sarah.

»Persönlicher Assistent«, übersetzte Hugo und nahm sich noch von der Cremespeise. »Ein armer Teufel, dessen Amt es ist, Einladungen an die Tee-Pichler und Rosinenbrötchen-Kämpfer der Gesandtschaft zu verschicken. Ich glaube, es umfaßt auch so ehrenvolle Aufgaben wie das Übersetzen der Speisekarte des *khansaham* ins Französische, das Arrangieren von Rhododendren auf der Speisetafel, Besorgungen und Handreichungen für die Frau des Gesandten sowie die Pflicht, selbige unverzüglich zischelnd zu berichtigen, sobald sie die Namen ihrer Gäste durcheinanderbringt. Diese Pfründe wird hier zur Zeit von einem scheu blickenden jungen Mädchen namens Forbes verwaltet.«

»Forbes? Du meinst doch nicht etwa Meril Forbes?«

»Dieselbe. Keine Helena von Troja, wie du mir sofort zugeben wirst. Zweifellos aber triefend vor Tüchtigkeit.«

»Ich hätte sie nicht im mindesten für tüchtig gehalten. Immerhin war sie eine recht gute Skiläuferin.«

»Tatsächlich? Ich kann nicht sagen, daß mir ihre Leistungen je aufgefallen wären. Das liegt wohl an meinen Brillengläsern. Ich muß gestehen, die Kleine tut mir aufrichtig leid.«

»Warum? Weil es heißt, bebrillte Mädchen kommen nie unter die Haube?«

»Genau so ist es«, pflichtete Hugo bei. »Das Mädchen hat es aber auch wirklich nicht leicht – mit ihrer Tante, die den ganzen lausigen indischen Subkontinent unter ihrer Knute hat.«

»Hugo!« mahnte Fudge indigniert.

»Bitte um Entschuldigung, meine Liebe. Ich habe vielleicht etwas übertrieben, aber Sarah hat zweifellos kapiert.«

»Ich habe entsprechende Gerüchte gehört«, räumte Sarah ein, die sich gewisse eindrucksvolle Bemerkungen Janets über Merils Tante ins Gedächtnis rief. »Was hat es für eine Bewandtnis mit ihr?«

Hugo erklärte: »Du wirst der Dame zweifelsohne morgen bei diesem Besäufnis begegnen und bist dann in der Lage, dir selber ein Urteil zu bilden. Ich finde sie jedenfalls faszinierend, und ich kann nicht umhin zu bedauern, daß es nach ihrem Ableben nicht zu praktizieren sein wird, sie ausgestopft in einem öffentlichen Museum auszustellen.«

»Und da behauptet man, Frauen seien boshaft«, bemerkte Fudge kritisch und wählte eine Banane vom Früchteteller. »Was pure Bosheit angeht, bist du als Mann sicher unschlagbar!«

»Unsinn!« sagte Hugo. »Ich spreche nichts als die reine Wahrheit. Lady Candera ist der Prototyp eines Drachen. Sie hat ein Auge, das sechs Fuß tiefe Löcher in einen Panzer bohren kann und eine Zunge, mit der sie einem Elefanten die Haut abziehen könnte. Ein zäher Brocken – kann ich euch sagen! Starke Männer erbleichen bei ihrem Anblick und Frauen gehen vor ihr in Deckung.«

»Ist sie wirklich so ungeheuerlich, wie Hugo sie darstellt?« wollte Sarah von Fudge wissen.

»Nun, so ziemlich«, gab Fudge zu und tauchte ihre Banane nachdenklich in den Kaffeezucker. Hugos offensichtliche Kritik an diesem Benehmen ignorierte sie dabei völlig. »Ich habe selber Angst vor ihr und meide sie darum wie die Pest.«

»Wurm!« bemerkte Hugo und rückte den Kaffeezucker weg.

»Selber Wurm! Du fürchtest sie genauso. Sie preist sich ständig selbst dafür, genau das, was sie gerade denkt, so grob wie möglich auszusprechen. Und das ist für das durchschnittliche Publikum meistens recht entnervend.«

»Erzähl mir mehr von ihr«, sagte Sarah interessiert. »Es hört sich recht unterhaltsam an.«
»In gewisser Weise ist es das auch«, räumte Fudge mit einem Lachen ein. »Ich habe oft gedacht, daß das Leben sehr viel stumpfsinniger wäre, wenn wir nicht diese ungemein farbigen Persönlichkeiten hätten. Wenn jeder rundherum hübsch rosa wäre, so wie das Hoply-Mädchen oder Mrs. Ritchie, wie langweilig würden wir alle sein! Ich persönlich schätze den Zusatz von einigen Tupfern Rot oder Purpur. Falls nichts anderes, so geben sie der Mischung einen Schuß Paprika.«
»Lady Candera«, erklärte Hugo, »ist ein Typus, der auf der ganzen Welt ziemlich weit verbreitet ist, oder war. Aber wir haben in Britisch-Indien eine besondere Sorte davon herangezüchtet. Nächstes Jahr wird es kein britisches Imperium mehr geben, und so wird diese Marke aussterben – zusammen mit den Johnnies und Helens und ihrem Klüngel. Sie werden sich nicht in England niederlassen, weil sie dort niemals finden könnten, was sie brauchen; darum wird sich Lady Candera auf verseuchte Plätze wie Ceylon oder Madeira zurückziehen, während die Johnnies und Helens wahrscheinlich in Kenia untertauchen. Und wenn du den schleimigen Obstbrocken noch einmal in den Zucker tunkst, Fudge, stehe ich auf und greife dich tätlich an.«
»Du hast mir noch nichts über diese Lady Dingsda erzählt«, reklamierte Sarah. »Wie sieht sie aus?«
»Nicht wie ein irdisches Wesen«, sagte Hugo prompt.
Fudge warf ihm einen verweisenden Blick zu. »Sie ist groß und dünn, und, wie Hugo schon sagte, hat sie Augen wie ein Handbohrer. Ich glaube, sie ist eine halbe Französin, Afghanin oder sonst etwas in dieser Richtung. Als junges Mädchen soll sie eine hinreißende Schönheit gewesen sein. Inzwischen muß sie um die Neunzig sein – oder jedenfalls hart an die Achtzig –, und sie sieht aus, als habe man sie in den Ruinen von Byzanz ausgegraben.«
»Puh!« machte Hugo und langte nach dem Sahnekännchen. Fudge ignorierte ihn.
»Ihr Mann war irgendwas im ICS – *Indian Civil Service* –,

der indischen Verwaltung also. Oder wollte ich jetzt F und P sagen?«
»*Foreign and Political Department* – das Außenministerium sozusagen«, übersetzte Hugo freundlich. »Einer von den Jungs, die nur Luft zu holen brauchen, um mit einer vierstelligen Pension und einem Titel vor ihren Namen zu enden.«
»Nun, jedenfalls war er irgend etwas Großes in irgendeinem indischen Staat«, sagte Fudge. »Aber seit er tot ist, lebt sie auf einem Hausboot in der Nähe von Gagribal, zusammen mit einer etwas obskuren Gesellschafterin namens Pond.«
»Übrigens ein höchst passender Name, wenn ich so sagen darf«, fügte Hugo hinzu. »Ich bin selten auf ein so stilles Wasser wie dieses Weib gestoßen. Herrscht draußen eine Brise, so kräuselt sie sich nur.«
Fudge holte sich ostentativ das Sahnekännchen zurück. »Wo war ich stehengeblieben? Ach, ja. Sie leben irgendwo in der Nähe von Gagribal auf einem riesigen Hausboot.«
»Hauptsächlich wahrnehmbar«, fiel Hugo rasch ein, »durch ein übergroßes Teleskop an Deck, mittels dessen sie in der Lage sind, ihr unermüdliches Auge auf die Missetaten ihrer Umgebung zu werfen.«
Fudge kicherte. »Sie pflegen wirklich eine Menge Zeit damit zu verbringen. Vor Jahren versuchte Lady Candera einmal, eine ›Reinheits-Liga‹ in Srinagar ins Leben zu rufen. Sie sagte, die Vorgänge, die sie auf anderen Hausbooten und vorbeifahrenden *shikaras* gesichtet hätte, seien einwandfrei unmoralischer Natur und man solle ihnen Einhalt gebieten. Sie ging deswegen sogar zum Gesandten. Anscheinend antwortete er ihr, daß er erwägen würde, etwas zu unternehmen, vorausgesetzt, er könne zuvor einen intensiven Blick durch das Teleskop auf besagte ›Vorgänge‹ werfen. Sie hat niemals wieder mit ihm gesprochen.«
»Arme Meril!« sagte Sarah. »Kein Wunder, daß sie immer so gequält aussieht.«
»Laßt uns nach oben gehen und uns an Deck setzen«, schlug Fudge vor und stand auf. »Heute nacht ist Vollmond.«
»Ohne mich«, sagte Hugo bestimmt. »Ich habe keine Lust,

mich in meinem letzten Urlaub in Kaschmir von Moskitos zerstechen zu lassen.«

»Ist das wirklich unser letzter Urlaub in Kaschmir?« seufzte Fudge. »Oh, Schatz! Irgendwie kann ich es gar nicht glauben. Meinst du, wir werden niemals wieder hierherkommen?«

»Nein«, sagte Hugo. »Es sei denn, die Internationale Dachorganisation der Fleischwolf-Hersteller-Gewerkschaften, deren Zwangsmitglied du dann wohl bist, versammelt sich eines Tages hier zu ihrem weltweiten Jahrestreffen mit anschließendem Besäufnis. Alsdann würdest du aus einem der gemütlichen, gemeinschaftlichen Genossenschlafsäle auf das Betonschwimmbecken blicken, das inzwischen aus dem See entstanden ist, eine Träne in das chlorierte Wasser fallen lassen und murmeln: ›O weh! Wie schön war es hier doch, als die Abwässer noch rein waren!‹«

»Ekliges Scheusal!« sagte Fudge. »Es gab eine Zeit, in der du Stunden damit verbrachtest, im Mondschein meine Hand zu halten.«

»Zweifellos. Aber damals war ich entweder mit dir verlobt oder strengte mich gerade an, es zu werden. Und das war ja auch alles, was ich in dieser Hinsicht unternehmen konnte. Wie auch immer, nachdem ich meinen Antrag erfolgreich angebracht habe, gibt es andere Dinge, die man tun kann, sollte einen die romantische Sehnsucht überkommen, die mich einst zum Händchenhalten trieb.«

»Hugo!«

»Nicht vor dem Kind!« sagte Hugo. »Zieht ab und schert euch an Deck, aber laßt mich in Frieden.«

»Ich gehe lieber schon zu Bett, wenn du nichts dagegen hast, Fudge«, sagte Sarah. »Es war ein langer Tag, und ich bin ziemlich müde.«

»Sehr vernünftig von dir«, sagte Hugo gähnend. »Wir treffen uns morgen auf deiner Yacht.«

Sie begleiteten Sarah über den Steg und die wenigen Meter Rasen, der die beiden Boote voneinander trennte. Lacro tobte bellend im Mondschein herum und jagte im Schatten nach eingebildeten Katzen.

»Bist du sicher, daß du dich drüben behaglich fühlen wirst?« fragte Fudge besorgt.
»Ganz bestimmt. Gute Nacht, Fudge. Gute Nacht, Hugo. Komm herein, Lacro, du kleines Ungeheuer.«
Sarah drehte sich um und ging ihren eigenen Bootssteg hinauf. Die kleine *Waterwitch* schaukelte und ächzte unter ihren Fußtritten. Wenigstens wird es niemand möglich sein, an Bord zu kommen, ohne auf der Stelle seine Gegenwart anzukündigen, dachte sie, denn selbst der leiseste Schritt auf einem Hausboot konnte sowohl gehört als auch gefühlt werden. Die Bodenbretter knarrten, und das Boot schwankte bei jeder Bewegung.
Sie schloß und verriegelte die Schiebetüren hinter sich und auf dem Weg zur Schlafkajüte schaltete sie im Salon, im Eßraum und in der kleinen Pantry die Lichter an. Nachdem sie ausgekleidet war und im Bett lag, unterdrückte sie mühsam den starken Wunsch, über die Schulter zu schauen, und fuhr bei dem leisesten Geräusch an Bord hoch.
Lacro sprang auf das Fußende ihres Betts und rollte sich zusammen wie eine kleine Samtkugel. Sarah drehte das Licht aus, lag für eine Weile still und starrte in die Dunkelheit, bis sie, getrieben von einem plötzlichen Impuls, die Hand ausstreckte und den Vorhang am Fenster neben ihrem Bett beiseite schob.
Die Glasscheiben, die tief in die dicke Wand eingelassen waren, ließen ein breites Viereck frei. Verschleiert von Drahtgaze gegen Fliegen, Moskitos und nächtliche Insekten, blickten sie über den Mondscheinsee hinaus auf das jenseits gelegene schattige Gebirge.
Irgendwo dort oben lag Gulmarg – eine jetzt nicht sichtbare Senke unter den weißen Höhen des Khilanmarg und dem langen Gebirgskamm des Apharwat.
Das Mondlicht würde auf die kleine Skihütte scheinen, wie es in jener Nacht geschienen hatte, als sie im Schnee mit Janet sprach. Es würde kalt und klar die Veranda des stillen Hotels beleuchten, so wie es in jener Nacht geleuchtet hatte, als sie dort oben stand und auf die verräterischen Fußspuren

im dünnen Schneebelag starrte; und es würde in den Garten des verlassenen Hauses in der Nähe der Schlucht spähen, wo der Wind ein Gatter an einer zerbrochenen Angel träge hin- und herschwingen ließ . . .
Sarah erschauerte und schloß die Vorhänge gegen die helle Nacht. Dann fiel sie in einen unruhigen Schlaf.

10

Das späte Abendsonnenlicht schien warm auf die glatten Rasenflächen und hochragenden Chenarbäume des Residenzgartens, wo Päonien, Rosen und Glockenblumen in verschwenderischer Fülle auf langen Blumenbeeten blühten. Wohlgerüche aus der Richtung der Küchengärten kündeten von süßen Erbsen, die bereits in Blüte standen.
In einem gewöhnlichen Jahr gab die britische Residenz von Srinagar viele Parties im Verlauf der Saison, doch dieses Jahr war anders als die vorigen. Es markierte das Ende einer Epoche – einer Ära –, und irgend etwas von diesem Empfinden schien die gegenwärtige Party zu durchdringen. Ein Hauch von Unruhe; ein Abschied von vertrauten Dingen. Nächstes Jahr gab es keine Zeit mehr für Parties. Nur noch zum Packen und Lebewohlsagen. So lasset uns essen, trinken und fröhlich sein, denn morgen werden wir zerstreut wie die Spreu im Wind, und die vertrauten Plätze werden uns nicht wiedersehen . . .
Ihre Gastgeberin begrüßte Sarah und die Creeds in der halbdunklen Halle des Gesandtschaftsgebäudes und führte sie in ein geräumiges, grün-weißes Gesellschaftszimmer voller Gäste und Blumen.
»Hallo, Meril!« sagte Sarah und wandte den Kopf, um die vorüberhastende Gestalt anzureden.
»Ach, Sarah, du bist es! Ich hörte, du seist mit den Creeds heraufgekommen. Ich dachte, du würdest nicht wieder nach Kaschmir kommen.«
»Wollte ich auch nicht«, gestand Sarah ein, »doch es schien

mir ein Jammer, etwas zu versäumen, was womöglich meine letzte Chance ist, diese Gegend kennenzulernen. Es war so etwas wie ein spontaner Entschluß.«

»Nun, ich hoffe, es wird dir hier gefallen. Dieses Jahr geht es nicht besonders lebhaft zu, weil jeder heimzufahren versucht. Trotzdem wird es dir draußen in Nagib gefallen. Das Wasser ist dort ganz annehmbar.«

»Was ist ganz annehmbar?« fragte eine nur allzu bekannte Stimme hinter ihnen. »*Ich* habe an dieser Gegend absolut nichts Annehmbares gefunden.«

»Oh, hallo Mrs. Warrender. Darf ich Ihnen Miß Parrish vorstellen? Mrs. – oh, natürlich, wie dumm von mir! Sie kennen sich ja bereits. Sie waren beide bei dem Skiklub-Treffen, nicht wahr?«

»Ja. Sarah und ich kennen einander sehr gut. Sagen Sie mir, wie geht es Charles? Und was halten Sie von Srinagar? Völlig tot natürlich! Kein Leben mehr. Gulmarg ist der einzige Ort in Kaschmir, wohin zu reisen sich noch lohnt, doch sogar dort ist in diesem Jahr einfach alles am Ende. Es war ohnehin schon erschreckend provinziell geworden. Ist das dort George McKay? Wozu, um alles in der Welt, trägt er diesen fürchterlichen Blazer? Er sieht ja wie eine gestreifte Markise aus! Irgendein grauslicher Kricketklubanzug oder so was, nehm' ich an . . . Hallo, George, ich dachte, du seist damit beschäftigt, die Leute in Sialkot zu verarzten.«

»War ich bis gestern auch. Zur Zeit bin ich auf Urlaub vor der Heimverladung.« Major McKay schüttelte Meril die Hand und verbeugte sich vor Sarah. Er war ein kräftig gebauter Mann von mittlerer Größe, Anfang Dreißig, mit einem freundlichen, aber ziemlich humorlosen Gesicht und benahm sich meist etwas steif, was ihn bedeutend älter erscheinen ließ.

»Ja, ich gehe wirklich fort von hier«, antwortete er auf eine entsprechende Frage. »Ich dachte, ich werfe vor meiner Abreise einen letzten Blick auf Kaschmir. Hier oben sind mehr Leute, als ich angenommen hatte. Ich vermute, sie tun alle dasselbe, nämlich Abschied nehmen.«

»Nun, ich will zu Ihren Gunsten hoffen, daß Ihnen Srinagar in angenehmerer Erinnerung bleibt als Gulmarg«, sagte Helen mit einem Lachen. »All jene Leichen müssen ihren Urlaub dort ja nicht gerade erholsam gemacht haben. Wie ich von unserem hart arbeitenden Sekretär Reggie hörte, stimmte er in einem der beiden Fälle nicht mit Ihnen überein. Ist das wahr?«

»Davon ist mir nichts bekannt«, äußerte Major McKay steif. »Auch ist das ein Thema, über das ich hier wirklich nicht diskutieren kann.«

»O Gott! Hab' ich was gesagt, was ich nicht sollte? Wie schrecklich von mir. Wo sind Sie abgestiegen?«

»Im Augenblick im Nagim-Bagh-Klub; ich hoffe, daß ich später ein wenig fischen gehen kann. Ist Ihr Mann hier oben?«

»Ja, Johnnie schwirrt hier irgendwo herum. Himmel! Dieses Weib, Candera, ist hier. Warum, zum Henker, Gwen sie hergebeten hat, weiß ich nicht. Oh, Pardon, Meril. Ich vergaß, daß sie Ihre Tante ist.«

Meril lächelte blaß und warf einen etwas gehetzten Blick auf den letzten Ankömmling: eine ältliche Frau, in tadellosen Tweed gekleidet, stand am Eingang und überblickte die versammelte Gesellschaft durch eine juwelenbesetzte Lorgnette. Nein, nicht ältlich, korrigierte sich Sarah in Gedanken – alt. Aber trotz ihres Alters hielt sie sich kerzengerade aufgerichtet, was an den Viktorianern immer bewundert wurde.

»Wenn sie herüberkommt, bin ich weg«, sagte Helen Warrender und entfernte sich eilig.

Meril sah aus, als wolle sie ihrem Beispiel folgen, doch eine barsche, gebieterische Stimme bannte sie an ihren Platz.

»He, Meril«, sagte Lady Candera, indem sie auf die in sich zusammenschrumpfende Miß Forbes zusteuerte: »Wie ich sehe, tratscht du wieder. Ich dachte, du hättest gewisse offizielle Verpflichtungen. Offenbar habe ich mich geirrt.«

Meril wurde über und über rot und scharrte mit den Füßen wie ein kleines Kind: »Tut mir leid, Tante Ena. Kann ich dir irgend etwas bringen?«

»Ja. Einen Brandy mit Soda, bitte. Du weißt, ich verabscheue Cocktails.«
»Ja, Tante Ena. Natürlich, Tante Ena.« Meril zog sich fast laufend zurück, und Lady Candera richtete ihre Lorgnette auf Sarah, fixierte sie von Kopf bis Fuß mit der besonderen Unhöflichkeit des unbestrittenen Herrschers. Sarah blieb unerschüttert und begegnete dem forschenden Blick der alten Dame mit ebenbürtigem Interesse.
Lady Candera zeigte noch Spuren ihrer einstigen legendären Schönheit in der Modellierung ihrer Wangenknochen oder der Linienführung ihrer schlanken, spitzen Nase. Ihr Gesicht war jedoch von zahllosen gelben Runzeln durchzogen und eigenartig gefleckt, wie es bei einigen älteren indischen Frauen der Fall ist. Ihre Augen waren von einem merkwürdig blassen Grau, das heller als die Tönung ihrer etwas dunklen Gesichtsfarbe erschien – auch mit Sicherheit etwas heller als das Eisengrau ihres Haars. Sie trug eine herrliche Kette mißgestalteter Perlen, und ihre knochigen Finger waren mit Diamanten und Smaragden in schweren, altmodisch verschnörkelten Fassungen bedeckt.
Sarahs Erscheinung, oder möglicherweise ihr ruhiger Blick, schien sie zu interessieren. Sie hob ihre Lorgnette und wandte sich im Kommandoton an Major McKay: »Major McKay, wer ist dieses Mädel? Sie ist neu. Nicht der übliche Zulauf von billigem Plunder um diese Jahreszeit. Oder doch?«
Major McKay, dessen rötliches Gesicht eine Mischung aus Verlegenheit und kalter Mißbilligung verriet, sagte steif: »Lady Candera, darf ich Ihnen Miß Parrish vorstellen. Miß Parrish –«
»– aus London und Hampshire«, warf eine sanfte Stimme ein, als Hugo mit einem Glas in der Hand auftauchte. »Wie geht es Ihnen, Lady Candera? Hallo, Doc, nett, Sie wieder hier oben zu sehen.«
»Sie ist also eine von diesen Touristinnen?« fragte Lady Candera in einem Tonfall, der einem Naserümpfen gleichkam.
»Bitte! Bitte!« erwiderte Hugo mißbilligend und schwenkte

sein Glas in gepeinigter Geste. »Laßt uns sagen, ›ein Zugvogel‹ – und was für ein Vogel! Meiner Ansicht nach ein vergoldeter Ariel.«
»Ah«, Lady Candera brachte ihre Lorgnette erneut in Anschlag. »Sehr interessant.« Sie nickte Sarah kurz zu, wandte sich abrupt ab und schritt davon.
»Hugo, das war abscheulich von dir!« tadelte Sarah, versuchte ernst zu bleiben und bekam einen Kicheranfall.
»Wieso? Ich bin ein kampferprobter Soldat und glaube an die Wirksamkeit gewisser Praktiken.«
»Was haben Sie denn praktiziert?« fragte Major McKay.
»Gegenangriff«, sagte Hugo feierlich. »Magst du Würstchen?« Er holte einen Teller mit kleinen heißen, an Cocktailspießen steckenden Würstchen und ein Glas Sherry für Sarah. »Der Sherry ist ein weit besserer Stoff als die sonderbare Mixtur, die sie hier ausschenken«, sagte Hugo. »Ich kann ihn empfehlen. Hier ist er. Zum Wohle! Übrigens, McKay, vielleicht können Sie –« Er hielt inne. Der Major stand nicht mehr bei ihnen. »Seltsam«, bemerkte Hugo. »Gerade eben war er noch hier.«
»Oh, hallo, Sarah!« Eine tweedgekleidete Gestalt bahnte sich ihren Weg durch die Gäste: Reggie Craddock, den Sarah zuletzt in Tanmarg gesehen hatte, als er die Abfahrt der Skiklubmitglieder überwachte. »Oh . . . hallo, Hugo; ich hatte dich gar nicht gesehen . . .«, tönte Reggie etwas weniger erfreut. »Wieder mal hier oben?«
»Was meinst du mit ›wieder‹? Ich bin hier praktisch Stammgast. In der Tat werden schon Überlegungen angestellt, ob ich unter Denkmalschutz gestellt werde. Was führt dich her, Reggie?«
»Letzter Kurzurlaub in Kaschmir«, erwiderte Reggie. »Ich breche meine Zelte hier bald ab. Wir verkaufen alles, weißt du. Annähernd fünfundsiebzig Jahre und drei Generationen in diesem Land, und jetzt – na, ja. Du kennst doch den Nawabzada?«
Er ergriff den Arm einer schlanken, flanellgekleideten Figur und zog sie aus der Menge.

»Ja, natürlich«, lächelte Sarah. »Wir trafen uns beim Skilaufen.« Sie reichte Mir Khan die Hand, der sich chevaleresk darüber neigte.
»Reizend, Sie wiederzusehen, Miß Parrish. Ich laufe jetzt nicht Ski. Der Schnee ist weg. Statt dessen spiele ich zur Zeit Tennis und Golf. Sie auch?«
»Ein wenig«, antwortete Sarah.
»Glauben Sie ihr nicht, alter Junge! Sie spielt beides umwerfend gut«, sagte Hugo.
Sarah lachte, und als sie einen Blick von Johnnie Warrender auffing, fragte sie Mir Khan, ob auch Polo zu seinem Trainingsprogramm gehöre.
Mir Khan zuckte die Achseln. »Wenn ich Gelegenheit habe«, sagte er. »Doch Polo stirbt in Indien aus; selbst unter Prinzen.«
Reggie bemerkte: »Haben Sie eigentlich schon jemals etwas gearbeitet?«
»Nicht, wenn ich es vermeiden kann«, bekannte Mir mit entwaffnendem Grinsen. »Irgendwann mag mich die Arbeit einholen, doch augenblicklich renne ich so schnell, daß ich außer Reichweite bleibe. Im Moment bin ich wohl das, was die Amerikaner einen Playboy nennen würden.«
»Und ein sehr vornehmer obendrein«, seufzte Hugo und nahm ein frisch und randvoll gefülltes Glas von einem vorbeikommenden *khidmatgar* entgegen. »Ich wünschte, ich wäre in einer Position, Ihrem bewunderungswürdigen Beispiel folgen zu können. Wenn man jedoch für die Strümpfe und Hüte einer kostspieligen Frau zu sorgen hat, von meinen eigenen Unterhosen und Schuhsohlen ganz zu schweigen, ist man einfach gezwungen, seine Nase weiter in die Schinderei zu stecken. Es ist alles sehr traurig, ›zum Naseausreißen‹«, sagte Hugo.
»Und wie finden Sie Srinagar?« fragte Mir Khan, zu Sarah gewandt.
»Nun, wir sind erst vorgestern angekommen«, entgegnete Sarah, »doch was ich bis jetzt gesehen habe, gefällt mir.« Die Unterhaltung drehte sich eine Weile um das Tal und die

verschiedenen Aussichtspunkte, die Sarah aufsuchen solle, bevor sie abreiste, bis Hugo sagte: »Apropos, Reggie, heute abend ist noch ein weiteres Mitglied aus eurer Skiläuferherde hier. McKay.«

»Ach«, sagte Reggie Craddock kurz; sein freundliches Gesicht wurde plötzlich leer und abweisend. Die Gastgeberin unterbrach das seltsam unbehagliche Schweigen, das hierauf folgte. Sie kam auf Mir Khan zugesteuert, bugsierte ihn zu einem Franzosen, der Bücher schrieb und seinen Vater kannte, während Hugo veranlaßt wurde, eine gewisse Mrs. Willoughby zu unterhalten.

Sarah blieb mit Reggie Craddock allein, der natürlich aufs Skilaufen zu sprechen kam. Sie hörte ihm aber nicht richtig zu, sondern war mehr daran interessiert, ihren Blick schweifen zu lassen, um festzustellen, wie viele Gesichter sie kannte. Das war bestimmt einer von den Coply-Zwillingen, der sich neben dem Klavier mit einem hübschen blonden Mädchen unterhielt, oder? Der Junge drehte halb den Kopf; ja, es war Alec. Oder war es Bonzo? Sie konnte niemals sagen, wer welcher war. Es sei denn, sie standen dicht beieinander und man konnte die kleinen Unterschiede, die sie kennzeichneten, sehen. Im übrigen waren nur wenige Leute in der Lage, festzustellen, mit wem von den beiden sie es gerade zu tun hatten.

Reggie Craddock redete und redete. Aber jetzt sprach er von Janet Rushton, und der Name genügte, um Sarah aus ihrer Unaufmerksamkeit zu reißen.

»Verdammt schade um Janet«, sagte Reggie. »Sie war wirklich ein guter Kumpel: und eine der besten Skiläuferinnen, die ich je gesehen habe. Kandahar-Klasse. Warum, zum Teufel, scheuen sich Frauen, vollkommen klaren und vernünftigen Anweisungen zu folgen? Ich will gehängt werden, wenn ich das jemals verstehe. Als ob ich nicht jedem ausdrücklich aufgetragen hätte, vom Blue Run fernzubleiben; und erklärt hätte, warum. Guter Gott, man hätte meinen sollen, ein fatales Unglück sei genug, sie von dem Run abzuschrecken, ganz abgesehen von einer direkten Anweisung.

Nie in meinem Leben bin ich so aus der Fassung gewesen. Bringt den Klub auch in einen schlechten Rūf. Ich zerbreche mir aber trotzdem den Kopf; Janet war doch nicht dumm. Nicht von dem Schlag, der etwas so verdammt Idiotisches tun würde. Um dir die Wahrheit zu sagen, Sarah« – Reggie senkte die Stimme zu einem vertraulichen Tonfall – »ich war nie besonders angetan von Janets Tätigkeit.«
Er stockte, sah Sarah aufmerksam an, als erwarte er ein überraschtes Flackern des Einverständnisses auf ihrem Gesicht. Seine funkelnden Augen in dem braunen Nußknackergesicht waren neugierig wie die einer Krähe.
Sarah fühlte, wie sie unter seinem Blick errötete, und war wütend auf sich selbst; es war eine Eigenheit, der sie nie entwachsen war und die sie bei sich selbst als viktorianisch und »jüngferlich« bezeichnete. Um es zu kaschieren, sprach sie rasch und vielleicht eine Nuance zu betont: »Welch ein Unsinn, Reggie! Ich hätte dich nie für einen Phantasten gehalten.«
»Phantast in welcher Hinsicht?« fragte Reggie Craddock. Er senkte den Blick und prüfte den Inhalt seines Glases mit übertriebenem Interesse, doch Sarah gab keine Antwort. Und nach einem Augenblick, scheinbar vom Thema abgekommen, sagte er: »Du kanntest Janet ganz gut, nicht wahr?«
Das war keine Frage, sondern die Feststellung einer Tatsache. Durch Sarahs Kopf schoß der Verdacht, daß er es beiläufig gesagt hatte – zu beiläufig – um . . . was? War sie selbst eine Phantastin? Warum sollte sie sich plötzlich einbilden, daß Reggie Craddock, ausgerechnet er von allen Leuten, ihr eine Falle stellen wollte, hinterlistig nach einer unbedachten Äußerung angelte?
Wieder ruhten Reggies Augen auf ihr, glänzend und krähenhaft. Nein, nicht krähenhaft, dachte Sarah. Die Augen einer Krähe waren glänzend und sanft und fragend. Reggies Augen waren glänzend und fragend, aber auch hart. Hart wie stählerne Schuppen; und irgendwo tief in ihnen glomm etwas Vorsichtiges, Wachsames.
Seine Frage schien zwischen ihnen in der Luft zu hängen.

Sarah war sich darüber klar, daß sie ihm so beiläufig antworten mußte, wie er gefragt hatte. »Nein«, antwortete sie und spürte dabei eine merkwürdige Verengung im Hals, »ich kann nicht sagen, ich hätte sie besonders gut gekannt. Natürlich habe ich mit ihr gesprochen. Aber bei dem Treffen habe ich ja mit den meisten Leuten gesprochen.«
»Sie hatte doch in Gulmarg das Zimmer neben dir, nicht?«
Reggie war wieder intensiv mit seinem Glas beschäftigt, drehte es langsam, so daß die Lichter auf der Olive am Boden tanzten.
»Ja, aber ich habe nicht viel von ihr gesehen. Sie war als Skiläuferin in einer anderen Klasse als ich.«
»Verstehe«, sagte Reggie Craddock langsam. Mit einem kleinen Cocktailstäbchen piekte er die Olive in seinem Glas auf. »Ich dachte, du hättest sie gut gekannt, weil du ihr Boot übernommen hast.«
Sein Blick zuckte aufwärts in ihr Gesicht. Irgend etwas flatterte in ihrer Kehle. Ihr Mund war plötzlich trocken. Sie hob ihr Glas mit einer Hand, war erstaunt, sie ruhig zu finden, und nippte an ihrem Sherry, bevor sie antwortete.
Sarah hörte sich mit einer Gelassenheit fragen, von der sie weit entfernt war. Ihre leicht gehobenen Augenbrauen brachten es zustande, ein höfliches Erstaunen über solche Erkundigung nach ihren Privatangelegenheiten anzudeuten.
Reggie Craddock errötete und blickte weg. Hastig sagte er: »Ich kannte Janet recht gut. Sie war letzten Sommer hier, als ich auf Urlaub war. Wir waren zusammen auf ein oder zwei Parties und natürlich waren wir beide am Skilaufen interessiert.«
Er machte eine Pause, um die Olive zu essen, und steckte das benutzte Stäbchen abwesend in eine Vase mit Stiefmütterchen, die neben seinem Ellbogen auf dem Flügel stand: »Sie hatte ein recht hübsches kleines Hausboot«, fuhr er langsamer fort. »Ich erinnere mich, daß sie mir letztes Jahr erzählte, sie hätte es auch für dieses Jahr auf längere Dauer gemietet, weil einer der besten Liegeplätze auf den Seen dazugehört und annehmbare Liegeplätze oft schwer zu be-

kommen sind. Als ich dieses Jahr herkam, dachte ich, ich könnte es übernehmen, doch der Mann vom Bootsverleih war nicht da, als ich deswegen anrief, und als ich das nächste Mal hinkam, das war heute nachmittag, sagten sie mir, du hättest es übernommen.«

Sarah sagte nichts und fuhr fort, an ihrem Sherry zu nippen.

Reggie räusperte sich und spielte nervös mit dem Stiel seines Glases. »Ich nehme an, es würde dir nichts ausmachen, es mir zu überlassen. Ich würde nicht gefragt haben, außer – nun, ich weiß, es klingt verdammt albern, aber ich habe ein richtiges Verlangen nach dem kleinen Boot. Sentimentale Gründe und all' so'n Quatsch, und es sieht so aus, als wär' dies meine letzte Chance. Natürlich würde ich dir ein anderes, genauso gutes besorgen, und du könntest auch denselben *ghat*, den Liegeplatz, behalten. Ich denke, es macht für dich keinen Unterschied, auf welchem Boot du bist, solange es einigermaßen ordentlich ist und du in der Nähe der Creeds bist. Um die Wahrheit zu sagen, ich war ein bißchen sauer, als ich hörte, daß du vor mir an Janets Boot herangekommen bist. Also – äh – wie steht's damit?«

Sarah beobachtete Reggie Craddock gedankenvoll über den Rand ihres Glases. Ein Bündel ganz unglaublicher Theorien schoß ihr durch den Kopf, wirbelte und flammte darin wie Feuerräder bei Nacht.

Reggie hatte Janet gut gekannt. Reggie hatte sich die Mühe gemacht herauszufinden, oder sich erinnert, daß Janet das Zimmer neben ihr im Hotel von Gulmarg belegt hatte. Reggie hatte versucht, die *Waterwitch* zu mieten, und jetzt, nachdem ihm dies mißlungen war, setzte er alles daran, sie dennoch zu bekommen. Er hatte, das stimmte, unbedingt auf der Anordnung gegen die Benutzung des Blue Run bestanden; aber gesetzt den Fall, dies war nur ein Vorwand . . . ?

Hinzu kamen zwei weitere bemerkenswerte Faktoren: Reggie Craddock war in der Skihütte am Khilanmarg gewesen. Und er war der einzige Skiläufer dort, der berechtigt war, das kleine goldene K auf blauem Emaillegrund zu tragen, das Kennzeichen des Kandahar-Skiklubs.

All diese Dinge rasten durch Sarahs Hirn, vermischt mit einem Gefühl von Unfaßbarkeit. Ob alles nur Hirngespinste waren? Ihr Mißtrauen gewann allmählich die Oberhand. Es war lächerlich, absurd, unmöglich, sich auch nur einen Augenblick lang vorzustellen, ein Mann wie Reggie Craddock könnte . . . Aber Janet Rushtons Tod war ebenso absurd und unmöglich. Wieder gingen Sarah Janets Worte durch den Kopf: »Wenn Ihnen jemand ein paar Stunden früher erzählt hätte, ich sei Geheimagentin, würden sie ihm geglaubt haben? Natürlich nicht! Denn ich sehe nicht aus wie Ihre Vorstellung von einer Geheimagentin.«
»Nun?« sagte Reggie Craddock.
Sarah riß sich gewaltsam zusammen. »Tut mir schrecklich leid, dich zu enttäuschen, Reggie, aber ich möchte es nicht. Ich habe mich in das Boot verliebt, und wenn ich mich einmal irgendwo häuslich niedergelassen habe, hasse ich es, wegzugehen.« Ihr Ton war locker und liebenswürdig, aber absolut entschieden.
Ein fast häßlicher Ausdruck kroch über Reggies Gesicht, aber er erwiderte ausreichend ungezwungen: »Oh, schon gut. Ich dachte nur, man kann ja mal fragen. Aber sicher, wenn du eine Freundin von ihr warst . . .«
»Ich habe dir schon einmal gesagt«, versetzte Sarah leicht schroff, »ich habe das Mädchen kaum gekannt.«
Reggie trank sein Glas aus und setzte es mit einem lebhaften Klirren auf den Flügel. »Ich glaube, ich vergaß zu erwähnen«, sagte er, »daß die Leute vom Bootsverleih, die mir erzählten, daß du das Boot übernommen hast, mir gleichfalls sagten, du besäßest Janet Rushtons Quittung für das Boot, ohne die du es nicht übernommen haben könntest.«
Es entstand ein kurzer Augenblick des Schweigens. Dann fragte Sarah: »In welchem Monat warst du hier letztes Jahr auf Urlaub, Reggie?«
»August. Warum? Was hat das damit zu tun?«
»Ich finde es lediglich interessant zu hören, daß Janet dir schon im vergangenen August erzählte, sie hätte die Miete für die *Waterwitch* im voraus für dieses Jahr bezahlt.«

Reggies Brauen zogen sich finster zusammen. »Ich weiß nicht . . .« begann er.
»Die Quittung«, sagte Sarah sanft, »war vom 3. Dezember.«
Irgend jemand von den Gästen trat zurück und stieß unbeabsichtigt gegen Sarahs Ellbogen und kippte dabei die Reste ihres Sherrys in einem gelblichen Bogen über ihr graues Leinenkleid. Eine atemlose Stimme begann unzusammenhängende Entschuldigungen zu keuchen. »Ach, du liebe Zeit! Ach, herrje, tut mir ja so leid! Wie überaus ungeschickt von mir!«
Sarah drehte sich mit überwältigender Erleichterung um und sah eine kleine, ängstlich blickende Frau damit beschäftigt, ein Taschentuch aus einer großen, überfüllten Handtasche herauszuzerren. Sie machte flüchtige kleine Tupfer auf dem befleckten Kleid. Zu jedem anderen Zeitpunkt wäre es ermüdend gewesen, auch nur ein Wort über das kleine Malheur zu verlieren. Jetzt aber hätte Sarah die Missetäterin küssen mögen, denn ohne diese Unterbrechung hätte sie sich in Widersprüche verwickelt. Die Antwort, die sie Reggie Craddock erteilt hatte, war nämlich ein zweischneidiges Schwert gewesen.
Falls sie, wie behauptet, kaum mit Janet Rushton gesprochen hatte, wie konnte dann Janets Quittung für die Leihgebühr der *Waterwitch* in ihre Hände gelangt sein?
Während sie sich nach ihrer Retterin umsah, bemerkte Sarah, wie sich eine hochgewachsene, kräftige Frau in braun-rotem Crêpe de Chine auf Reggie Craddock stürzte und ihn unter einem Wortschwall mit sich fortzog. Sie tat einen tiefen Seufzer der Erleichterung. Sie mußte unbedingt lernen, ihr Temperament zu zügeln und ihre Zunge im Zaum zu halten. Es war dumm und tollkühn, schädliche Eingeständnisse zu machen, nur um Reggie Craddock eine Abfuhr zu erteilen. Sie war auch gar nicht sicher, ob sie Reggie Craddock mit diesem Verhalten nicht die Möglichkeit gegeben hatte, ihr eine Abfuhr zu erteilen!
»Ich kann mich gar nicht genug bei Ihnen entschuldigen«, sagte die kleine Frau unglücklich. »Schrecklich unachtsam

von mir. Ihr schönes Kleid! Aber diese Parties – immer so überfüllt.« Sie faßte aufgeregt nach einem randlosen Kneifer, der ihr von der winzigen Nase gerutscht war und jetzt ziellos am Ende einer dünnen Kette baumelte.
»Bitte, regen Sie sich nicht auf«, beeilte sich Sarah mit ihrem charmantesten Lächeln zu versichern. »In Wirklichkeit bin ich Ihnen unheimlich dankbar.«
»Mir?« fragte die kleine Frau verdutzt. »Nun machen Sie sich lustig über mich.«
»Nein, wirklich«, beteuerte Sarah ernsthaft. »Ich meine es so. Ich war in eine höchst peinliche Unterhaltung verwickelt, und Ihr Zusammenstoß mit mir hat mich schlicht gerettet. Sherry gibt keine Flecken. Ich reibe es mit einem Schwamm ab, wenn ich heimkomme. Es wird keine Spur davon zurückbleiben, das versichere ich Ihnen.«
»Es ist so nett von Ihnen, das zu sagen«, haspelte die kleine Frau. »Ich bin sicher, daß Sie es nicht so meinen, doch es hat mich ein wenig erleichtert wegen meiner Ungeschicklichkeit. Darf ich mich vorstellen? Mein Name ist Pond. Miß Pond.«
»Oh«, sagte Sarah interessiert. »Ich bin Sarah Parrish.«
»Sehr erfreut, Sie kennenzulernen!« sagte Miß Pond.
»Ganz meinerseits«, erwiderte Sarah. »Wollen wir uns setzen? Das Sofa sieht ganz behaglich aus.« Sie lotste ihre Begleiterin zu einem chintzbezogenen Sofa, von wo aus sie den Garten überblicken konnten. Nachdem sie sich gesetzt hatte, richtete sie ihr ganzes Interesse auf die Gesellschafterin der schrecklichen Lady Candera und sah sie an.
Pond, dachte Sarah. Hugo hat recht. Es war wirklich ein sehr passender Name. Ein kleiner Teich mit etwas verkrautetem Wasser; der Aufenthaltsort von anspruchslosen, törichten Geschöpfen wie Enten und Kaulquappen.
Die kleine Frau, die neben ihr saß, hätte jeden Alters sein können, von dreißig bis sechzig. Ihre äußeren Merkmale schienen aus einer Serie von Knöpfen zu bestehen: eine kleine platte Knopfnase, ein spröder Knopfmund und ein Paar braune Stiefelknopfaugen. Außer ihrem ängstlichen Ge-

sichtsausdruck fiel sie durch eine wahllose Zusammenstellung von Kleidungsstücken auf, die den Eindruck machten, als seien sie in Eile irgendwo herausgerissen worden. Sarahs fasziniertes Auge stellte fest, daß sie kurze Knopfstiefeletten zu einem Sammelsurium von Einzelteilen wie einem Batikseidenschal, senfgelben Stoffhandschuhen und mehrere Ketten verschiedenartiger Perlen trug.

Ihre Stimme war leise und atemlos und schien aus einer Serie von Ächzern zu bestehen. War es Sarahs erster Besuch in Kaschmir? Und wie gefiel ihr das liebliche Tal? Wo wohnte sie? Und fand sie nicht auch, daß der See unbeschreiblich schön sei?

Sarah, dankbar für ihre Rettung vor Reggie Craddock, antwortete angemessen, während das Tageslicht vor den Fenstern verblaßte und der Garten sich mit Schatten, Resedadüften und den nächtlichen Wohlgerüchen der Levkojen füllte.

Sie unterhielten sich noch immer, als eine gute Viertelstunde später eine Stentorstimme den Lärm der Cocktailparty durchschnitt wie ein Messer den Käse. »Elinor!« trompetete Lady Candera.

Miß Pond sprang auf, als sei sie an einer empfindlichen Stelle von einer Hornisse gestochen worden. »Oje! Ich fürchte, das gilt mir . . . Ja, Ena, ich komme. Furchtbar nett, Sie kennengelernt zu haben, Miß Parrish. Es tut mir so leid. Wegen des Sherrys, meine ich. Ja, Ena, ja . . . ich komme.« Sie raffte eine Kollektion von Handschuhen, Handtasche, Taschentuch und Schal an sich und eilte aus dem Raum.

»Worüber feixt du?« fragte Hugo und ließ sich auf den Fensterplatz neben Sarah fallen. »Hat der menschliche Fußabtreter dich amüsiert? Unglaubliches Geschöpf, unsere Pondy. Was meinst du, wie sie's fertigbringt?«

»Was fertigbringt?«

»Ihre Kleider anzuziehen. Ich habe die Theorie, daß sie sich mit Leim bestreicht, dann unter das Bett kriecht und mit Federn aufgeplustert wieder zum Vorschein kommt.«

Sarah brach in Gelächter aus. »Du bist ein Idiot, Hugo. Aber möglicherweise hast du hierin recht.«

Fudge kam durch den Raum und beugte sich über die Rücklehne des Sofas. »Worüber lacht ihr beide? Trink dein Glas aus, Hugo. Es ist Zeit, daß wir gehen. Sie fegen uns sonst zusammen mit den Krümeln raus. Sarah! Womit, um des Himmels willen, hast du dein Kleid begossen?«
»Sherry«, antwortete Sarah. »Und glaub' mir, in meinem Leben bin ich noch niemals dankbarer für etwas gewesen. Schwirrt Reggie hier noch herum?«
»Reggie Craddock? Nein, ich glaube, er ist vor etwa zwanzig Minuten mit Mir fortgegangen.«
»Gott sei Dank«, sagte Sarah inbrünstig. »Komm, Hugo.«
Sie sagten ihren Gastgebern Lebewohl und warteten dann in der Halle, von wo ein rotgewandeter *chaprassi* (Amtsdiener) hinausging, um ihren Wagen anzufordern.
Das Zwielicht zerfloß in Dämmerung und die Lichter des Srinagarklubs schimmerten hinter den Toren der Residenz durch die Bäume, als Sarah auf die Eingangsstufen hinaustrat – Fudge und Hugo waren noch stehengeblieben, um mit einigen Freunden zu sprechen – und zur Spitze des Takht-i-Suliman-Tempels emporblickte, auf dem ein glänzender Lichttropfen glitzerte, hoch über den Chenarbäumen des Gartens.
Eine einsame Gestalt, wahrscheinlich einer der scheidenden Gäste, tauchte plötzlich am äußersten Ende der Auffahrt aus einer Buschgruppe neben dem Tor auf. Über dem Tor brannte starkes Licht, und als die Gestalt hindurchging, bemerkte Sarah, daß sie einen gestreiften Blazer trug. Sie wunderte sich flüchtig, was Major McKay im Garten gesucht haben mochte. Einen Augenblick später trat jemand geschwind aus den Schatten gegenüber der Kiesauffahrt aus der Richtung der Tennisplätze und lief leichtfüßig die Stufen hinauf.
»Hallo, Meril«, sagte Sarah. »Du kommst gerade rechtzeitig, um uns aufbrechen zu sehen.«
Meril blieb stehen, strich unsicher eine Haarlocke zurück, die ihr über die Stirn gefallen war, und sagte beunruhigt: »Ist es schon spät? Ich hatte das Gefühl, ich könne es keine

Minute länger in dem stickigen Raum aushalten, und da bin ich hierhergegangen, um im Garten spazierenzugehen. Die Blumen duften nachts anscheinend intensiver. Ich habe gar nicht bemerkt, daß es so spät ist. Gehen die Leute schon?«
»Ich glaube, die meisten sind bereits gegangen«, sagte Sarah und wandte den Kopf, um einen Blick in die Halle zu werfen. »Deine Tante ist noch da – sie sagt Hugo gerade, wohin er sie fahren kann, nach seinem Gesichtsausdruck zu schließen. Es sind noch etliche Leute da. Du hast also noch genug Zeit, dich von mindestens einem Dutzend Gästen zu verabschieden.«
Meril blickte alarmiert. »O Gott, ich hätte vermutlich nicht weggehen dürfen.« Unbewußt schob sie die vorwitzige Locke zurück und fragte plötzlich: »Warum bist du wieder hergekommen?«
Sarah hob die Augenbrauen, mehr über den Ton als über die Frage erstaunt, und sagte mit einem Lachen: »Es ist ein freies Land!« Meril errötete jäh und heiß, und die purpurrote Welle verdunkelte kurzfristig ihre Sommersprossen. »Ich – ich hatte es nicht so gemeint«, sagte sie. »Ich wunderte mich nur –« Ihre Stimme erstarb, als sie sich umdrehte, um ängstlich über Sarahs Schulter dorthin zu spähen, wo ihre Tante in einer kleinen Gruppe aufbrechender Gäste in der Halle stand. Sarah fühlte plötzlich ihr Gewissen schlagen: arme Meril! Es war beschämend, sie in Verlegenheit zu bringen. Sie mußte ein trauriges und enttäuschendes Leben mit jener alten Despotin von Tante führen. Kein Wunder, daß sie solch ein milchwässeriges Nichts war!
»Es war einfach so«, erklärte sie, »daß die Creeds hierher wollten und alle mir sagten, daß ich Kaschmir ohne Schnee erleben müsse, bevor ich Indien verlasse. Wir liegen in einer Art totem Gewässer außerhalb von Nagim. Du mußt einmal zum Baden oder zum Essen zu mir herauskommen.«
»Das würde ich gerne«, sagte Meril abwesend und ließ ihre Augen weiter auf der Gruppe in der Halle ruhen. »Wir kommen hier selten zum Baden.«
»Dann gilt dies als Verabredung. Wir liegen genau auf der

anderen Seite der Nagimbrücke. Chota Nagim. Ich glaube, sie nennen es Stauwasser. Mein Boot ist das grün-weiße. Es heißt *Waterwitch.*«

»*Wie* heißt es?« Meril drehte sich rasch um.

»*Waterwitch.*«

»Aber – aber das ist – das war Janets Boot!«

»Ja«, sagte Sarah freundlich. »War sie eine Freundin von dir?«

»Janet? Nun – nicht direkt. Aber ich kannte sie natürlich. Sie war letztes Jahr hier oben und wohnte auf jenem Boot, da draußen in Nagim. Aber sie ging sehr viel aus. Tennis und Parties und dergleichen. Jeder kannte sie. Tante Ena sieht es nicht gern, wenn ich auf Parties gehe. Ich werde auch nicht zu vielen eingeladen«, fügte sie mit unsicherem Lächeln hinzu.

Sarah fragte: »Würdest du sagen, Reggie Craddock sei ein besonderer Freund von ihr gewesen?«

»Von Janet Rushton? Ich weiß es nicht. Warum fragst du?«

»Oh, nichts. Pure Neugier. Etwas, was er heute abend sagte, brachte mich auf den Gedanken.«

»Reggie Craddock und Janet«, sagte Meril nachdenklich. »Vielleicht mochte er sie. Ich habe vorher nie darüber nachgedacht. Jedenfalls war er letztes Jahr auf Urlaub hier, und Major McKay sagte –«

Doch Sarah erfuhr nicht, was Major McKay gesagt hatte, denn in diesem Augenblick kamen Fudge und Hugo aus der Halle und zogen sie mit sich über die Stufen und die breite Kiesauffahrt zum parkenden Wagen und heimwärts.

11

Sarah widmete die nächsten paar Tage einer erschöpfenden Suche auf der *Waterwitch*. Die Aufgabe erwies sich jedoch als nicht so einfach, denn den ganzen Tag über besuchten sie Fudge und Hugo und verlangten nach ihrer Gegenwart beim gemeinsamen Baden, bei Picknicks oder Ausflügen, und sie

fand es schwierig, einen entsprechenden Vorrat glaubwürdiger Ausreden anzulegen, um sie nicht begleiten zu müssen.
Bei mehr als einer Gelegenheit fühlte sie sich heftig versucht, ihnen die ganze Geschichte zu erzählen und um ihre Hilfe bei den Nachforschungen zu bitten. Die einzige Sache, die sie davon abhielt (abgesehen von der Überzeugung, daß sie es lieber für sich behalten sollte), war der Umstand, daß sie keine Spur eines Beweises besaß, womit sie die unglaubliche Geschichte untermauern konnte. Außerdem behagte ihr die Aussicht nicht, höfliche oder spöttische Ungläubigkeit dafür einzuheimsen.
Bei Licht besehen erschien das ganze selbst ihr phantastisch und unmöglich, und sie fragte sich manchmal, ob sie die Sache nicht nur geträumt oder sich eingebildet habe. Aber das augenscheinliche Bestreben einiger unbekannter Personen – Sarah verdächtigte Reggie Craddock –, in den Besitz der kleinen *Waterwitch* zu gelangen, trug wenig dazu bei, diese Theorie zu stützen. Am Morgen nach der Party in der Residenz erschien ein Kaschmiri bei ihr. Er käme von den Bootsverleihern, sagte er. Man hätte ihn ersucht, sie zu überreden, die *Waterwitch* gegen ein anderes Boot einzutauschen.
Sarah weigerte sich, den Vorschlag in Erwägung zu ziehen. Sie vermutete Bestechung und hatte den Mann weggeschickt. Sie war auf dem Boot geblieben und hatte ihre einsame Suche fortgesetzt, fand die Arbeit aber ermüdend und entmutigend.
Sie hatte damit begonnen, alle erdenklichen Plätze abzusuchen – begeistert assistiert von Lacro. Er bellte und kratzte und hatte offenbar den Eindruck, er werde ermutigt nach Ratten zu jagen. Ihre Hauptschwierigkeit lag darin, daß das Leben auf einem Hausboot nur mit dem Leben in einem Taubenschlag verglichen werden kann. Abgesehen vom plötzlichen und häufigen Erscheinen des einen oder anderen der dienstbaren Geister, die verpflichtet waren, jederzeit hereinspaziert zu kommen, wurde ihre Aufmerksamkeit von vorbeifahrenden Händlern in Wasserfahrzeugen beansprucht. Man forderte sie auf, ihre Waren zu prüfen oder

bemühte sich, ihr Obst oder Blumen zu verkaufen. Ebenso lästig wie Moskitoschwärme kehrten sie ständig wieder – und ließen sich ebensowenig verscheuchen.

Bei einer Gelegenheit wurde sie von dem *mānji* überrascht. Sie war gerade damit beschäftigt, einen Teil ihrer Matratze hochzunehmen, um festzustellen, ob zwischen der klumpigen Polsterung aus Rohbaumwolle kein zusammengefaltetes Papier verborgen war. (Lacro war gerade besonders laut gewesen; sie selber bei der Suche völlig in Anspruch genommen, hatte das Nahen des *mānjis* überhört.) Ihre Erklärung, sie sei auf der Suche nach etwas, das sie durch die Matratze gestochen hatte, wurde mißbilligend aufgenommen. Der *mānji* informierte sie, es sei zuvor noch niemals angedeutet worden, sein Boot könne von schlimmem Ungeziefer befallen sein, und die Miß-sahib würde nicht einmal die kleinste Fliege finden – es sei denn, sie wäre zufällig mit Miß-sahibs Hund auf das Boot geraten, und hierfür übernähme er keine Verantwortung. Sarahs Versuche, das Mißverständnis aufzuklären, machte die Sache nur noch schlimmer: Der *mānji* zog sich in gekränktem Stolz zurück.

Aber obgleich es unmöglich war, sich geräuschlos auf einem Hausboot zu bewegen – nichts Größeres als eine Maus hätte sich rühren können, ohne seine Gegenwart anzuzeigen –, achtete Sarah danach darauf, daß Lacro keine aufgeregten Wettrennen mit sich selbst veranstaltete, während sie bei der Durchsuchung war.

Unseligerweise gab es nichts, was sie gegen die zahllosen Verkäufer von Schals, Teppichen, Pappmachés und Unterwäsche tun konnte, deren *shikaras* still über das Wasser glitten, und die jäh mit der Aufforderung erschienen, die Miß-sahib solle »nur anschauen – nicht kaufen!« kommen. Das plötzliche, unangekündigte Auftauchen dieser Gentlemen erschreckte sie immer wieder, und sie begann sich zu fragen, wie Janet es fertiggebracht hatte, irgend etwas aufzuzeichnen, ohne daß die gesamte Bevölkerung von Srinagar es gewahr wurde! Sie mußte es bei Nacht geschrieben und versteckt haben; wenn die Lampen brannten und die Vorhänge zuge-

zogen waren, jede Tür und jedes Fenster verriegelt und verrammelt . . .
Erst als alle übrigen denkbaren Verstecke durchsucht waren, kehrte Sarah resigniert zu dem Bücherregal im Salon zurück, nahm einen Band nach dem anderen heraus und blätterte ihn methodisch durch. Es erwies sich als ermüdende, staubige und undankbare Aufgabe, denn die Bücher waren größtenteils alt und zerfetzt und rochen nach Staub, Moder und Mäusen. Der Staub brachte Sarah zum Niesen und bereitete ihr Kopfschmerzen, aber sie schuftete verbissen weiter: Gelegentlich geriet sie dabei an ein Buch, das Janet gehört hatte und ihren Namen auf dem Vorsatzblatt trug – geschrieben in der steilen Schulmädchenhandschrift, die Sarah so gut von dem Brief her kannte, den sie an der Flamme von Charles Mallorys Feuerzeug verbrannt hatte.
Diese persönlichen Bücher hatte sie Seite für Seite geprüft. In einem derselben fand sie mehrere mit Janets Handschrift bedeckte Blätter, die zwischen Einband und Schutzumschlag gestopft worden waren – wunderbare fünf Minuten lang war sie überzeugt, daß sie gefunden hatte, wonach sie suchte, denn es schien sich um einen Code zu handeln. Doch der Schein trog. Es stellte sich vielmehr als Wäscheliste heraus.
Am folgenden Tag hatte sie sich kaum wieder ans Werk gemacht, als ein unerwarteter Besucher in Person von Helen Warrender auftauchte.
Helen war anscheinend zum Klub in Nagim gefahren, der nur etwa eine Viertelmeile vom Liegeplatz der *Waterwitch* entfernt lag – am äußeren Ende des schmalen Streifens Land, der den Nagim-Bagh-See vom Stauwasser des Chota Nagim trennt. Sie hatte ihren Wagen dort stehenlassen und war über die Felder gegangen, um Sarah zu besuchen.
Lacros nervöses Gebell zeigte Helens Ankunft an und gab Sarah eben noch Zeit, das tägliche Pensum der unsortierten Bücher unter das Sofa zu schieben, rasch den Staub von ihren Händen zu wischen, bevor sie hinausging, um sie zu begrüßen. Helen, so stellte sich heraus, war gekommen, um ihr ein Angebot für das Boot zu machen.

Freunde von ihr, erklärte Mrs. Warrender lebhaft, hätten sich ausgerechnet auf dieses ganz spezielle Boot gefreut und seien zutiefst enttäuscht gewesen, als sie hörten, daß es belegt sei. Als sie jedoch erfuhren, Helen kenne die gegenwärtige Besitzerin, hätten sie sie gebeten, sich mit ihr in Verbindung zu setzen, um sie um einen Tausch zu bitten. »Und ich wußte natürlich, meine Liebe«, schloß Helen, wobei sie ein verächtliches Auge auf die Einrichtung des Salons warf, »daß Sie unmöglich etwas dagegen haben könnten, und so erklärte ich ihnen, sie könnten fest damit rechnen. Das ist doch in Ordnung, nicht wahr?«
»Nein«, sagte Sarah kalt. »Ich fürchte, das ist es nicht. Ich habe keineswegs die Absicht, dieses Boot aufzugeben, und wenn Sie Reggie nächstens treffen, können Sie ihm das von mir bestellen!«
»Reggie?« rief Helen Warrender verblüfft.
»Und dem können Sie hinzufügen«, fuhr Sarah fort, und in ihren grünen Augen blitzte es gefährlich, »daß ich zwar für gewöhnlich eine umgängliche Person bin, aber ich ließe mich nicht gerne herumschubsen.«
»Ich weiß gar nicht, wovon Sie sprechen«, sagte Helen Warrender. Ihre sonst schleppende Sprechweise hatte plötzlich die Affektiertheit verloren und war rasch und schroff. »Reggie? Welcher Reggie? Sie meinen Reggie Craddock? Der Mann, der – aber *der* kann es nicht gewesen . . .« Helen brach abrupt ab und biß sich auf die Lippen. »Tut mir leid«, sagte sie langsamer. »Da scheint ein gewisser Kuddelmuddel zu bestehen. Es war nicht Reggie Craddock, der das Boot haben wollte. Es war – nun ja, jemand, den Sie gar nicht kennen. Ein Freund von mir.«
Sie drehte sich um und starrte eine Weile angestrengt aus dem Fenster, wobei sie mit dem Bügel ihrer Sonnenbrille gegen die Zähne klopfte. Sie schien Sarahs Gegenwart ganz vergessen zu haben.
Kurz darauf schwenkte sie herum und sagte: »Warum dachten Sie, ich versuche das Boot für Reggie Craddock zu bekommen? War er gleichfalls hinter ihm her?«

»Es sieht so aus, oder nicht?« sagte Sarah. »Tut mir leid, wenn ich unhöflich war, Mrs. Warrender, aber –«
»Oh, nennen Sie mich Helen«, sagte Mrs. Warrender ungeduldig. »Sie brauchen sich nicht zu entschuldigen. Mir war nicht bekannt, daß das Boot so sehr gefragt ist. Warum wollte Reggie Craddock es haben?«
»Sentimentale Gründe«, antwortete Sarah. »Sagte er jedenfalls. Ich ging nicht näher darauf ein. Srinagar ist voll von Hausbooten, und die meisten davon scheinen dieses Jahr leerzustehen. Da es sich nun aber so ergeben hat, daß ich dies bekommen habe, möchte ich es auch gern behalten.«
»Und das gilt vermutlich auch für mich?« sagte Helen.
»Nun, ja; es tut mir leid, aber so ist es. Ich bin überzeugt, Ihre Freunde werden ein Dutzend Boote finden, die ebenso gut wie dieses sind, und vermutlich zum halben Preis. Immerhin sollen die Preise in diesem Jahr erheblich gefallen sein.« Plötzlich merkte sie, daß sie einen entscheidenden Fehler begangen hatte, und stockte.
»Oh«, sagte Helen Warrender mit interessiertem Tonfall. »Also haben Sie dieses Boot schon letztes Jahr gebucht. Das kann aber nicht sein. Sie waren ja gar nicht hier. Wie kamen Sie dann dazu, dieses Boot zu übernehmen? Und warum haben Sie dafür auch noch mehr als nötig bezahlt?«
Sarah überlegte einen Moment. Sie fühlte sich stark versucht, Helen zu sagen, sie möge sich um ihre eigenen Angelegenheiten kümmern, merkte aber, daß das nur noch verdächtiger aussehen würde; und unhöflich obendrein. Nicht, daß sie etwas dagegen gehabt hätte, zu Helen Warrender unhöflich zu sein (die es nach Sarahs Meinung herausgefordert hatte), doch sie wünschte unbedingt jeden Anschein zu vermeiden, daß mit der Übernahme des Bootes ein Geheimnis verbunden war. Aus diesem Grund entschied sie, daß eine redigierte Version der Wahrheit ihr am besten dienen würde. »Ich habe dieses Boot von einer meiner Freundinnen übernommen«, sagte sie wohlüberlegt. »Von Janet Rushton.«
»Sie meinen das Mädchen, das sich beim Skilaufen in Gulmarg selbst umgebracht hat? Ich kannte sie!«

»Ja, dieselbe. Sie besaß dieses Boot im letzten Jahr und hatte es auch schon für sechs Monate in diesem Jahr gemietet. Dann hat sie ihre Pläne geändert, und eines schönen Tages sagte sie mir, wenn ich die Absicht hätte, dieses Jahr hierherzukommen, bevor die Pacht abgelaufen sei, so könnte ich es haben. Ich hielt es für eine gute Idee und übernahm ihren Mietvertrag. Nebenbei hoffte ich, es untervermieten zu können, falls ich nicht herkommen konnte. Aber nun bin ich gekommen, und ich mag das Boot; und mir gefällt dieser *ghat*. Ich werde aber wohl nicht lange hierbleiben. Sobald ich fort bin, können Ihre Freunde es haben – und Reggie Craddock und der Schwager vom Onkel des Vermieters oder wer auch immer sich noch darum streitet. Bis dahin beabsichtige ich, selbst darauf zu bleiben.«
Mrs. Warrender sagte unsicheren Tones: »Oh«, und ließ sich auf der Armlehne des Sofas nieder. »Nun, das wär's dann wohl, nicht wahr? Es ist ganz plötzlich verdammt heiß; ich würde mich nicht wundern, wenn wir ein Gewitter bekämen. Ich könnte einen Drink vertragen, falls Sie hier so etwas haben.«
»Oh, Verzeihung, ich hätte Ihnen schon eher einen anbieten sollen«, entschuldigte sich Sarah. »Was hätten Sie gern? Zitronensaft?«
»Sofern genügend Gin und ein Spritzer Angostura drin ist, ja.«
»Leider ist kein Gin an Bord, aber wenn Sie eine Minute warten, laufe ich schnell zum Creedschen Boot hinüber und entführe Hugos Flasche.«
»Das wäre hinreißend von Ihnen«, näselte Helen, zog ihren Sonnenhut vom Kopf und fächelte sich damit. »Ich gestehe, ich verabscheue alkoholfreie Getränke und könnte einen steifen John Collins vertragen.«
Sarah rannte den Steg hinunter und über den kurzen Rasenstreifen, der die beiden Boote trennte. Sie brauchte jedoch ein bis zwei Minuten, um den Gin zu finden, den Hugo hinter einer Blumenvase auf dem Schreibtisch versteckt hatte. Als sie zurückkam, fand sie Helen Warrender am Fußboden sit-

zen. Um sie herum war ein Stoß Bücher verstreut. Eins davon hielt sie in der Hand und schaute bei Sarahs Eintritt ohne Verlegenheit hoch. »Ulkiger Platz, Ihre Bücher unterzubringen«, bemerkte sie. »Ihr Wursthündchen fing an, sie unter dem Sofa hervorzuzerren, und so dachte ich, es sei besser, sie zu retten. Ihr *mānji* muß ein ziemlich unordentlicher Teufel sein. Da liegen noch eine Menge darunter.«
»Tatsächlich?« sagte Sarah mit, wie sie hoffte, desinteressierter Stimme; sie mixte einen John Collins und überreichte ihn ihrem unwillkommenen Gast, wobei sie Lacro im Geiste zum Teufel wünschte. »Ich fürchte, es ist kein Eis mehr da. Macht es Ihnen etwas aus?«
»Überhaupt nichts, Herzchen. Danke. Sehr zum Wohl!«
Helen kippte das halbe Glas hinunter, starrte dabei weiter auf das Buch in ihrer Hand, und Sarah sah, daß sie auf die erste Seite blickte, über der quer Janets Name stand.
»Diese Rushton«, sagte Mrs. Warrender. »Wurde sie nicht fast für ein Ski-As gehalten?«
»Ja«, sagte Sarah kurz.
»Verflucht dumm von ihr, so etwas zu tun. Sie hätte es besser wissen müssen. Eigentlich wundere ich mich, daß Sie danach ihr Boot übernehmen wollten.«
»Warum?« fragte Sarah kalt.
»Oh, ich weiß nicht. Ziemlich grausig, finden Sie nicht? Aber wenn es Ihnen nichts ausmacht. Es war ein unglückliches Jahr für Kaschmir, was Unglücksfälle betrifft. Zuerst diese Mrs. Matthews und dann Janet Rushton. Ich behaupte, es wird bestimmt noch einen dritten geben. Solche Dinge passieren meistens dreifach, stimmt's? Aber jetzt geh' ich besser, denke ich.«
Sarah machte keinen Versuch, sie aufzuhalten. Helen stand auf, strich ihren Rock glatt, warf Janets Buch auf einen Stuhl. Dann ging sie hinüber zu einem Spiegel mit einem scheußlichen viktorianischen Rahmen aus Plüsch und Muscheln, setzte ihren Sonnenhut auf, betrachtete sich und rief: »Himmel, seh' ich gräßlich aus! Das macht die Hitze. Hoffen wir, daß wir einen guten Sturm bekommen, der die Luft reinigt.«

Sie betupfte ihre Nase mit einer ziemlich schmuddeligen Puderquaste, und nachdem sie ihren Mund mit Lippenstift aufgefrischt hatte, sagte sie: »Also mein Besuch scheint ein ziemlicher Fehlschlag gewesen zu sein, wie? Schade, daß Sie nicht beabsichtigen, das Boot aufzugeben. Trotz alledem – sollten Sie Ihre Meinung ändern, lassen Sie es mich wissen.«
Sarah schwieg beharrlich. Mrs. Warrender ließ ihre Handtasche zuschnappen, setzte ihre Sonnenbrille auf und verzog sich aus dem Boot in das Sonnenlicht: »Danke für den Drink. Ich hoffe, Sie werden es nicht bereuen. Den Bootshandel, meine ich.« Nach dieser geheimnisvollen Bemerkung winkte sie lässig mit der Hand und verschwand zwischen den Weiden.
»Was sollte das nun wieder heißen?« sinnierte Sarah, sich an Lacro wendend. »Eine Drohung oder ein Versprechen? Aber ob nun das eine oder andere, eins weiß ich mit Sicherheit: Es gefällt mir nicht. Nein, ich bin nicht scharf darauf, mich für nichts und wieder nichts in die Nesseln zu setzen, und hätte fast Lust – nein, hab' ich nicht! Ich lasse mich nicht unterkriegen!«
Auf der *Waterwitch* befanden sich zwei Laufplanken. Die eine führte vom Ufer zur Pantry und wurde fast ausschließlich von dem *mānji* und den anderen Hausbootdienern benutzt. Über die zweite, die zu einem kleinen freien Platz auf dem eckigen Bug führte, gelangte man in den Salon. Sarah stand im heißen Sonnenschein auf dem Bug und beobachtete Helen Warrender, die den Feldweg nahm, der zwischen jungem Korn und einem Flammenmeer von gelbem Senf zur Nagim-Bagh-Straße hinführte. Darauf wiederholte sie mit größerem Nachdruck: »Nein, Lacro, ich lasse mich nicht unterkriegen!«

12

Nachdem die Bücher, die Lacro so taktlos preisgegeben hatte, wieder an Ort und Stelle verstaut waren, verschob Sarah jede weitere Durchsuchung der zerfledderten Hausbootbibliothek und verbrachte den Rest des Tages mit den Creeds.

Ich fange an, mir Dinge einzubilden und allem und jedem zu mißtrauen, stellte sie reuevoll fest; und das ist fatal. Schließlich, warum soll Reggie Craddocks Geschichte nicht wahr sein? Woher will ich wissen, daß es nicht so ist? Er hat Janet gekannt, und nach allem, was ich weiß, kann er sie gern gehabt haben. Und angenommen, Mrs. Warrenders Freunde waren wirklich interessiert an diesem Boot, und zwar aus völlig unverfänglichen Gründen? Es ist wirklich ein attraktives kleines Boot und hat ein sehr vernünftiges Format – verglichen mit den meist übergroßen Schwimmpalästen. Ich muß versuchen, einen Sinn für Augenmaß zu entwickeln . . .

Mit diesem lobenswerten Vorsatz aß sie mit den Creeds zu Mittag, begleitete sie am Nachmittag zu einem Picknick in die Shalimar-Gärten und kehrte mit ihnen zum Abendessen an Deck ihres Hausboots zurück, obgleich sie ursprünglich vorgehabt hatten, im Hotel Nedou zu dinieren und zu tanzen, weshalb sie dort einen Tisch bestellt hatten. Aber da Major McKay, der der vierte in der Runde sein sollte, in letzter Minute wegen einer Muskelzerrung, die er sich beim Tennis zuzog, absagen mußte, verzichteten sie mit einiger Erleichterung aufs Tanzen. Statt dessen aßen sie eine improvisierte Mahlzeit, die das Hausbootpersonal eilig zusammengestellt hatte.

Der Tag war erstickend heiß gewesen, doch mit Anbruch der Nacht begann von den Bergen her ein leichter Wind zu wehen, kräuselte die Oberfläche des Sees und trieb mit munterem Klatschen kleine Wellen gegen die Außenwand des Bootes.

Normalerweise erklang von der Seeseite in Mondscheinnächten ein anhaltendes Froschkonzert, doch in dieser Nacht blieb

der quakende Chor aus irgendeinem Grunde stumm. Und obwohl der Himmel noch wolkenlos war, flackerten südwestlich über der fernen Gebirgskette des Pir Panjal sommerliche Blitze, und das Murmeln eines schwachen, weit entfernten Donners lag in der Luft.
Hinter den Weiden neigten eine Reihe hoher Lombard-Pappeln ihre Häupter vor der frischen Brise. Die *mānjis* kamen heraus aufs Ufer und begannen die Festmacherleinen und Ketten zu befestigen. Hugo, der auf Kaffee verzichtet hatte, stand vom Tisch auf und trat an die Reling, um die Operation zu beobachten.
»*Ohé, Mahdoo!*« rief Hugo im Eingeborenendialekt: »Was macht ihr da?«
»Wahrscheinlich kommt heute nacht ein Sturm, Sahib. Wir machen die Boote sicher, damit sie sich nicht losreißen und abdriften können und im See versinken, sollte der Sturm stärker werden.«
»Das ist eine ulkige Vorstellung!« sagte Hugo, als er zu seinem Platz zurückkehrte, »wenn Onkelchen frühmorgens aufwacht, sich rasch vom Ufer abtreiben sieht und jede Minute fürchtet, in eine Schildkröte verwandelt zu werden.
Sarah gähnte und kam auf die Füße. »Also, ich geh' jetzt wohl in meine Koje, glaube ich. Gute Nacht, und vielen Dank für den schönen Tag.«
»Gute Nacht, Sarah. Träum' süß.«
Sarah schlenderte im Mondschein am Ufer entlang und wartete am Fuß des Stegs, während Lacro in den Schatten herumstöberte und eingebildete Katzen jagte. Er blieb ungewöhnlich lange weg, und Sarah, ungeduldig geworden, pfiff und rief. Sie konnte hören, daß er sich irgendwo im Schatten hinter den Weiden herumbalgte, doch er wollte nicht gehorchen. Als er schließlich wieder zum Vorschein kam, leckte er sich die Schnauze und produzierte sich in selbstzufriedener Manier.
»Lacro, du kleines Scheusal«, schalt Sarah streng, »du hast herumgestreunt! Was hast du gefressen? Du weißt, daß du keinen Unrat fressen darfst!«

Lacros Ohren, Nase und Schwanz senkten sich schuldbewußt, und er tappte gehorsam hinter Sarah die Laufplanke hinauf.
Der *mānji* hatte die Lichter brennen lassen, und Sarah machte einen Rundgang auf ihrem kleinen Boot, prüfte nach, ob Fenster und Türen geschlossen waren, bevor sie zurückkehrte, um einen letzten Blick auf den Salon zu werfen. Sie hatte sich bei Fudge schon bitter über die schwache Beleuchtung in Srinagar beschwert. Das Kraftwerk war außerstande, die erforderliche Leistung abzugeben. Selbst eine 60-Watt-Birne produzierte nur einen schwachen gelben Schein. Heute nacht aber kam es ihr vor, als seien die Lichter plötzlich überhell und grell. Das kleine Hausboot wirkte in dem krassen Licht größer, weniger überladen und merkwürdig verlassen.
Draußen war die Nacht von Geräuschen erfüllt, vom Klatschen des windbewegten Wassers gegen die Bordwände, vom Knarren und Winseln der Leinen und Ketten, die das Boot am Ufer festhielten; vom Rauschen des Windes in Blättern und Zweigen, vom Quietschen und Stöhnen des Bootes, das an seinen Verankerungen ruckte und zerrte. Aber in dem kleinen Salon war es vergleichsweise still.
Das grelle gelbe Licht fiel auf die verblaßten Bezüge der Stühle und Sofas, die mühevollen Schnitzereien der übermäßig verzierten Tische, den schäbigen Axminster-Teppich und die lange Reihe der staubigen Bücher und zerfetzten Magazine. Sarah schaute sich um und wurde sich unbehaglich bewußt, daß alle Gegenstände auf diesem Boot – jedes Möbelstück – mit einem besonderen Eigenleben ausgestattet war und sie irgendwie feindselig zu beobachten schienen. So mußten sie auch Janet beobachtet haben. Janet, die ihre Aufzeichnungen mit angsterstarrten Fingern kritzelte und wiederholt Blicke über ihre Schulter warf. Janet, die irgendwo auf diesem kleinen Boot etwas versteckt hatte.
Das Zimmer wußte es. Die nackten Augen der Fensterscheiben blinkten und warfen ein Dutzend Sarahs im lila Leinenkleid zurück. Die billigen Baumwollvorhänge blähten sich leicht im Luftzug, und der Perlenvorhang im Eingang des

Speiseraums bewegte sich und klirrte sacht, als hätte ein unsichtbares Wesen ihn passiert ...
Draußen verstärkte sich der Wind, und das Boot begann in den Böen zu schaukeln. Lacro tappte rastlos im Raum herum, schnüffelte an den Fußleisten und den Stuhlschatten und winselte. Sarah sprach scharf zu ihm, und nachdem sie die Vorhänge zugezogen und überall die Lichter gelöscht hatte, ging sie entschlossen ins Bett.
Nur das Licht in der Pantry hatte sie brennen lassen, um seinen Schein durch die halbgeöffnete Tür sehen zu können. Lacro hatte sich zusammengerollt zu ihren Füßen auf dem Bett niedergelassen. Das verlieh ihr ein vages Gefühl der Sicherheit. Eingelullt vom Schaukeln des Bootes und dem Wehklagen des Windes in den Ästen des großen Chenarbaums, schlief sie ein. Ungefähr zwei Stunden später wachte sie plötzlich auf und saß kerzengerade aufrecht im Bett. Sie hatte keine Ahnung, was sie aufgeweckt hatte: nur, daß sie eben noch klaftertief in traumlosem Schlummer gelegen hatte und im nächsten Moment hellwach war, alle Sinne geschärft und gespannt.
Der Sturm war drohend über den See hinweggefegt und bewegte sich jetzt durch das Tal auf die Berge des Banihal-Passes zu, aber das Boot schaukelte und knarrte noch an seinen Befestigungsleinen, und das Wasser klatschte geräuschvoll gegen die Bordwände. Der Wind blies in heftigen Böen. In einer kurzen Ruhepause dazwischen konnte Sarah das Pfeifen der Ratten an Deck sowie Lacros gleichmäßiges Schnarchen vernehmen, der sich unter den Decken vergraben hatte. Es vergingen etliche Minuten, bis sie bemerkte, daß das Licht in der Pantry nicht mehr brannte und das ganze Boot in völliger Finsternis lag. Das versetzte sie in Alarmbereitschaft.
Sie streckte eine Hand aus, griff nach den Fenstervorhängen neben ihrem Bett und zog sie beiseite, aber kein Mondschein drang herein, um den kleinen Raum zu erhellen, denn der Himmel war mit Wolken bedeckt, und leichter Regen fiel auf die aufgewühlte Oberfläche des Sees. Sarah tastete nach dem

Schalter ihrer Bettlampe, hörte es klicken, als sie ihn umdrehte, doch es kam kein Licht, und der Raum blieb weiter in Dunkel gehüllt.
Es ist der Sturm, dachte sie. Er wird Drähte heruntergerissen haben, oder die Leitung wurde irgendwo durch einen fallenden Ast unterbrochen. Es ist nichts, wovor man sich fürchten müßte . . .
Aber warum war sie so verängstigt? Und was hatte sie aufgeweckt? Warum saß sie so steif aufgerichtet in der Dunkelheit und horchte intensiv auf die Wiederholung eines Geräuschs?
Und dann hörte sie etwas und wußte, daß das das Geräusch war, das sie aus dem Schlaf gerissen hatte.
Es kam vom vorderen Teil des Boots. Vom Salon, dachte Sarah, als sie es zu lokalisieren versuchte. Sie hörte es ganz deutlich in einer Pause zwischen zwei Windböen, trotz der vielfältigen Nachtgeräusche: ein leise kratzendes Geräusch, das ganz unmißverständlich war. Das Geräusch kam von einem der Fenster des Hausbootes, das heimlich in der Schiene zurückgezogen wurde.
Sarah kannte die Fenster. Sie waren außen durch Insektendrahtnetze abgedeckt, die beim Öffnen gleichfalls in die dicke Verschalung des Hausboots zurückglitten. Sie hatten keine Verriegelung und wurden drinnen nur lose durch eine primitive Haken- und Ösenvorrichtung festgehalten. Da die Fensterrahmen dank unsachgemäßer und überhasteter Handwerksarbeit kaum jemals ganz akkurat paßten, war es ein leichtes, eine Messerschneide von außen dazwischenzuschieben und den Verschluß auszuhaken.
Irgend jemand hatte das soeben getan. Irgend jemand, der in diesem Augenblick die widerspenstigen, schlecht sitzenden Rahmen Zentimeter für Zentimeter lockerte.
Sarah saß wie erstarrt, ihr Herz hämmerte; sie wartete auf das nächste Geräusch, das, wie sie wußte, folgen würde. Gleich darauf kam es: ein kaum hörbarer Aufschlag, gefolgt von einer leichten Vibration des Bootes, als jemand durch ein geöffnetes Fenster in das Boot stieg.
Ein stürmischer Wind trieb den Regen gegen die Fenster-

scheiben an ihrem Bett. In dem darauffolgenden Schaukeln und Knarren der *Waterwitch* konnte sie keine weiteren Geräusche von Fußtritten heraushören.

Wenn ich bloß hier sitze, dachte Sarah verzweifelt, mich nicht bewege oder ein Geräusch mache, kommen sie vielleicht nicht hier herein. Vielleicht ist es nur jemand, der es auf das Besteck abgesehen hat. Falls ich mich still verhalte ... Aber sie konnte es nicht. Da war Janet – und da war Mrs. Matthews. Warum war sie so dumm und halsstarrig gewesen, allein auf diesem Boot mit seinem bösen Omen zu schlafen? Es klang zwar sehr schön, sich selbst einzureden, daß man nicht in Panik zu verfallen oder irgendwas Törichtes zu tun brauchte, weil einem ja nichts Böses passieren konnte. Und was war mit den beiden passiert? Nein, sie wagte es nicht, still dazusitzen und abzuwarten. Sie mußte rasch von hier weg. Aber sie hatte Lacro vergessen. Wenn sie aus dem Bett stieg, würde er aufwachen und bellen ...

Natürlich! Das war's! Lacro! Lacro würde sie retten! Er würde in die Dunkelheit hineinrasen, herausfordernd bellen und ein Ablenkungsmanöver veranstalten, denn Finsternis war kein Problem für ihn, und er konnte, wenn die Gelegenheit es erforderte, soviel Geräusch machen wie ein Leierkasten. Es mochte sehr wohl genügen, den Eindringling in die Flucht zu schlagen – wenngleich es die Creeds in dieser wilden Nacht nicht alarmieren würde –, und unter Deckung des Geräuschs würde Sarah über das Bootsheck flüchten und zum Küchenboot hinaufklettern.

Sie beugte sich in der Dunkelheit vor und grub Lacro aus seinem Deckennest aus. Er war warm, samtweich und entspannt, und er fuhr fort, friedlich zu schnarchen. Aber er wachte nicht auf. Sarah schüttelte ihn und flüsterte dringlich in sein Schlappohr: »Lacro! Lacro! Aufwachen! Ratten, Lacro!«

Allein, der Dackelwelpe rührte sich nicht. Sarah schüttelte ihn heftig. Er ist betäubt! dachte sie ungläubig. Er hat etwas gefressen. Wo? Wann? Da fiel ihr ein, wie er in dem Schatten herumgestöbert hatte, als sie von den Creeds zurückkamen.

Und als er wieder erschien, hatte er sich die Schnauze geleckt. Er hatte Futter gefressen, das ihn betäubte. Futter, das aller Wahrscheinlichkeit nach absichtlich für ihn ausgelegt worden war . . .
Sarah überkam eine rasende Wut und übertönte vorübergehend ihre Panik. Sie klemmte sich den widerstandslosen Lacro unter den Arm, glitt auf den Fußboden und tappte durch den Raum.
Einen wilden Augenblick lang hatte sie erwogen, das Fenster zu öffnen und zu schreien. Sie wußte jedoch, der Wind würde ihre Stimme verwehen und es wäre reine Atemverschwendung gewesen. Sie mußte durch die leere zweite Schlafkajüte hinter der ihren und durch das Bad, um zum Bootsheck zu gelangen, von wo aus sie zu dem *mānji* hinaufsteigen konnte. Noch besser aber würde sie ihren Weg über die schmalen Balken nehmen, die an beiden Seiten des Bootes entlangliefen, bis sie die Planke an der Pantrytür erreichte. Von dort konnte sie über den Steg das Ufer erreichen und zu den Creeds hinüberlaufen.
Die *Waterwitch* schwankte unter einem weiteren Windstoß. Sarah schlug heftig mit dem Kopf gegen den Schrank und ließ Lacro fallen. Einen Augenblick lang klammerte sie sich an die Schranktür, während eine Vielzahl bunter Funken durch die Finsternis schoß: sie mußte vergessen haben, die Tür zu schließen. Oder die Zugluft und das ungleichmäßige Schlingern des Bootes hatten dazu beigetragen, sie wieder aufschwingen zu lassen.
Nach ein oder zwei Augenblicken bückte sie sich mit schwindligem Kopf und tastete in der Dunkelheit herum. Lacro schlief noch friedlich. Sie hob ihn auf und tappte unsicher auf die schmale Tür der Kajüte zu, wobei sie sich diesmal mit größerer Vorsicht bewegte.
Es schien ein langer Weg im Dunkeln . . . Die Tür stand halb offen – vermutlich wieder der Wind –, und Sarah ging hindurch. Es gab keinen Schimmer Licht in der schwarzen Nacht hinter den vorhangverhangenen Fensterscheiben. Der Wind heulte durch die Ritzen des Hausboots und sandte kalte Stöße

Zugluft durch die Fußböden. Plötzlich streifte etwas ihre Wange, und sie fuhr entsetzt zurück. Es war aber nur ein Vorhang, der sich im Zugwind blähte.
Sie versuchte sich zu erinnern, wie die Kajüte möbliert war. Ein Bett an der Wand, zur Linken des Bettes die Tür zum Bad; der Frisiertisch unter dem Fenster. Stand unter dem zweiten Fenster eine Kommode? Sie entsann sich nicht genau, aber war sie erst einmal am Bett, würde sie sich schon wieder zurechtfinden.
Sarah bewegte sich zentimeterweise voran, eine Hand hielt sie vor sich ausgestreckt. Wo hatte doch gleich das Bett gestanden? Dann berührte ihre Hand auf einmal poliertes Holz. Es war aber nicht das Bettende. Es mußte der Frisiertisch sein. Nein, dazu war es zu hoch und zu glatt, und es hatte eine geschnitzte Kante. In der engen Schlafkajüte stand doch ganz bestimmt kein Tisch mit einer geschnitzten Umrandung?
Sie stand still. Verwirrt und unsicher. Ihr Kopf schmerzte und war noch schwindlig von dem heftigen Stoß an die Schranktür. Und wie sie dort stand, nahm sie noch etwas anderes wahr: ein merkwürdig klickendes Geräusch, ganz in ihrer Nähe. Sie konnte es gut zwischen den brausenden Windböen hören. *Klick . . . klick . . . klick . . .* Sehr leise. Wie jemand, der Perlen zählt. *Perlen!* Der auffällige Perlenvorhang, der im offenen Eingang zwischen Speiseraum und Salon hing . . . Das war's! . . . es war hier, dicht bei ihr; schwang und klickte in der Dunkelheit. Und mit einem jähen Schock des Entsetzens wußte sie, was sie berührt hatte. Es war der ovale Eßtisch mit der tiefen, geschnitzten Chenarblattumrandung.
Sie war überhaupt nicht in der engen Schlafkajüte. Sie war im Eßzimmer. Sie mußte die Richtung verloren haben, als sie sich, schwindlig von dem Schlag am Kopf, gebückt hatte, um im Finstern nach Lacro zu tasten. Und der Vorhang, der ihre Wange gestreift hatte, wurde von einem offenstehenden Fenster gebläht; deshalb war es in diesem Raum auch so viel kälter. Hier stand ein Fenster offen; was nur bedeuten

konnte, daß das Geräusch, das sie gehört hatte – das Geräusch eines Fensters, das geöffnet wurde –, von hier gekommen war.
Sie befand sich im falschen Raum. Und in derselben Sekunde wurde ihr klar, daß noch jemand mit ihr im Raum sein mußte.
Sarah stand wie erstarrt, wagte nicht, sich zu bewegen. Selbst ihr Herz schien stillzustehen. Sie konnte keinen anderen Laut vernehmen als die Geräusche von Wind und Wasser und das Krachen des Bootes, das an seinen Verankerungen zerrte. Doch sie brauchte keinen Laut, der ihr verriet, daß jemand da war, ganz nahe bei ihr; fast in Reichweite ihrer Hand. Purer animalischer Instinkt, jener sechste Sinn, der uns warnt, wenn einer von unserer Art in der Nähe ist. Das genügte . . .
Ich darf mich nicht rühren, dachte sie verzweifelt. Ich darf nicht atmen . . . Sie fühlte, wie die Bodenbretter unter ihren Füßen vibrierten, die Luft sich neben ihr bewegte, wie wenn ein massiver Körper in der nachtschwarzen Finsternis an ihr vorbeiging.
Zwischen den Windböen war eine plötzliche Ruhepause, und in der kurzen Stille gab Lacro einen Laut schnüffelnden Schnarchens von sich.
Sie hörte, wie jemand in der Finsternis den Atem einzog, und irgend etwas – eine Hand – streifte gegen ihren nackten Arm.
Sarah ließ Lacro fallen, wich wild zurück und schrie, so laut sie konnte. Da blitzte ein Licht auf; der weiße Strahl einer elektrischen Taschenlampe fiel auf ihr Gesicht. Eine ungläubige Stimme rief: »Um Gottes willen! Sarah!«
Im nächsten Augenblick waren Arme um sie und hielten sie fest. Sie kämpfte wie rasend, noch in der Gewalt des Schrekkens. Ihr Bezwinger hielt sie mit einem Arm fest und drehte mit der freien Hand die Taschenlampe auf das eigene Gesicht.
»Charles!«

13

Völlig überreizt brach Sarah in Tränen aus. Und Charles, der sie festhielt, sprach beruhigend auf sie ein: »Tut mir leid, Sarah. Ich wußte nicht, daß jemand an Bord ist. Nicht weinen, Liebes. Jetzt ist ja alles gut. Jetzt brauchst du nichts mehr zu fürchten.«
Nein, jetzt brauchte sie nichts mehr zu fürchten. Urplötzlich wußte Sarah es. Die Schrecken, Verwirrungen und Zweifel, die sie seit der mondhellen Nacht in Gulmarg heimgesucht hatten, als sie im Vollmondschein erwachte, waren vorüber. Charles war hier. Sie war in Sicherheit. Für einen langen Augenblick ließ sie sich entspannt gegen seine Schulter sinken. Dann rückte sie mit einem ihr unbekannten Gefühl der Scheu von ihm ab.
»Hier«, sagte Charles. »Taschentuch.«
Sarah akzeptierte es dankbar, blies die Nase und schniefte wie ein Kind.
»Glaubst du, wir können das Licht andrehen?« fragte Charles. »Ich weiß nicht, wieviel Strom diese Batterie noch hergibt.«
»Es ist ausgefallen«, sagte Sarah unsicher. »Ich glaube, die Leitung wird irgendwo heruntergerissen sein. Aber nebenan sind Kerzen, falls du Streichhölzer hast.«
»Ich hab' ein Feuerzeug. Das tut's auch. Guter Gott! Was, um alles in der Welt, ist das?«
Charles trat einen Schritt zurück und senkte den Strahl seiner Taschenlampe auf den Fußboden.
»Es ist Lacro«, sagte Sarah und kniete sich an die Seite des schlafenden Samtbündels. »Ich hatte ihn vergessen, das arme Lämmchen. Ich ließ ihn fallen, als du mich streiftest. Ich war so erschrocken.«
»Was ist los mit ihm? Ist er krank?«
»Nein. Er wurde betäubt.« Sarah hob die weit aufgerissenen Augen zu Charles' Gesicht. »Hast du es getan?« fragte sie scharf.
Charles ließ sich auf ein Knie nieder und drehte das Hündchen um. »Was getan? Ihn betäubt?«

»Ja«, antwortete Sarah flüsternd.
»Nein. Warum, zur Hölle, sollte ich so etwas getan haben?« entgegnete Charles ungeduldig. Er zog eines von Lacros Augenlidern zurück und sah das Auge einen Moment lang prüfend an. »Opium, würde ich sagen. Er kommt wieder in Ordnung.«
Sarah wisperte: »Irgend jemand hat's getan. Wenn du's nicht warst, war's jemand anders, der die Absicht hatte, heute nacht auf dieses Boot zu kommen.«
»Was höre ich da?« sagte Charles scharf. »Das klingt mir verdammt danach, als sei hier was faul im Staate Dänemark. Aber dies ist kein Platz zum Reden. Laß uns diese Kerzen suchen.«
Sarah erhob sich mit Lacro auf dem Arm, und sie gingen in den Salon, wo sie zwei verstaubte, gelbliche Kerzenenden in einem Paar angelaufener Kerzenleuchter aus Benares-Messing ansteckten. Die Flammen flackerten ein oder zwei Sekunden in der Zugluft, dann brannten sie stetiger und heller, und der kleine Raum war auf einmal wieder ein Zimmer: vollgestopft mit Möbeln einer vergangenen Epoche, schäbig, überladen, uninteressant und uninteressiert; über den lebhaften Eindruck der Spannung und Wachsamkeit, den er zuvor in ihr hervorgerufen hatte, wunderte sich Sarah jetzt nur noch.
Sie blickte auf und sah, daß Charles sie mit undefinierbarem Gesichtsausdruck und einem leichten Lächeln um den Mund betrachtete. Da wurde sie sich der Tatsache bewußt, daß sie außer einem überaus dünnen Chiffon-Spitzennachthemd nichts anhatte, und im nächsten Augenblick, voller Zorn, daß sie errötete.
»Du siehst sehr hübsch aus«, stellte Charles fest. »Trotzdem ist es wohl besser, du ziehst dir etwas über, oder du wirst dich erkälten. Außerdem«, fügte er nachdenklich hinzu, »gibt es ein paar Dinge, die ich mit dir bereden möchte, und ich würde meine Gedanken gerne bei der Sache haben.«
»Oh!« gab Sarah atemlos von sich. »Oh! Du . . . du . . . Gib mir die Taschenlampe.«

Sie stieß Lacro in seine Arme, riß ihm die Taschenlampe aus der Hand und flüchtete. Fünf Minuten später kehrte sie wieder zurück – in einem streng geschnittenen Morgenrock aus grüner Seide, der ihr vom Hals bis zu den Knöcheln reichte sowie schmalen grünen Maroquinpantoffeln an den nackten Füßen. Ein aufmerksamer Beobachter hätte sogar bemerkt, daß sie die Zeit gefunden hatte, ein wenig Lippenstift und Puder aufzulegen und mit dem Kamm durch die rotblonden Locken zu fahren.

Sie fand Captain Mallory auf dem Sofa liegen. Er wiegte Lacro in den Armen und blies Rauchringe gegen die Decke.

»Bitte, bleib liegen«, sagte Sarah eisig und nahm ihm gegenüber in einem Armsessel Platz. »Und nun, falls es nicht zuviel verlangt ist, würdest du mir bitte sagen, was du auf meinem Boot tust?«

»Ich wußte nicht, daß es deins ist«, erwiderte Charles, »und ich wußte nicht, daß überhaupt jemand an Bord ist. In diesem Jahr wurden so wenig Hausboote belegt, daß es mir ziemlich sicher schien, daß auch dies hier unbesetzt sei.«

Sarah beugte sich unvermittelt vor und drehte den Kopf zur Seite: »Fällt dir vielleicht irgend etwas an meinen Ohren auf?«

»Nichts. Abgesehen davon, daß ich Sie ausgesprochen entzückend finde«, gab Charles prompt zurück.

Sie errötete etwas, wich seinem Blick aus und antwortete: »Vielen Dank für das Kompliment, aber worauf ich eigentlich hinaus wollte, ist, daß ich nicht mehr so grün hinter den Ohren bin, wie du anscheinend glaubst. Wenn du tatsächlich annahmst, das Boot sei leer, würdest du niemals nach Mitternacht hineingekrochen sein.«

Charles blies einen weiteren Rauchring in die Luft und beäugte sie nachdenklich über das Mundstück seiner Zigarette, bevor er antwortete. Irgend etwas ging in seinem Kopf vor. Nach ein oder zwei Augenblicken kam er anscheinend zu einer Entscheidung, denn er schwang seine Absätze vom Sofa, setzte sich aufrecht hin und sagte: »Also gut, ich nahm nicht an, daß es leer sei. Mir war gesagt worden, es sei von

einer ›unverheirateten Lady‹ belegt. Das ist die Beschreibung meines Informanten, nicht die meinige. Ihr Name wurde als Harris angegeben. Das sagte mir nichts. Ferner wurde ich informiert, sie würde heute abend zum Tanzen im Hotel sein und erst weit nach Mitternacht zurückkehren. Apropos, stört dich mein Rauchen? Ich hätte fragen sollen.«
»Nein«, sagte Sarah. »Weiter. Was wolltest du auf diesem Boot?«
»Ich wollte nur einen Blick hineinwerfen ohne zugleich viel Aufsehen zu erregen. Ich fand, daß die Aufgabe, mit einer unverheirateten Lady namens Miß Harris Bekanntschaft zu schließen, mehr Zeit in Anspruch nehmen würde, als mir zur Verfügung stand. So kam ich vorbei, um eine inoffizielle Musterung vorzunehmen. Deshalb war ich, milde ausgedrückt, etwas überrascht, statt dessen Miß Parrish anzutreffen.«
Sarah sagte: »Das ist auch nicht die Wahrheit. Stimmt's?«
»Warum so ungläubig?«
»Weil ich nicht glaube, daß du zu jener Sorte Leute zählst, die solche Fehler begeht. Nicht, wenn es wirklich darauf ankommt.«
»Diesmal scheint mir einer unterlaufen zu sein«, bemerkte Charles trocken.
»Das stimmt nicht. Du dachtest, ich sei tanzen. Das wäre ich auch gewesen, hätte Major McKay sich nicht einen Muskel verzerrt. Und da der Tanz bis ein Uhr nachts dauert und weil es fast eine Stunde in Anspruch nimmt, mit einer *shikara* herzukommen, wußtest du, daß du genügend Zeit hast. Du hattest nicht erwartet, hier jemanden anzutreffen, aber du wußtest, daß ich das Boot übernommen habe. Ist es so?«
»Mag sein«, sagte Charles unverbindlich, Sarah aus halbgeschlossenen Augen beobachtend. »Warum denkst du, daß es bei dieser Sache wirklich darauf ankommt?«
»Weil –« Sarah stockte plötzlich. »Nein, sag du mir zuerst, warum du herkamst.«
Charles zögerte einen Moment, starrte auf das glühende Ende seiner Zigarette hinab, runzelte die Stirn und sagte

dann langsam: »Ich kannte das Mädchen, das letztes Jahr dieses Boot hatte. Ihr Name war Janet Rushton.«
Sarah atmete hörbar, und Charles blickte rasch hoch. »Du hast sie auch gekannt, nicht wahr? Der Brief, den du auf dem Rasen des Peshawar-Clubs verbranntest, trug Janets Handschrift. Ich war ziemlich überzeugt davon. Wir haben Nachforschungen über dich eingezogen. Du warst bei dem Frühlingstreffen in Gulmarg. Du hattest das Zimmer neben Janet. Du kamst hier herauf und übernahmst ihr Boot, wozu du eine Quittung von ihr benutztest. Was sagst du dazu, Sarah?«
Sarah gab keine Antwort. Sie saß ganz still. Ihre Augen begegneten Charles' ausgeglichenem, durchdringenden Blick, während eine Minute verstrich.
Der Wind blies einen weiteren Regenschauer gegen die Fensterscheiben. Die Kerzenflammen schwankten und flackerten in der Zugluft, warfen hüpfende Schatten auf die holzverschalten Wände und die verschnörkelte Holztäfelung an der Decke. Das Hausboot ruckte und schaukelte, knarrte und stöhnte an seinen Verankerungen.
Endlich sprach Sarah, und ihre Stimme klang unsicher: »Ich verstehe das nicht. Wenn du – einer von ihnen bist –, wenn du mich beobachten läßt . . . Was hat das alles zu bedeuten, Charles?
Charles legte Lacro auf das Sofakissen, stand auf und ging rastlos auf und ab. Er kam schließlich näher, neigte sich über Sarah, blickte stirnrunzelnd zu ihr hinunter und fingerte nervös mit seiner Zigarette.
Dann sagte er unvermittelt: »Ich habe keine Ahnung, wieviel du weißt, aber anscheinend ist es mehr, als gut für dich ist. Ich denke, du sagst es mir besser. Alles, bitte, von Anfang an und ohne etwas auszulassen.«
Sarah erzählte es ihm: in dem schäbigen Armsessel, in dem Janet gesessen haben mußte, in dem Boot, das Janets gewesen war, mit den tropfenden Kerzen, die auch Janet benutzt haben mußte, und die jetzt Tausende Lichtstrahlen über ihr weißes Gesicht warfen. Und als sie sprach, war ihr, als erlebe

sie die Geschehnisse, die sie beschrieb, noch einmal wieder: als sähe sie das Lampenlicht auf dem Lauf von Janets Automatik glitzern, als starre sie ungläubig auf die Spur der Fußabdrücke im verwehten Schnee. Wieder schien sie Janets Stimme im Schatten der Skihütte auf dem Khilanmarg zu hören, beobachtete sie den Schatten, der über die Schneefelder dahinflog und in der Dunkelheit der Wälder verschwand; und wieder sah sie sich auf die schattige Mulde von Gulmarg hinunterschauen auf ein weit entferntes, genau erkennbares rotes Licht . . .

Sie erzählte – und ihre Stimme war ein rauhes Flüstern im wiederkehrenden Schrecken des Augenblicks – von den Dingen, die nach Janets Abfahrt geschahen. Von dem Geräusch einer sich verstohlen schließenden Tür zwischen den Schatten unter den schneeüberhangenen Dachvorsprüngen der Skihütte. Wie Janets Leiche gefunden wurde und von ihrem eigenen Besuch in dem Haus an der Schlucht. Jeder Vorfall schien so tief in ihr Gedächtnis eingekerbt, daß sie ihn wiedergeben konnte, als habe er erst gestern stattgefunden. Die Spuren auf dem schneebedeckten Zugangsweg. Die Finsternis und Stille des leeren Hauses. Die schwachen Gerüche, die in den kalten Räumen schwebten – Zigarettenrauch, Moder, Pulver und jener andere eklige, undefinierbare Geruch. Sie erzählte ihm von dem Einschußloch und dem Fleck am Fußboden. Von dem Mann im Schneesturm und schließlich von Janets Brief, der Monate später in Peshawar eintraf.

Sie berichtete alles in gewissenhaftestem Detail bis zur Verbrennung von Janets Brief, während Charles auf der Sofalehne saß und zuhörte; sein Gesicht ausdruckslos, seine Augen aufmerksam. Nachdem sie geendet hatte, zitterte sie, verschränkte ihre Finger, um zu verbergen, daß sie bebten, und schloß mit den Worten: »Was hat das alles zu bedeuten, Charles? Ich verstehe es nicht, und ich habe Angst. Ich bin regelrecht erstarrt vor Furcht. Es würde mich nicht so irritieren, wenn ich nur wüßte, daß es sich um das übliche antibritische Zeug . . . indische Terroristen handelte. Das ist es aber nicht. Da war jemand, der in der Skihütte lauschte. Und dann

Reggie Craddock, der versuchte, mich vom Boot fortzulotsen. Dasselbe wollte ein anderer, der sagte, er käme von der Verleihagentur. Und heute morgen kreuzte hier Mrs. Warrender mit einer Story von einem Freund auf, der das Boot mit mir tauschen wollte. Was soll das alles? Oder werde ich langsam verrückt?«

»Sag das noch einmal«, verlangte Charles.

Sarah lachte unnatürlich hoch. »Ich sagte: ›werde ich langsam verrückt‹?«

»Nein, ich meine das mit Reggie Craddock und Helen Warrender. Daß muß ich ganz genau wissen: bitte Wort für Wort.«

So nahm Sarah den Faden erneut auf und wiederholte alles, woran sie sich erinnern konnte . . .

Die Zigarette verlöschte zwischen Charles' Fingern. Er fluchte und schnippte die schwelenden Reste in den Aschenbecher. »Teufel!« sagte Charles. »Darüber muß ich erst nachdenken. Geh zu Bett, Sarah. Du hast für heute genug Aufregung gehabt. Wir werden jede weitere Erörterung auf morgen verschieben.«

Sarahs Mund wurde ganz schmal, und ihre grünen Augen funkelten im flackernden Kerzenlicht.

»Ich rühr' mich hier nicht vom Fleck«, sagte sie bestimmt, »bis du mir gesagt hast, was das alles zu bedeuten hat. Ich könnte kein Auge zutun, das weißt du ganz genau. Es nützt nichts, alles vor mir geheimzuhalten oder die Sache schnell noch vertuschen zu wollen, denn ob es dir nun paßt oder nicht, ich hänge hier auch mit drin. Und zwar bis zum Halse, wenn ich das richtig sehe. Also, worum geht es, Charles?«

»Falls du Reggie Craddock und Co. meinst, so habe ich keine Ahnung. Und was den Rest angeht, so kann ich dir auch nicht mehr sagen, als Janet dir schon erzählt hat . . .« Charles stand auf und begann erneut auf dem Axminster-Teppich umherzugehen; die Hände in den Hosentaschen, den finsteren Blick auf den Boden gerichtet.

»Vor einem Jahr«, begann Charles langsam, »gab einer unserer Agenten Nachricht, daß er einem großen Ding auf der

Spur sei. Er gab nicht einmal einen Hinweis darauf, worum es eigentlich ging, aber er schickte ein – ein Signal. Eins, das wir nur sehr selten benutzen und das bedeutet, daß wir auf eine brandheiße Sache gestoßen sind und mit größtmöglicher Eile Kontakt aufnehmen müssen.«

Sarah sagte: »Janet sagte mir, daß Mrs. Matthews im letzten November Hilfe angefordert habe. Noch bevor sie in *Nedou's Hotel* gezogen sind.«

»Hat sie auch. Und ein Major Brett wurde sofort nach Empfang der Botschaft losgeschickt. Aber –«

»War das nicht der Mann, der aus dem Zug gefallen ist?« fragte Sarah und atmete schwer.

Charles nickte, kehrte um und setzte seine Wanderung fort. »Aber die erste Warnung traf schon letzten Mai ein. Sie kam aus Srinagar und wurde von meinem besten Freund gesandt. Wir schickten jemanden, der mit ihm Kontakt aufnehmen sollte, aber Pendrell traf niemals dort ein. Sein Wagen wurde auf dem Rückweg in einen Unfall verwickelt, und er kam ums Leben. Es war ein sehr gut inszenierter Unfall.«

»Wie – wie der des Inders, der im Dezember kommen sollte, um Mrs. Matthews zu treffen«, flüsterte Sarah.

Charles warf ihr einen Blick zu und nickte erneut. »Ajit; ja. Mrs. Matthews hatte die Sache übernommen, nachdem Pendrell starb. Es gab ein paar Anhaltspunkte, aber nicht sehr viele; denn obgleich mehrere unserer Leute hier oben waren, so hatten sie nicht dasselbe Format wie Mrs. Matthews. Janet kam als Nummer zwei zu ihr, und wir hörten von keiner der beiden etwas, bis wir gegen Ende November das Signal von Mrs. Matthews erhielten. Es bedeutete, daß sie die Ware erhalten hätte und wir unverzüglich jemanden schicken sollten.«

»Ich verstehe nicht, warum sie nicht gleich selbst gekommen ist«, warf Sarah stirnrunzelnd ein. »Janet sagte, es sei ihnen nicht erlaubt gewesen, aber –«

»Sie durften nicht. Hätte Pendrell sich daran gehalten, würde er heute vielleicht noch leben; wer weiß? Er beschloß jedoch, Kaschmir zu verlassen, und dieser Schritt war fatal. Man

muß ihn wohl schon zuvor im Verdacht gehabt haben, und als sie dann hörten, er wolle nach Rawalpindi, kam man offenbar zu dem Beschluß, kein Risiko einzugehen. Sie gingen auf Nummer Sicher und löschten ihn aus.«
»Aber Janet –? Und du sagtest, da wären andere . . .«
»Um jemanden zu kontaktieren ist es weitaus einfacher, einen neuen Agenten zu senden, ein völlig unbeschriebenes Blatt. Jeder Versuch seitens Mrs. Matthews oder Janet Rushtons, Kaschmir zu verlassen, hätte womöglich Argwohn erregt; vorausgesetzt, die Gegenseite hegte Verdacht. Theoretisch war es sicherer, zu bleiben, wo sie waren – obwohl es sich unglücklicherweise in der Praxis nicht bestätigt hat. Nachdem Ajit samt seinem Wagen und seinem Fahrer von einer Lawine ›zufällig‹ vom Straßenrand weg in den Abgrund gerissen worden war, erkannten wir, daß man Mrs. Matthews und Janet wahrscheinlich enttarnt hatte und daß hier oben und in Nordindien ein weitaus effektiveres Team gegen uns operiert, als wir angenommen hatten.
Nach Ajits Tod wurde daher beschlossen, das Skiklubtreffen als Deckmantel zu benutzen und einen weiteren Wintersportfan hinaufzuschicken, der mit einer der beiden Frauen Kontakt aufnehmen sollte. Der Agent sollte nach Dunkelheit eintreffen und die Begegnung an einem äußerst geheim gehaltenen Ort stattfinden. Am darauffolgenden Tag sollte er eine zweite, diesmal öffentliche Ankunft inszenieren und es für die restliche Zeit meiden, mit einer der beiden Frauen allein im Gespräch gesehen zu werden.
Der festgesetzte Treffpunkt und das Signal – das rote Licht, das du sahst – wurden Mrs. Matthews als Katalog getarnt übermittelt. Es war natürlich ein Risiko, aber nach dem, was Pendrell, Major Brett und Ajit zugestoßen war, ein geringeres Risiko, als zu versuchen, mündlich einen Plan zu übermitteln. Eine von beiden, Janet oder Mrs. Matthews, hatte nach ihrer Ankunft in Gulmarg jede Nacht auf das Licht zu warten: Jeder andere würde geglaubt haben, daß der *chowkidar* – ein Nachtwächter – sich eine Mahlzeit kochte oder die Nacht in einer leeren Hütte schlief. Sobald sie es gesehen hatten, sollte

entweder Mrs. Matthews oder Janet die Hütte aufsuchen. Beide waren exzellente Skiläuferinnen, und es wäre leicht für eine der beiden gewesen, nach Mitternacht unbeobachtet aus dem Hotel zu schlüpfen und auf Skiern zum Treffpunkt und wieder zurück zu laufen.«

»Aber angenommen, es wäre Sturm oder sonstwas gewesen und sie hätten es nicht gesehen?« fragte Sarah.

»Wären sie die erste Nacht nicht gekommen, sollte der Bote zwei weitere Nächte dort verbringen. Nicht länger.« Charles blieb vor einer der Kerzen stehen und sagte unvermittelt: »Diese Dinger werden bald ausgebrannt sein.« Er blieb stehen und starrte so lange auf die flackernde Flamme herab, bis Sarah sich unruhig in ihrem Sessel bewegte und sagte: »Sprich weiter.«

Charles hob ruckartig den Kopf, als habe er sie zeitweilig vergessen.

»Das ist alles. Den Rest kennst du.«

»Nein, ich kenne ihn nicht«, beharrte Sarah; ihre Stimme war kaum mehr als ein Flüstern. »Was passierte dem Mann? Dem Boten. Sie töteten ihn ebenfalls, nicht wahr?«

»Es war kein Bote da«, sagte Charles langsam. »Er wurde unterwegs aufgehalten und traf zu spät ein.«

»Aber wie . . .?« Sarah merkte, daß sie die Frage nicht beenden konnte.

»Wir wissen nicht, wie sie es herausgefunden haben«, versetzte Charles. »Das mit der Hütte und dem Signal, meine ich. Aber offenbar hatte irgend jemand nicht dichtgehalten, denn das Licht war eine Falle, und Janet ging hinein.«

»Jedenfalls muß jemand dort gewesen sein. Ich hab's dir ja erzählt. Ich sah das Einschußloch und – und da war Blut auf dem Fußboden.«

»Ich weiß«, sagte Charles. »Ich habe es gesehen.«

»Du?« hauchte Sarah.

»Ja.« Charles Augen über der tropfenden Kerzenflamme spiegelten kleine tanzende Funken des gelben Lichts wider. »Ich war der Bote. Ich war der Mann, mit dem du im Schneesturm auf dem *marg* zusammengeprallt bist.«

»Oh!« Sarah zog hörbar den Atem ein. »Das wußte ich nicht. Ich wußte nur, daß –« Sie stockte.
»Wußtest nur was?« fragte Charles neugierig.
Sarah errötete und biß sich auf die Lippe. Sie hatte nicht die Absicht, Charles zu erklären, daß das starke Interesse, das sie in Peshawar für ihn entdeckte, der merkwürdigen und anhaltenden Überzeugung entsprang, ihm vorher schon einmal begegnet zu sein.
Charles betrachtete sie einen Augenblick aufmerksam, bestand jedoch nicht auf der Beantwortung seiner Frage. Er setzte sich wieder auf das Sofa, zog eine goldene Zigarettendose aus der Tasche und bot sie Sarah an. Als sie den Kopf schüttelte, nahm er sich selbst eine weitere Zigarette und steckte sie an einer der Kerzen an.
Als Sarah sein Gesicht studierte, das er über die flackernde Flamme neigte, wunderte sie sich über sich selbst, daß sie ihn nicht augenblicklich als den Mann im Schneesturm wiedererkannt hatte. Wie konnte sie die Wangen- und Kinnlinie vergessen, selbst wenn sie durch Dunkelheit und Schneefall verschwommen war? Die grauen Augen, und diese Stimme mit dem leicht nasalen Klang und dem unbeabsichtigten, aber instinktiven Befehlston, hatte ausschließlich Charles gehören können.
Charles sah plötzlich auf und erwiderte ihren intensiven Blick. Sein Mund verzog sich zu einer Spur von Grinsen, und er sagte: »Für mich war es leichter. Du hattest rotes Haar.«
Sarah errötete leicht. Um die Aufmerksamkeit von dieser Tatsache abzulenken, sagte sie schnell: »Erzähl mir, was weiter geschah. Was hast du getan?«
»Da war nicht viel zu tun«, erklärte Charles nüchtern. »Es war arrangiert worden, daß ich unter den später Ankommenden beim Skiklubtreffen sein sollte – da waren mehrere Leute, die nur die letzten Tage teilnehmen konnten –, so daß ich mit den übrigen nicht zu lange nach Erhalt der Information abreisen würde. Ich sollte gerade lange genug bleiben, damit jeder sehen konnte, daß ich keinen Kontakt zu Mrs.

Matthews oder ihrer angeblichen Nichte hatte! Aber obgleich diese Entscheidung logisch durchdacht war, erwies sie sich als Fehler, denn das Wetter begünstigte offenbar die Gegenseite –

Eine plötzliche Überschwemmung des Kabul-Flusses bedeutete, daß ich einen vollen Tag brauchte, um Rawalpindi zu erreichen. Gleich nach Uri bemerkte ich, daß die Straße von einer Lawine blockiert worden war, die jede Menge Felsen und Bäume mit sich gerissen hatte. Für drei bis vier Tage kam dort kein Auto durch. So kam ich zu Fuß und auf Skiern, wodurch ich mich schlimm verspätete. Einer unserer Leute, ein Kaschmiri, der als Leiter für die Außenbezirke von Gulmarg tätig ist, traf mich bei Babamarishi und erwähnte beiläufig, eine ältere Memsahib sei beim Skilaufen tödlich verunglückt. Seine Beschreibung genügte mir, um zu wissen, um wen es sich handelte. So war ich zumindest gewarnt. Aber da war immer noch Janet.

Ich zog weiter, folgte der Spur eines Holzfällers durch den Wald, den Kadera mir gezeigt hatte, um so weit wie möglich außer Sichtweite zu bleiben. Ich besaß einen Schlüssel zur Hütte und wollte mich dort auf die Lauer legen, bis es dunkel genug war zum Anzünden der Signallampe, die in meinem Gepäck war. Ich war nicht mehr weit von der Hütte entfernt, als mir ein Kuli begegnete, der fürs Hotel Holz sammelte – er hatte eine große Last auf dem Rücken und war stehengeblieben, um sich auszuruhen. Er bat mich um eine Zigarette und erzählte mir von der alten Memsahib, die gestorben war, und daß die junge Miß-sahib, die mit ihr heraufkam, an diesem Morgen bei einem ähnlichen Unglück umgekommen sei; was er alles bösen Geistern zuschrieb. So erfuhr ich, was mit Janet geschehen . . .«

Charles schwieg eine Weile, drehte seine Zigarette zwischen den Fingern, sah müde und grimmig aus. Endlich sagte er: »Da es so aussah, als seien beide auf einer der Skipisten tödlich verunglückt, gab es keinen Grund, anzunehmen, daß jemand etwas von der Hütte bei der Schlucht wußte, und so ging ich dorthin. Ich brauchte dringend einen Platz zum

Ausruhen, bevor ich den langen Marsch zurück nach Babamarishi wieder in Angriff nahm. Offensichtlich bestand kein Grund mehr für mich, länger in Gulmarg zu bleiben oder gar als offizieller Spätankömmling beim Klubtreffen aufzutauchen. Ich wollte dann gleich zurückkehren und Bericht erstatten, daß ich es nicht geschafft hätte, weil ich auf der Straße blockiert wurde.

Erst als ich bei der Hütte ankam und jene Spuren auf dem Pfad entdeckte und feststellte, daß ich meinen Schlüssel nicht brauchte, weil die Tür schon offen war, merkte ich, daß irgendwo etwas durchgesickert sein mußte – und zwar auf sehr hoher Ebene. Du weißt, was ich drinnen vorfand. Man brauchte nicht lange, um herauszufinden, was sich da ereignet hatte, oder um festzustellen, daß, wer immer die beiden ›Ski-Unfälle‹ inszeniert hatte, auch alles über die Hütte und das Signal wußte. Eine einzige Sache gab es, die ich nicht begriff.«

Er machte eine kurze Pause, runzelte die Stirn, und Sarah fragte: »Warum haben sie nicht auch dir aufgelauert?«

Charles nickte. »Genau. Wenn sie schon so viel wußten, warum haben sie dann nicht auf mich gewartet? Sie wußten doch offenbar, daß ein neuer Kontaktmann unterwegs war und was er zu tun hatte; obgleich es zweifelhaft ist, daß sie seine Identität kannten, denn für die Aufgabe hätte auch irgendein anderer abkommandiert werden können. Warum warteten sie also nicht, bis ich eintraf, schlugen mich nieder und warteten anschließend auf Janet, um mit ihr das gleiche zu tun?«

»Vielleicht hatten sie diese Absicht«, meinte Sarah, »und dann geschah etwas, was sie zur Eile zwang.«

»Der Sturm«, sagte Charles. »Ich zog damals die Schlußfolgerung, daran müsse es gelegen haben. Wahrscheinlich warteten sie ein oder zwei Nächte in der Hütte auf mich und stellten dann fest, daß ein Sturm aufkam.«

»Bulaki sagte es«, unterbrach Sarah halb geflüstert.

»Wer ist das?«

»Mein Zimmerkellner. Am Morgen, als wir zur Skihütte am

Khilanmarg aufbrachen, sagte er, es käme schlechtes Wetter auf.«

»Das wird's gewesen sein«, nickte Charles. »Warteten sie noch länger auf das Erscheinen des Kontaktmanns, konnten sie vom schlechten Wetter überrascht werden und nicht mehr in der Lage sein, das Signal abzugeben: also beschlossen sie, Janet zu schnappen. Immerhin war sie das Hauptobjekt. War sie erst tot, spielte es keine Rolle mehr, wie viele Boten zur Hütte heraufkamen. Daß sie ebenfalls einen von ihnen erledigt haben muß, ist immerhin ein gewisser Trost. Sie trug einen Revolver bei sich, und ich bin bereit, eine hohe Wette darauf abzuschließen, daß der Schuß, der das Loch verursachte, aus ihrer Waffe stammte.«

Sarah fragte: »Warst du in der Hütte, als ich hereinkam?«

»Ich glaube nicht. Ich muß dich um eine kurze Spanne verpaßt haben. Was ich sehen wollte, hatte ich gesehen. Anschließend stieg ich an der Rückseite zwischen den Bäumen hoch und forschte herum, ob ich irgendwo den Leichnam des Mannes entdeckte, der im Wohnzimmer erschossen worden war. Es gab Spuren, die schräg hinauf zum Berg führten, und ich bin ihnen eine Weile gefolgt: das Wetter gefiel mir aber nicht, und so kehrte ich um. Da erst fiel mir auf, daß an einer Seitentür ein zerbrochener Riegel hing. Durch sie ging ich hinein, um nachzusehen, ob mir irgend etwas entgangen sei, doch dort gab's nichts weiter als einen Haufen staubiger Möbel. Als ich sie mir besah, fing es an zu schneien, und ich schaute, daß ich fortkam. Ich schnitt über den Hintergarten den Weg ab und kam parallel zum Pfad auf den *marg*. Ich war noch nicht weit gekommen, als ich mit dir zusammenprallte. Das jagte mir einen gehörigen Schrecken ins Gebein, kann ich dir versichern.«

Sarah lachte ein wenig zittrig. »Nicht halb so schlimm wie der Schock, den es mir versetzte! Also warst du es, den ich zuletzt in der Hütte hörte.« Einen Augenblick saß sie schweigend, dann sagte sie: »Demnach – gibt es niemanden, der es kennt.«

»Was kennt?«

»Das – das große Geheimnis. Was immer es war, was dein Freund, von dem du gesprochen hast, aufgespürt hat – und Janet und Mrs. Matthews ebenfalls. Nun, da sie alle tot sind, kennt es keiner mehr?«
»Kein menschliches Wesen jedenfalls«, sagte Charles langsam.
»Was meinst du?« fragte Sarah scharf.
»Es gibt doch jemand, der das Geheimnis kennt. Dieses Boot.«
In der kurzen Stille, die seinen Worten folgte, flackerte eine Flamme, erlosch und entließ einen dünnen Faden stechend riechenden Dunstes in die tiefen Schatten des Zimmers.
Der Luftzug winselte den Fußboden entlang und lüpfte den abgetragenen Teppich in ungleiche Kräuselungen, während das Boot in einer heftigen Windböe schlingerte. Und wieder, wie am Abend zuvor, wurde Sarah durch die leblosen Gegenstände im Raum beunruhigt. Abermals schienen sie in ihrer Phantasie ein geheimnisvolles Eigenleben zu führen. Ja, sie glaubte es sogar mit eigenen Augen sehen zu können. Die geschnitzten Tische, die schäbigen Chintzbezüge der Sessel, die billigen Messingtabletts, die staubigen Bücher auf dem Regal . . . all jene Dinge hatten Mrs. Matthews beobachtet, hatten Janet beobachtet und beobachteten nun auch sie, Sarah Parrish . . .
»Ja«, sagte sie mit rauhem Flüsterton. »Ja, das Boot kennt es.«
Ein wilder Windstoß raste über den See, begleitet von strömendem Regen. Er schüttelte das kleine Hausboot wie ein Terrier eine Ratte. Die Tische und Sessel begannen zu hüpfen und zu rutschen. Der Kerzenhalter mit der noch verbliebenen Kerze kippte auf den Fußboden und tauchte den Raum in Finsternis.
Dann, so plötzlich, wie er gekommen war, erstarb der Wind. Eben noch war die Nacht von Geräuschen erfüllt gewesen, und im nächsten Moment war es still, bis auf das Spritzen und Klatschen des Wassers gegen die Bordwände, das Geflüster leichten Regens, der auf Blätter und Seewasser fiel, und das schwache Murmeln eines fernen Donners.

Schweigen schien in das Tal einzuziehen, glättete den Aufruhr des Sturms, wie Öl die Wogen glättet. Und in der Stille, ohne daß ein Geräusch von Fußtritten zu hören war, ruckte das Boot plötzlich unter einem anderen Rhythmus, als ob jemand lautlos über die Planke kam und sehr leise an der Pantrytür schabte . . .

14

Sarahs erschrecktes Keuchen durchbrach die Stille. Charles, der seine Taschenlampe angeknipst und einen Arm um ihre Schultern gelegt hatte, teilte sich die Spannung, die in ihr anstieg, so stark mit, als sei er mit elektrischem Strom in Berührung gekommen.

Rasch sagte er: »Ruhig, Liebes! Das ist nur Habib. Entschuldige bitte – ich hätte dich warnen sollen, doch ich hatte es über allem anderen vergessen. Ich ließ ihn am Ufer zurück und sagte ihm, er solle achtgeben, ob sich jemand nähert und an Bord kommen, falls er etwas Verdächtiges wittere. Mein Boot ließ ich draußen unter dem Fenster des Salons.«

»Wer – wer ist Habib?« bibberte Sarah und rang um Selbstbeherrschung.

Charles ließ sie los, bückte sich, um den heruntergefallenen Kerzenstumpf aufzuheben, und legte ihn dann auf den Schreibtisch zurück, bevor er antwortete.

»Offiziell nur mein Träger und Fahrer«, er zündete die Kerze mit seinem Feuerzeug wieder an. »In Wirklichkeit aber ein unschätzbarer Assistent. Ich gehe besser und sehe nach, was los ist.« Er ging zum Eingang, dann drehte er sich um und kam zurück. »Kannst du mit einer Pistole umgehen, Sarah?«

»Ich . . . ich denke schon. Aber –«

Charles zog einen kleinen schwarzen Colt-Automatik, kaum größer als eine Zigarettenschachtel, und warf ihn ihr in den Schoß. »Geh vorsichtig damit um. Er ist geladen. Ich gehe raus, spreche mit Habib und sehe mich etwas um. Sollte irgend jemand auf dieses Boot kommen, bevor ich zurück

bin, halte dich nicht mit Fragen auf. Schieß zuerst, und diskutiere später! Ich bleib' nicht lange weg –«
Ohne Sarah Gelegenheit zum Einspruch zu geben, drehte er sich um und verschwand in der Finsternis des Speiseraums. Einen Moment später hörte sie, wie die Pantrytür vorsichtig geöffnet wurde, und dann wieder das Vibrieren des Boots unter geräuschlosen Fußtritten, die die Laufplanke verließen. Sarah saß still und angespannt, strengte ihre Ohren an, um in die Finsternis zu lauschen, unterdrückte den heftigen Wunsch ihm zu folgen, schreiend am Ufer entlangzulaufen und bei den Creeds Unterschlupf zu suchen. Aber zwischen dem Bug ihres eigenen Bootes und dem ihrigen lagen mindestens dreißig Meter nasse Dunkelheit, umschlossen von Schilf und Weidengestrüpp: und Charles hatte die Taschenlampe mitgenommen. Ihre Finger umkrampften die kleine Pistole, und sie spürte, wie das kalte Metall sie beruhigte; sie saß aber immer noch angespannt auf der äußersten Kante des Sofas, als Charles etwa fünfzehn Minuten später wiederkam. Die Kerze war abgebrannt, und das ganze Boot war finster.
Diesmal kam Charles von der Landseite und über die Planke. Als sie seine Stimme hörte, fiel Sarah mit einem Seufzer der Erleichterung auf die Sofakissen. Er begann einige Zeit in der Pantry zu hantieren, denn sie konnte den Schein seiner Taschenlampe dort sehen. Kurz darauf kam er in den Salon und trug eine Sturmlampe, die er in einem der Schränke gefunden hatte. Sie flackerte schauderhaft, und das Öl stank, aber Sarah war dankbar für jede Art Beleuchtung.
»Nun?« fragte sie und versuchte, ihrer Stimme einen kühlen und sachlichen Ton zu verleihen. »Was hat ihn gestört?«
»Habib? Nicht viel«, antwortete Charles und schüttelte die Nässe aus seinem Haar. Seine Kleidung war triefend naß und voller modriger Blätter und seine Schuhe mit Schlamm bedeckt. »Deine elektrische Leitung ist abgerissen. Habib stolperte über das eine Ende davon am Ufer und fürchtete, sie sei mit Absicht durchgeschnitten worden. Was bewiesen hätte, daß es außer mir heute nacht noch jemand anders auf

dieses Boot abgesehen hatte. Wie dem auch sei, es gelang uns, das andere Ende aufzuspüren, ohne durch Licht Aufmerksamkeit auf uns zu lenken. Offenbar hatte der Wind es abgerissen.«
Er unterbrach sich, um den Docht der Sturmlampe zu verstellen, der flackerte und das Glas mit Rauch schwärzte. Während er an dem Docht stocherte, schlug er ihr zerstreut vor, morgen Türen und Fenster mit einigen starken Riegeln zu versehen. Natürlich nur, falls sie bleiben wolle.
In seinen letzten Worten lag die leise Andeutung einer Frage. Sarah antwortete knapp, daß sie die volle Absicht habe, dies zu tun. Aber die Wirkung ihrer couragiert klingenden Stimme verlor an Überzeugungskraft, weil Sarah außerstande war, ein Zähneklappern zu unterdrücken. Noch während sie sprach, fragte sie sich nämlich, was geschehen wäre, wenn ein anderer als Charles diese Nacht durch das Eßzimmerfenster eingestiegen wäre.
Mit weit aufgerissenen Augen flüsterte sie rauh: »Ich habe Angst, Charles. Ich habe Angst.«
Charles kniete rasch bei ihr nieder, nahm ihre kalten Hände und hielt sie fest an sich gepreßt. Seine eigenen waren warm und fest und sehr beruhigend, und er lächelte Sarah an; ein Lächeln, das nur um seinen Mund spielte, nicht aber aus seinen Augen kam.
»Nein, hast du nicht. Reiß dich zusammen, Sarah – Liebes!«
»Für dich ist es leicht –« begann Sarah mit einem Seufzer.
»Da irrst du gewaltig«, unterbrach Charles rauh. »Es ist verdammt schwierig für mich.«
Er ließ ihre Hände los, stand abrupt auf und kehrte in den Speiseraum zurück, wo Sarah, die ihm gefolgt war, ihn mit Hilfe der Taschenlampe in den unteren Regalen des Wandschranks herumsuchen sah. »Hast du außer Orangensaft und Sodawasser nichts Trinkbares an Bord?« fragte er gereizt.
»Im Eckschrank ist Brandy.«
»Gott sei Dank. Wir könnten beide etwas davon vertragen.«
Er goß großzügig ein Glas voll und hielt es ihr hin. »Trink das aus, und du fühlst dich besser.«

»Nein danke«, sagte Sarah reserviert.
»Nur nicht so zimperlich«, empfahl Charles leicht verächtlich.
»Bin ich nicht. Ich mag nur keinen Brandy!«
»Wer hat dich gefragt, ob du ihn magst? Sei ein gutes Mädchen und trink ihn einfach aus. Wir haben noch eine lange Nacht vor uns!«
Er schob das Glas über den Tisch und grinste unerwartet. »Keine Bange«, versicherte er ihr. »Mir ist vollkommen klar, daß ich mit dir allein auf dem Boot bin und daß es weit nach Mitternacht ist. In der Tat ist mir keiner deiner Reize oder die Situation entgangen. Ich versuche aber nicht, dich betrunken zu machen.«
Sarah starrte ihn wütend an und leerte auf der Stelle ihr Glas. Charles klopfte ihr anerkennend auf die Schulter und sagte: »Braves Mädchen.«
»Ich glaube, das hast du mit Absicht gesagt«, kam es nach kurzem Überlegen vorwurfsvoll von Sarah. »Nur um mich wild genug zu machen, das Zeug zu trinken. Stimmt's?«
»Nun, immerhin hat's gewirkt«, versetzte Charles grinsend. Er schenkte sich selbst ein beachtliches Quantum ein, nahm Sarah beim Ellbogen und kehrte mit ihr in den Salon zurück.
»Und jetzt zurück zum Geschäft«, Charles machte es ihr mit Lacro auf dem Schoß auf dem Sofa bequem. »Zuallererst: Was stand in Janets Brief, den du verbrannt hast? Je schneller wir das klären, desto besser. Versuche dich an jedes Wort zu erinnern!«
Sarah berichtete es ihm, kniff die Brauen zusammen, um sich an den genauen Wortlaut zu erinnern, und Charles erwiderte: »Hmm; jetzt frage ich mich, warum, zum Teufel, sie nicht – Also schön, sie hat's nicht. Wenigstens wissen wir, daß sie etwas auf diesem Boot versteckt hat. Der Jammer ist nur, daß etliche Leute dies ebenfalls zu wissen scheinen. Aber woher? Hast du jemand anderem etwas von dem Brief gesagt?«
»Nein.«
»Kann jemand anders ihn zu irgendeinem Zeitpunkt gesehen

haben? Sah der Umschlag aus, als hätte sich jemand daran zu schaffen gemacht, bevor du ihn öffnetest?«
»N-nein«, sagte Sarah zweifelnd. »Ich glaube nicht. Schau, ich habe nicht daran gedacht, auf so etwas zu achten. Ich kam an jenem Tag nach Hause – es war der Abend, an dem Tante Alice ihr Dinner gab – und ich war spät dran, und da lag ein Haufen Post. Ich hatte keine Zeit mehr, diesen Brief zu lesen. Er sah nichtssagend aus, und deshalb steckte ich ihn in meine Tasche, um ihn später zu lesen.«
»Wie lange hat er auf dem Tisch in der Diele gelegen?« fragte Charles.
»Ich weiß es nicht. Vielleicht zwei oder drei Stunden. Ich war seit drei Uhr unterwegs und kam erst nach sieben zurück.«
»Demnach konnte ihn jeder gesehen, über Wasserdampf geöffnet, gelesen und wieder zurückgebracht haben?«
»Natürlich nicht!« verneinte Sarah indigniert. »Nur jemand im Haus; und da wir alle außerhalb waren, um uns am Nachmittag das Polospiel anzusehen, wären nur die Diener dagewesen. Und von ihnen kann keiner Englisch lesen oder schreiben. Worin läge auch letztlich der Sinn? Falls ihn jemand hätte lesen wollen, wäre es doch viel einfacher gewesen, ihn zu stehlen. Dann hätte ich niemals etwas darüber erfahren.«
»Na, schön«, sagte Charles. »Lassen wir das. Was weiter? Hast du deine Tasche irgendwo liegenlassen?«
»Nein. Es war eine von den Taschen, die man nur zu einem ganz bestimmten Kleid trägt. Es waren graue Rosen aufgestickt, und sie hing an einem Band um mein Handgelenk. Die einzige Zeit, in der ich sie nicht bei mir hatte, war während des Abendessens, und da hing sie an der Rückenlehne meines Stuhls. Du hättest sie anfassen können. Sonst keiner.«
»Ja«, sagte Charles. »Das ist wahr. Wenn ich daran denke, daß das verdammte Ding nahezu eine Stunde lang keine zehn Zentimeter von meiner Hand entfernt am Stuhl gehangen hat! Wenn ich das nur geahnt hätte – also, weiter.«
»Ich hab' den Brief während der ersten Hälfte des Balls nicht

geöffnet. Und da dachte ich nicht daran, darauf zu achten, ob an dem Kuvert manipuliert worden sei. Außerdem war dort nicht viel Licht. Nur diese Papierlaternen. Und dann kam Helen Warrender dazwischen und – nun, du weißt ja, was danach passierte. Du warst ja da. Du –«

Sarah wurde plötzlich durch einen Gedanken aufgeschreckt, richtete sich ruckartig auf, so daß sie den bewußtlosen Lacro fast von ihrem Schoß heruntergestoßen hätte, und sah Charles anklagend an: »War es deswegen?« fragte sie.

»Was war weswegen?«

»Du weißt schon! Kamst du meinetwegen zu der Fete? War das der Grund, warum du . . .?« Sie stockte und biß sich auf die Lippe.

Charles verzog den Mund, doch seine Stimme blieb vollkommen ernst. »Aber selbstverständlich«, sagte er. »Wie konnte ich mich fernhalten?«

Sarah errötete leicht. »Das hab' ich nicht gemeint«, gab sie mit einer gewissen Heftigkeit zurück. »Du weißt genau, was ich meinte! Ich meinte, war es, weil ich Janet gekannt hatte? Wolltest du mich nur unter die Lupe nehmen?«

»Ja«, gab Charles freimütig zu. »Ich war – interessiert.«

Sarah lachte. Gegen ihren Willen war es ein etwas bitteres Lachen. »Und ich dachte –« sagte sie und stockte erneut.

»Dachtest du?« fragte Charles sanft. Ein oder zwei Sekunden sah er dem Rauch seiner Zigarette nach, der sich spiralförmig aufwärts drehte; dann: »Aber sieh mal, Sarah, du hättest diejenige sein können.«

»Welche? Was meinst du?«

»Diejenige, die Janet tötete.«

»Pfff!« machte Sarah wütend. Sie rang nach Worten. »Du – du – du denkst, ich hätte – du dachtest, daß ich –«

»In Ordnung«, Charles versuchte sie zu beruhigen. »Ich lasse das beiseite.«

»Du glaubst wahrhaftig –« begann Sarah.

»Nein«, sagte Charles wie jemand, der seine Sache reiflich überlegt hat, »glaube ich nicht. Jetzt nicht mehr. Aber es war absolut möglich. Es heißt ja – und wurde mit bedauerlicher Häufigkeit bewiesen –, daß die meisten weiblichen Verbrecher auch sehr gute Schauspielerinnen sind. Du kanntest Janet und Mrs. Matthews. Deine Fingerabdrücke waren auf dem Messingschürhaken in Janets Zimmer, und ich stieß im Schneesturm auf dich. Keine hundert Meter von der Hütte bei der Schlucht entfernt. Man mußte dich beobachten.«

»Und du hast mich beobachtet«, sagte Sarah bitter.

»Ja, unter anderem auch dich«, gab Charles mit einem Grinsen zu. »Und wie das Glück es wollte, war ich zugegen, als du Janets Brief öffnetest. Ich mußte sogar zusehen, wie du ihn verbranntest – und das mit meinem eigenen Feuerzeug! –, während alles in mir drängte, danach zu greifen und ihn an mich zu reißen.«

»Warum hast du es nicht getan?« fragte Sarah. »Oh! ... Oh, ich glaube, ich verstehe. Wenn ich diejenige gewesen wäre, die ... ja, ich verstehe. Sehr heikel für dich.«

»Verflucht heikel«, stimmte Charles fröhlich bei. »Immerhin, wenn ich auch nicht wußte, wie die Nachricht lautete, so wußte ich doch, von wem sie stammte, und konnte es bis zu einem gewissen Grade überprüfen.«

»Wie hast du das wissen können?« fragte Sarah scharf. »Kanntest du sie so gut?«

»Wen? Janet? Nein. Fast gar nicht.«

»Und dann willst du mich glauben machen, du hättest ihre Handschrift bei der schwachen Beleuchtung erkannt? Der Brief trug keine Unterschrift, und ich hielt ihn so, daß er nicht gesehen werden konnte.«

Als Antwort zog Charles ein ledernes Notizbuch aus seiner Brusttasche. Nachdem er es durchgeblättert hatte, förderte er ein kleines Blatt zusammengefaltetes Papier zutage und warf es Sarah in den Schoß. Sie nahm es und starrte ungläubig darauf. Es war das Schreiben der Anwaltsfirma in Rawalpindi, das Janets versiegeltem Kuvert beigefügt war. Sie sah zu Charles empor und bemerkte, daß er sie mit derselben neugierigen Intensität beobachtete, wie schon zuvor. Ein wenig unsicher sagte sie: »Ich – ich verstehe das nicht. Wie – wie bist du –?«

»Wie ich an den Brief gelangte? Ich hob ihn vom Rasen auf. Du hattest ihn vergessen.«
»Aber das kann doch nicht sein . . . Ich hätte es sicher bemerkt . . .«
»Nein, hättest du nicht. Sieh mal, du selbst gabst mir einen vorzüglichen Ratschlag – hast du's vergessen? Nachdem du den Whisky mit Soda über die arme Helen Warrender gekippt hattest, sagtest du, nichts sei so wirksam wie ein kleiner Schock, um Erinnerungen aus dem Gedächtnis der Leute zu verbannen. Dann botest du mir eine sehr zu Dank verpflichtende Gelegenheit, und ich besorgte den Schock. Entsinnst du dich?«
Langsam stieg eine Blutwelle von der Grundlinie des Halses bis zu Sarahs Haarwurzeln hoch. Sie stand auf, ließ Lacro als Samtbündel zu Boden fallen und fauchte wütend: »Oh! Du – du –«
»Nur zu«, trieb Charles sie an. »Laß es heraus. Wie wär's mit ›Du Scheusal‹?«
Sarah setzte sich wieder hin, und Charles lachte.
»Es ist zwecklos, Sarah. In der Liebe und im Krieg ist alles erlaubt, wie du weißt. Es hat gewirkt – und wie es gewirkt hat! Du rauschtest ab wie eine beleidigte Erzherzogin, und der Brief, den du ins Gras fallen ließest und den ich vorsorglich unter den Stuhl geschoben hatte, war vergessen. Mehr noch, der Schock hat anscheinend angehalten – du hattest es bis jetzt noch nicht bemerkt. Und – falls es dich irgendwie trösten sollte – ich habe es sehr genossen. Vielen Dank.«
»Ich glaube«, sagte Sarah mit Würde, »du bist der unausstehlichste Mann, der mir je begegnet ist.«
»Und du«, sagte Charles, »bist ohne jeden Zweifel die attraktivste und aufregendste Frau, die mir im Verlauf meiner langen und vielfältigen Erfahrung mit Spioninnen untergekommen ist.«
Unerwartet erschien ein Grübchen auf Sarahs Wange, und plötzlich brach sie in ein leicht hysterisches Gelächter aus.
»O Gott! Verzeih. Aber ich mußte auf einmal an ›Olga Poloffski, die schöne Spionin‹ und all die anderen denken.

Gibt es das tatsächlich? Ich meine, bist du wirklich Dutzenden von hinreißenden weiblichen Spionen begegnet?«

»Du würdest staunen«, sagte Charles. »Und nun laß uns diese faszinierenden Persönlichkeiten vergessen und wieder zum Geschäft kommen. Wie lange bist du schon auf diesem Boot?«

»Fünf Tage«, antwortete Sarah prompt.

»Irgendwas gefunden?«

»Nein. Bisher nicht. Zuerst schaute ich natürlich an allen erdenklichen Stellen nach. Dann dachte ich, es wird wahrscheinlich in einem der zerfledderten Bücher da oben sein. Durch die Hälfte von ihnen bin ich durch, aber es ist eine harte Aufgabe; insbesondere wenn man gar nicht weiß, wonach man sucht.«

»Also, jetzt wirst du mir helfen müssen. Eine ›Aufzeichnung‹ sagte sie?«

»So ist es. In der untersten Schublade des Schreibtischs waren ein paar alte Grammophonplatten. Ich dachte zunächst, sie hätte das Wort buchstäblich gemeint, nämlich eine Tonaufzeichnung, und so spielte ich sie auf dem Plattenspieler des Klubs ab. Aber es waren nur Melodien drauf; und obendrein zerkratzte.«

»*Aufzeichnung*«, sagte Charles nachdenklich, »kann alles mögliche bedeuten. Man kann's auf eine Fensterscheibe kritzeln, auf die Unterseite eines Fußbodenbretts schreiben, hinter einem dieser läppischen Holztäfelchen an der Decke verstecken. Zum Teufel! Das wird nicht einfach sein. Aber wir finden es, und wenn wir dieses Boot Planke für Planke auseinandernehmen müßten. Und je schneller wir es finden, desto besser, denn es scheint mir, als ob allzu viele Leute an diesem Boot interessiert wären.«

»Das erinnert mich an etwas«, sagte Sarah langsam. »Du hast eine Frage von mir nicht beantwortet. Wenn ich unter Beobachtung stand, wieso hast du dann nicht gewußt, daß *ich* das Boot habe?«

»Ich wußte es«, erwiderte Charles. »Doch wie du schon vermutet hast, glaubte ich, du seist zum Tanzen ins Nedou gegangen. Ein häßlicher Unfall der üblichen Art setzte einen unserer hiesigen Agenten außer Gefecht, und sein Stellvertreter war nicht so zuverlässig, wie er hätte sein sollen.«

»Unfall? Du meinst – *Mord*?« Ihre Stimme schnappte bei dem Wort über.

»Es ist nicht ganz so ungewöhnlich, weißt du«, sagte Charles ruhig.

»Ja, ich weiß«, sagte Sarah mit einem leisen Ächzen. »Ich habe gesehen, was mit Janet passiert ist. Ich glaubte es nicht, bis ich es sah.« Resigniert legte sie die Hände in den Schoß. Plötzlich sagte sie: »Charles, warum wollten so viele Leute das Boot erst dann haben, als ich es übernommen hatte?«

»Ja, das ist die Frage«, sagte Charles. »Die Antwort darauf wüßte ich selbst gern. Meiner Meinung nach sind unsere Leute nicht die einzigen, die dich mit Janet Rushton in Verbindung bringen. Die Wahrscheinlichkeit besteht, daß noch jemand anders, möglicherweise mehrere, ein wachsames Auge auf dich hat – aus eben diesem Grund. Auch kannst du dein gesamtes Vermögen darauf verwetten, daß dieses Boot nach Janets Tod sehr gründlich durchsucht worden ist, wenn nicht schon vorher.«

»Worin liegt dann deiner Meinung nach der Zweck unserer Nachforschungen? Die Aufzeichnung wurde wahrscheinlich schon vor Wochen gefunden!«

»Denk' doch mal nach, Sarah«, betonte Charles. »Wäre sie gefunden worden, würde niemand mehr Interesse an dem Boot zeigen. Statt dessen sind jedoch eine ganze Reihe Leute äußerst interessiert daran. Daraus ist zu schließen, daß sie bisher nicht gefunden wurde.«

»Aber ich sehe keinen –«

»Paß auf«, sagte Charles geduldig. »Janet wohnte auf diesem Boot. Und sie machte eine Vorauszahlung in bar, um es sich bis Ende Juni dieses Jahres reservieren zu lassen. Sie tat es unter dem Vorbehalt, daß, wer immer die Quittung für das Geld vorzeigen würde, das Boot übernehmen könne, sollte sie es nicht selbst benutzen können. Ist das klar?«

»Völlig, aber –«

»Psst! Janet stirbt, und du kannst sicher sein, daß das Boot von oben bis unten durchsucht wurde. Nicht, weil sie glaubten, sie hätte etwas Bestimmtes versteckt, sondern lediglich, um sicherzugehen. Es wurde nichts gefunden, und so hörte das Boot auf, von Interesse zu sein. Dann taucht plötzlich eine Miß Parrish auf, die beim Januartreffen des Skiklubs anwesend war, das Zimmer neben Janet Rushton bewohnte und dabei gesehen wurde, als sie im Mondschein vor der Skihütte mit ihr sprach (du sagtest ja, dort habe jemand gelauert) und deshalb aller Wahrscheinlichkeit nach Argwohn erwecken muß, und besagte Miß Parrish erhält einen mysteriösen Brief.«

»Aber davon kann unmöglich jemand etwas gewußt haben!« wandte Sarah ein.

»Unterbrich mich nicht. Ausgerechnet nachdem sie diesen Brief erhielt, ändert sie plötzlich ihre Pläne, und anstatt nach Ceylon zu reisen, beschließt sie, nach Kaschmir zurückzukehren. Ich glaube nicht, daß sonst noch jemand an Janets Brief herangekommen ist. Uns gelang es – durch dich! Ich halte es aber für unwahrscheinlich, daß noch jemand anders davon Kenntnis hat. Aber – Miß Parrish, die so gut wie sicher beobachtet wurde, trifft in Kaschmir ein und legt die Quittung für Janets Boot vor. Begreifst du jetzt?«

»Ich glaube, ja«, sagte Sarah langsam.

»Da gibt es nichts zu zweifeln. Warum beschloß Miß Parrish, nach Kaschmir zu kommen? Von wem erhielt sie die Quittung für die *Waterwitch*? Offenbar von Janet Rushton. Die *Waterwitch* ist es also wert, durchsucht zu werden – und das tut Miß Parrish!«

»Wenn du aber denkst, sie haben das Boot bereits durchsucht –« begann Sarah.

»Natürlich haben sie's durchsucht. Das heißt aber nicht, daß sie nicht argwöhnisch würden, wenn jemand kommt, der zu mißtrauen sie allen Grund haben und die eigenständig Nachforschungen anstellt. Denn du *hast* das Boot durchsucht, und ich wette jede Summe, daß dein *mānji* darüber schon berichtet hat. Die Tatsache rief wahrscheinlich eine Menge vager

Spekulationen hervor. Warum bist du hier? Wie kamst du in den Besitz von Janets Quittung für die *Waterwitch*, und wonach hältst du Ausschau? Je rascher sie dich von dem Boot herunterbekommen, desto besser.«

»Natürlich gäbe es noch eine zweite Möglichkeit«, sagte Sarah langsam. »Ich könnte es auch für sie finden.«

Charles warf ihr einen seltsamen Blick zu und sagte leise: »Das, könnte ich mir vorstellen, steht zuoberst auf ihrer Liste. Sie müssen annehmen, daß dir gesagt wurde, wo du nachschauen sollst. Wenn dem so ist, und angenommen, sie können dich nicht vom Boot vertreiben, so ist es am besten, dich unter Kontrolle zu halten und suchen zu lassen. Sobald du irgendwas gefunden hast –« Charles brach ab und runzelte die Stirn.

»Sprich weiter«, forderte Sarah. »Sobald ich etwas gefunden habe?«

»Na ja«, versetzte Charles leichthin. »Ich stelle mir vor, es wäre ein Kinderspiel für sie, es dir zu stehlen. Sie würden sich damit nur eine höllische Menge Hirnarbeit sparen.«

»Das ist nicht, was du sagen wolltest«, stellte Sarah fest.

Charles stand plötzlich auf, ging rastlos in dem kleinen Raum auf und ab, die Hände in den Hosentaschen. Dann drehte er sich um, kam zurück, baute sich vor Sarah auf und sah mit zusammengezogenen Brauen zu ihr herunter.

»Ich habe meine Meinung geändert«, sagte er kurz. »Je rascher du von diesem Boot und aus diesem Land kommst, desto besser. Du kannst packen und morgen früh in *Nedou's Hotel* ziehen. Wir werden dir einen Wagen besorgen, mit dem du übermorgen zurückfährst.«

Sarah lächelte entwaffnend. »Gesetzt den Fall, ich will gar nicht weg?«

»Du wirst tun, was man dir sagt«, bestimmte Charles kurz. »Solange du hier bleibst, bist du ein Ärgernis und ein Risiko.«

»O nein, das bin ich nicht«, korrigierte Sarah mit fester Stimme. »Hierin irrst du. Solange ich hierbleibe, besteht die Chance, daß man mich nur für eine einfältige Touristin hält, die rein zufällig in etwas hineingeschlittert ist und keine

Ahnung hat. Zum Beispiel könnte sie Miß Rushton die Quittung abgekauft haben, weil Janet das Boot nicht mehr haben wollte und eine günstige Gelegenheit sah, ihr Geld zurückzubekommen. Miß Parrish konnte ja nicht wissen, daß die Bootsmieten in dieser Saison erheblich fallen würden. Verstehst du, worauf ich hinaus will? Sie können sich nicht sicher sein.«

»Darum geht es nicht«, sagte Charles rauh.

»O doch! Und noch etwas: Wenn ich gehe, wird das Boot an den nächsten Bewerber auf einer anscheinend recht langen Liste übergehen.«

»Nein, das wird es nicht. Ich würde es übernehmen.«

»Und sofort ein gezeichneter Mann sein? Du hast selbst gesagt, wenn irgend jemand in eurem Job in Verdacht gerät, reduziert sich seine Nützlichkeit auf ein Minimum. Das ist doch richtig, nicht wahr?«

»Ja, aber –«

»Nein, diesmal bin ich an der Reihe, die Stellung zu halten. Ich gehe nicht! Obwohl ich genau weiß, was du sagen wolltest, bevor du es dir anders überlegt hast. Du glaubst, wenn ich etwas finde, kann es mir genauso wie Janet ergehen, nicht wahr?«

»Ganz recht!« gab Charles grimmig zu. »Tatsächlich sind deine Überlebenschancen gleich Null, wenn du auf dem Boot etwas entdecken solltest. Deshalb wirst du jetzt packen und morgen nach Ceylon abdampfen.«

»Charles – warte eine Minute. All' das, wofür du arbeitest, ist sehr wichtig, nicht wahr?«

»Sehr.«

»Wie wichtig? Berührt es nur ein oder zwei Leute oder Hunderte von Menschen – oder was?«

»Ich weiß es nicht«, entgegnete Charles langsam. »Das ist ja gerade das Teuflische dabei. Wir wissen einfach noch nichts. Aber es könnten Millionen sein.«

»Nun denn, glaubst du, du hättest irgendein Recht, so etwas dem Zufall zu überlassen? Gesetzt den Fall, sie haben mich tatsächlich im Verdacht: Es ist doch gar nicht wirklich wich-

tig, denn sie können sich noch nicht sicher sein. Solange ich aber auf dem Boot bleibe, kannst du andere Leute davon fernhalten. Und bevor es nicht erwiesen ist, daß ich hier bis zum Hals mit drinstecke, bezweifle ich, daß sie gerade jetzt etwas Drastisches unternehmen. Oder siehst du das anders?«
»Vielleicht hast du recht«, sagte Charles gedankenverloren. Er stand ganz still, die Hände tief in den Hosentaschen, und starrte auf den verblaßten Teppich. Kurz darauf zuckte er unbehaglich mit den Schultern und sagte: »In Ordnung, du hast gewonnen. Aber ich stelle die Bedingungen.«
»Das hängt von den Bedingungen ab.«
Charles ignorierte ihre Bemerkung. »Zuallererst mußt du immer eine Waffe bei dir tragen und sie in einer kritischen Situation ohne Zögern benutzen. Erschießt du versehentlich einen unschuldigen Bürger, hole ich dich aus der Sache raus. Aber wie ich heute nacht schon einmal sagte, die goldene Regel in der gegenwärtigen Situation lautet: zuerst schießen und hinterher diskutieren. Ich gebe dir eine bessere Pistole. Die hat zu wenig Durchschlagskraft. Als nächstes besorgst du dir einen Satz Riegel und bringst sie an allen vorhandenen Türen und Fenstern an. Schaffst du das?«
Sarah nickte.
»Schließlich wirst du nirgendwo alleine hingehen. Halte dich stets in Gesellschaft auf, wenn du das Boot verläßt. Ist das klar?«
»Wie Kloßbrühe«, sagte Sarah schnippisch. »Mach' ich. Aber wie kommen wir dann weiter?«
»Falls nötig, zerlegen wir dieses Boot in Stücke«, Charles Stimme klang schon wieder fröhlicher. »Und da wir keine Zeit zu verlieren haben, können wir ebensogut gleich damit anfangen. Schläfrig?«
»Im Moment«, gestand Sarah, »könnte ich sowieso kein Auge mehr zutun.«
»Gut«, lobte Charles. »In diesem Fall laß uns sofort loslegen. Wie weit bist du mit den Büchern vorangekommen, und wonach hast du gesucht?«
»Ein loses Blatt Papier oder irgendwelche markierten Seiten,

die auf einen Code hindeuten könnten. Das war alles, was mir eingefallen ist!«

»Gar nicht so übel! Also gut, machen wir uns ans Werk.«

Sie ließen sich auf dem Boden nieder, nahmen sich einen Stapel Romane vor und gingen dazu über, jeden einzelnen methodisch durchzusehen; sie schauten in jeden Buchrücken hinein und untersuchten jeden Deckel mit einem Taschenmesser. Die Nacht war nunmehr friedlich und still. Wenngleich sie gelegentlich noch fernes Donnergrollen vernehmen konnten, kehrte kein Windhauch zurück, um den See aufzuwühlen. Das Boot lag bewegungslos an seinen Verankerungen – in einer Stille, die nur vereinzelt durch ein sanftes Plumpsen unterbrochen wurde, wenn ein Frosch von einem Lilienblatt zum anderen über das Wasser hüpfte, ein springender Fisch ins Wasser zurückplatschte oder ein schlafender Vogel im Geäst des großen Chenarbaums piepte.

Sie arbeiteten methodisch, legten die überprüften Bücher zur Seite auf einen Stapel und griffen zum nächsten. Stunde um Stunde verging. Sarahs Rücken begann zu schmerzen, und ein Fuß war ihr eingeschlafen. Sie begann auf die Geräusche draußen am Ufer zu lauschen und zuckte bei jedem Laut nervös zusammen.

Charles, der ganz vertieft in seine Arbeit gewesen war, schien ihren Nervenzustand zu bemerken, denn er schaute von seiner Arbeit hoch und lächelte ihr zu.

»Es ist alles in Ordnung«, beruhigte er sie. »Ich sagte dir doch, heute nacht kommt niemand mehr. Ich denke, wir haben für den Augenblick genug getan. Packen wir diesen Stapel weg. Geprüfte auf die Regale rechts, ungeprüfte links. Okay?«

Er stand auf, streckte eine Hand aus und zog Sarah auf die Beine.

»Autsch!« rief sie, fiel auf das Sofa und massierte ihren linken Fuß, um die Zirkulation wieder in Gang zu bringen, während Charles die lange Reihe der Bücher zurückstellte.

»In Wirklichkeit«, verteidigte sie sich, »nahm ich gar nicht an, daß jemand versuchen würde, an Bord zu kommen –

solange euer Mann am Ufer steht. Aber angenommen, jemand beobachtet uns aus der Ferne? Schließlich sind sie wohl in der Lage, festzustellen, daß in diesem Zimmer Licht brennt, auch bei geschlossenen Vorhängen.«

»Du vergißt«, versetzte Charles grinsend, »daß du eine nervöse, alleinstehende junge Dame bist. Es würde zu dir passen, in einer Nacht wie der heutigen vorsorglich eine Lampe brennen zu lassen. Ich wette, du hast eine brennen lassen, bevor du zu Bett gingst. Hab' ich recht?«

»Nun ja. Die in der Pantry«, gestand Sarah ein bißchen beschämt.

»Das dachte ich mir. Du wärst eine ungewöhnlich furchtlose Frau, wenn du es nicht getan hättest. Nein, ich glaube, du brauchst dir keine Sorgen darüber zu machen, daß ein Licht in diesem Raum Argwohn erregen könnte. Und falls dein Boot heute nacht noch weitere Besucher anziehen sollte, so wird sich Habib damit befassen.«

»Wieviel weiß er?« fragte Sarah. »Ich meine, insgesamt?«

»Gerade soviel er wissen muß. Niemand weiß mehr – außer einem, möglicherweise zwei Männern an der Spitze.«

»Janet sagte etwas Ähnliches«, sinnierte Sarah. »Sie sagte, sie und Mrs. Matthews wären nur Glieder in einer Kette . . .«

»Mrs. Matthews war etwas mehr als nur ein Glied«, sagte Charles. »Aber Janet hatte recht. Zuviel Wissen zu weit verbreitet kann sehr gefährlich sein. Das hat sich wieder und wieder erwiesen: Dieses besondere Geschäft hat seine eigenen Tücken! Irgendwo in der langen Kette kann jemand entweder bestochen, erpreßt oder gefoltert werden, daß er erzählt, was er weiß. Wir haben eine stattliche Anzahl von Leuten beisammen. So wie der Mann, der mich in Babamarishi, hier oben in Kaschmir, getroffen hat: Sie alle arbeiten auf ihre eigene spezielle Weise, und keineswegs sind sich alle untereinander bekannt. Sie sind die echten Schrauben und Bolzen des ganzen Systems; aber nicht der Funke oder der Treibstoff. Und, bedauerlicherweise, nicht alle auf dem Niveau, um die Sorte von Information zu liefern, über die Mrs. Matthews und Janet gestrauchelt zu sein scheinen – was ihr Pech war.«

Er verstummte eine Zeitlang und starrte ausdruckslos in die Flamme der Öllampe, die harte Linien und Höhlungen in seinem Gesicht zum Vorschein brachte. Kurz darauf begann Sarah: »Charles –«

»Ja?«

»Wer sind sie, die du die Gegenseite nennst? Die Leute, die Janet und Mrs. Matthews und – und all die anderen töteten? Ich fragte Janet danach, doch sie wollte es nicht sagen. Und so nahm ich an, es wären die üblichen Freiheitskämpfer – die ›Raus aus Indien!‹-Bewegung. Jetzt aber, da wir es ohnehin verlassen, erkenne ich nicht den Sinn, den das Ganze haben sollte.«

»Da gibt es keinen.«

»Wer steckt dann dahinter?«

»Finde es selbst heraus«, sagte Charles wenig hilfreich.

»Das ist keine Antwort, und das weißt du. Du kannst mich nicht so abspeisen – nicht, nachdem du mich heute nacht vor Schreck halb wahnsinnig gemacht hast; von Gulmarg ganz zu schweigen! Geht es um Politik, Revolution, Meuterei, Drogenschmuggel oder was? Du sagst zwar ›niemand weiß Näheres‹, aber du mußt doch irgendeine Vorstellung haben.«

Charles setzte sich auf die Armlehne des Sofas und sagte langsam: »Ja. Wir haben eine Vorstellung. Schau, Sarah, jedes Land in der Welt hat einen Nachrichtendienst – einen Geheimdienst, falls du vorziehst, es so zu nennen. Hier in Indien ist es oft mit dem verbunden gewesen, was Kipling ›Das große Spiel‹ genannt hat. Das Spiel lief von jenseits des Khyber zur Grenze von Assam, und darüber hinaus. Wir müssen in ganz Indien ein offenes Ohr behalten, denn ein Geflüster, das in einem Basar von Sikkim wahrgenommen wird, kann einen Aufstand in Bengalen auslösen. Wir müssen in jeder Stadt und jedem Dorf Augen und Ohren offen haben –

Nun, irgend etwas sehr Sonderbares hat sich ungefähr während des letzten Jahres in Indien ereignet. Da hat es zum Beispiel eine phänomenale Anzahl von Einbrüchen gegeben. Nicht nur die gewöhnlichen kleinen Diebstähle, sondern wirklich große Summen. Sorgfältig geplante Raubüberfälle auf Staatsjuwelen im Millionenwert. Objekte wie die Charkrale-Rubine oder die Rajgore-Smaragde, die nahezu unbezahlbar sind. Einige dieser Juwelen sind an erstaunlichen Plätzen wieder aufgetaucht, und wir fanden heraus, daß aus irgendeinem Grund die meisten von ihnen, wenn nicht alle, nach oder durch Kaschmir geschleust wurden. Dieser Staat war eine Art Sammelhaus – ein Auffangbecken.«

Sarah sagte: »An die Smaragde erinnere ich mich. Ich glaube, das war der Grund, warum du an jenem Tag Polo spieltest und –« sie stockte plötzlich, und Charles sah sie neugierig an. »Besagte Smaragde«, sagte er nach einer Pause, »sind hier in Kaschmir.«

»Woher weißt du das?« fragte Sarah verblüfft. »Hast du sie gefunden?«

»Nein, aber wir wissen, daß sie hier sind. Wir dachten, wir hätten jede mögliche Vorsichtsmaßnahme dagegen getroffen, sie über diese Grenze gelangen zu lassen, aber irgend jemand ist zu klug für uns gewesen. Sie sind hier.«

»Aber wozu?« fragte Sarah.

»Nun, in erster Linie zur Wiederverarbeitung. Eine große Anzahl der Steine ist hier umgeschliffen worden, um in schmutzigen kleinen Juwelierläden in den Seitengassen der Altstadt abgestoßen zu werden. Aber das Beste von dem Zeug ist hinausgegangen, über die Pässe von Gilgit und über den Pamir.«

»Wohin?«

Charles sah sie mit zusammengekniffenen Augen an. »Deine Vermutungen sind so gut wie die meinen«, erwiderte er trocken. »Ich sagte doch, finde es selbst heraus.«

»Aber – aber es sind doch unsere Verbündeten!« protestierte Sarah entsetzt.

»Sie sind niemandes Verbündete. Sie sind es nie gewesen . . . Ausgenommen, solange es in ihre eigene Buchführung paßt, und keine Sekunde länger! Sie würden sich sogar mit den faschistischsten, reaktionärsten und brutalsten Regimen verbünden, einzig um ihren eigenen Interessen zu dienen – und

haben dies ja bereits getan! Es gibt eine Menge Dinge, die die Menschen anderer Nationen tun, um ihre veraltete Idee ›moralischer Prinzipien‹ zu stützen, aber es ist völlig umsonst, denn ihr Ziel ist stets das gleiche. Sich selbst an die Spitze zu setzen; alle anderen in die Knie zu zwingen. Oder wenn sie nicht knien wollen, sie niederzuwalzen und zu töten!«
»Aber das Geld – diese Juwelen ... Ich verstehe nicht, warum ... Glaubst du, es könnte verwendet werden, um etwas gegen uns anzuzetteln – ein neuer Aufstand?«
Charles lachte; und dann ernüchterte er plötzlich. »Nein. Das ist es nicht. Wie du gerade sagtest, hätte es ja keinen Sinn, jetzt, da wir Indien verlassen, etwas gegen uns zu unternehmen.«
»Was sollte es dich dann noch kümmern? Es ist doch bestimmt nicht mehr deine Angelegenheit, wenn du es aufgeklärt hast.«
»Weil die Welt geschrumpft ist, Sarah. Und sie schrumpft mit jedem Tag mehr. Es ist den Menschen in Südamerika nicht mehr gleichgültig, wenn ein Balkanstaat in die Luft gesprengt wird. Was immer hier vorgeht, es kann uns alle betreffen. Deshalb haben wir herauszufinden, was es ist. Wir müssen es herausfinden!«
Sarah fragte: »Kam Mrs. Matthews deshalb hierher? Wegen des Geldes, der Juwelen und all dem?«
»Ja. Weil jede einzelne Bewegung, die wir verfolgten, hier oben in Kaschmir zu enden schien. Zuerst nahmen wir an, es sei nur ein Diebstahl großen Formats und sonst nichts; aber es mußte gestoppt werden. Wir hatten eine Menge Leute darauf angesetzt, doch meistens waren es kleine Fische. Pendrell jedoch war ein ziemlich großer Fisch, und er stieß auch auf etwas. Und starb. Darauf schickten wir die – ebenso tüchtige – Mrs. Matthews; und sie erledigten sie ebenfalls. Zwei Leute haben uns das Top-Geheimsignal gesandt, das wir nur für brandheiße Sachen benutzen. Irgend etwas braut sich zusammen, Sarah. Irgend etwas Schwarzes und Abscheuliches. Wir müssen es herausfinden und unschädlich

machen, bevor wir dieses Land verlassen, denn danach –«
»– kommt die Sintflut«, vollendete Sarah.
»Vielleicht. In der Zwischenzeit sind, wie ich schon sagte, deine Vermutungen so gut wie die meinen. Wie viele von diesen ekelhaften Büchern haben wir noch durchzusehen?«
»An die vierzig«, sagte Sarah mit einem Seufzer. »Ich nehme sie mir morgen vor. – Autsch!«
»Was ist los?«
»Wieder Stecknadeln. Aus dem einen Fuß hatte ich sie herausgerieben, aber ich habe jetzt auf dem anderen gesessen, und nun ist mir der auch eingeschlafen.«
Charles kniete sich vor sie hin, zog ihr die schmalen grünen Pantoffeln aus und rieb den Kreislauf in Sarahs Füße zurück.
»Ist es nicht ein Glück, daß ich so hübsche Füße habe?« sinnierte Sarah selbstzufrieden.
Charles sah hoch und lachte. »Offen gestanden, nein«, sagte er. »Im Moment wär's mir lieber, wenn sie wie die üblichen Radieschenbündel des zwanzigsten Jahrhunderts aussähen, die man so oft beim Baden trifft.«
»Warum?« forschte Sarah wißbegierig.
»Weil sie meine Aufmerksamkeit ablenken. Und auch weil ich mich erheblich besser fühlen würde, wenn ich an dir etwas entdeckte, das mir nicht gefällt.«
»Oh«, bemerkte Sarah mit dünner Stimme. Charles zog ihr die Pantoffeln wieder an, stand auf und klopfte sich die Knie ab.
»Würde es irgendwie helfen«, schlug Sarah sanftmütig vor, »wenn ich dir erzähle, daß ich schnarche?«
»Tust du's?«
»Ich weiß es nicht.«
»Ich werde darüber nachdenken«, versprach Charles ernst, »und die erste Gelegenheit wahrnehmen, es herauszufinden. Danke für die Anregung.«
»Nicht der Rede wert«, sagte Sarah spröde. »Ich bin immer froh, einem Gentleman, mit dem ich die Nacht verbringe, gefällig zu sein.«
»Guter Gott!« stöhnte Charles. »Es ist Morgen!«

»Ich fragte mich schon, wann es dir auffallen würde.«
Sarah ging zum Fenster und zog den Vorhang zurück. Draußen waren See und Berge nicht mehr schwarz, sondern grau, und im Osten färbte sich der Himmel silbern und safrangelb. Vögel begannen zu piepen und in den Ästen der Bäume zu rascheln. Schwach, aber deutlich, war aus der Richtung von Nasim der melodiöse Ruf des Muezzins von der Moschee des Hazratbal zu vernehmen, der die Gläubigen zum Gebet rief . . .
»Verdammt!« sagte Charles halblaut. »Ich muß rasch verschwinden. Gute Nacht, Sarah – ich meine, guten Morgen. Geh und schlaf ein wenig. Du bist jetzt in guter Verfassung. Bis später –«
Vom Ufer kam ein leiser Pfiff.
»Das ist Habib«, sagte Charles und war gegangen.
Sarah hörte das schwache Klappern der Pantrytür, die sich schloß, das Boot erzitterte unter den raschen Fußtritten auf der Gangway, es raschelte im Weidengestrüpp, und dann war Stille.
Lacro gähnte, streckte sich und pochte schläfrig mit dem Schwanz. »Na, Gott sei Dank, *du* hast wenigstens ausgeschlafen!« sagte Sarah.

15

Es war nach zehn, als Sarah aufwachte und Fudge Creed erblickte, die neben ihrem Bett stand und sie schüttelte.
»Wach auf, du faules Geschöpf!« sagte Fudge. »Verschläfst du immer den halben Tag? Jeder könnte denken, du hättest die ganze Nacht durchgefeiert!«
»Du würdest dich wundern«, versetzte Sarah gähnend. Dann kam sie hoch und fuhr sich mit den Händen durch die roten Locken. »Morgen, Fudge. Ist es ein schöner Tag?«
»Himmlisch!« verkündete Fudge, zog die Fenstervorhänge zurück und ließ ein Ballett von Sonnenstrahlen ein, die über die Decke tanzten. »Dein *mānji* berichtete, dein Frühstück

sei vor anderthalb Stunden fertig gewesen, und daher vermute ich, es dürfte jetzt ungenießbar sein.«
»Sag ihm, ich sei in fünfzehn Minuten fertig«, sagte Sarah, schlüpfte aus dem Bett und streckte sich, um den Schlaf aus den Gliedern zu schütteln.
»Mach' ich. Und wenn du gefrühstückt hast, gehst du mit uns einkaufen. Wir wollen einige Pappmaché-Schalen als Hochzeitsgeschenk versenden; Hugo meinte, du würdest gern die Altstadt und den Fluß besichtigen. Wir wollen zu den Läden an der Vierten Brücke. Dort stellen sie entzükkende Sachen her. Was hältst du davon?«
»Es klingt genau, wie mir's der Arzt verordnet hat«, antwortete Sarah beschwingt. Sie war erleichtert, ein bis zwei Stunden vom Boot wegzukommen. Charles hatte gesagt »Geh nirgendwo alleine hin«. Er hatte ihr aber nicht befohlen, auf dem Boot zu bleiben, und sie fühlte, daß sie bis jetzt schon ziemlich genug von der *Waterwitch* gehabt hatte. Nachdem sie angezogen war, bat sie den *mānji*, im Basar ein Dutzend Riegel komplett mit Schrauben und Fassungen zu kaufen, bevor sie sich zu dem verspäteten Frühstück niederließ. Es war, wie Fudge vorausgesagt hatte, ziemlich ungenießbar und ließ deutlich erkennen, daß es über einem Holzkohlenfeuer warm gehalten worden war.
Sarah präsentierte die Nieren einem dankbaren Lacro und verteilte den größten Teil der Rühreier an ein Paar freundliche Bulbuls, die auf dem Lattenrost vor dem offenen Salonfenster hüpften und zwitscherten und mit ihren schwarzen Schöpfen kokettierten. Sie trank ihren lauwarmen Kaffee und wunderte sich, wie sie sich nach den Schrecken der vergangenen Nacht so außergewöhnlich froh und leichten Herzens fühlen konnte.
»Oh, welch ein herrlicher Morgen!« sang Sarah. *»Oh, welch ein herrlicher Tag!«*
»Hölle und Verdammnis!« gellte eine Stimme vor dem Fenster. Es gab einen Krach und einen Stoß, und Hugo brach mit einem tropfenden Paddel durch das Fenster. »Wie kommt es«, fragte er hitzig, »daß ich, obgleich ich von meiner irre-

geleiteten Universität für das Blaue Ruderband vorgeschlagen wurde, außerstande bin, diese flachbödigen, überdachten Stakkähne auch nur fünf Meter zu dirigieren, ohne mindestens drei komplette Kreise gedreht zu haben und bis zur Taille aufgeweicht zu sein? Morgen, Sarah. Du siehst fast so gut aus, wie du klingst. Fühlst du dich so gut, wie du aussiehst?«
»Ich fühle mich unheimlich gut«, sagte Sarah. »Es muß die Luft oder sonstwas sein. Ich fühle mich wie berauscht und könnte Hirtentänze in einem Kornfeld aufführen.«
»Und wie wär's damit, zur Vierten Brücke zu rauschen und meine Hand zu halten, während Fudge mich zwischen Pappmaché-Händlern zum Bankrotteur degradiert?«
»Hast du die Absicht, uns dorthin zu rudern?« fragte Sarah vorsichtig.
»Hab' keine Angst. Leider bin ich zu korpulent für längere Unternehmungen dieser Art und zu inkompetent, um es zu wagen, mit einem dieser bestialischen Luxuspaddel umzugehen. Ich schlage vor, wir nehmen das Auto. Auf der Rückfahrt könnten wir bei Nedou zu Mittag essen: wie gefällt dir das?«
»Ausgezeichnet!« sagte Sarah. »Warte nur, bis ich mir einen Hut geholt habe. *Ich fühl' mich heut' so glücklich, so glücklich wie noch nie . . .* Singend verschwand sie in Richtung ihrer Schlafkajüte, während Hugo abwesend den Toast mit Marmelade aufaß.
Als sie bei Ghulam Kadirs Pappmaché-Laden an der Vierten Brücke eintrafen, war es inzwischen Mittag geworden, denn Hugo hatte darauf bestanden, unterwegs auf ein Bier im Klub einzukehren. Dort trafen sie Reggie Craddock und Mir Khan an, die sich entschlossen, sie zu begleiten.
Ghulam Kadirs Ausstellungsräume erhoben sich über den Fluß und waren mit Pappmaché-Artikeln vollgestapelt. Schalen und Kästen in jeder erdenklichen Größe und Form, Vasen, Kerzenhalter, Frisiertischgarnituren, Lampen, Tabletts, Tische und Geschirr. Alles war en miniature mit Vögeln und Schmetterlingen, Blättern, Blumen oder verschnörkelten orientalischen Mustern bemalt und mit Blattgold verziert.

Mehrere braungekleidete Gehilfen mit makellos weißen Turbanen von beachtlicher Größe eilten herbei, um die Waren vorzuzeigen und die Kunden höflich willkommen zu heißen. Zur offensichtlichen Befriedigung des ältlichen Besitzers – und dem unverhohlenen Vergnügen von Mir Khan – wuchs der Stapel von Sarahs Einkäufen zu alarmierenden Dimensionen an.

Hugo, der nach kurzer Zeit das Interesse verlor, marschierte schließlich durch einen vorhangverhangenen Durchgang, und sie hörten ihn im Nebenraum jemanden laut begrüßen.

»Verflucht! Es ist die alte Nervensäge Candera«, grunzte Reggie Craddock, der ein Sortiment von Fingerschalen hochhielt, derweil Fudge über die jeweiligen Vorzüge von Chenarblätter-, Eisvögel-, Lotus- und Schottenmuster debattierte. »Ich kann das Weib nicht ausstehen. Haut mich um, wie Meril das aushält. Klatschsüchtige alte Thyrannin!«

Lady Candera erging sich im Nebenraum mit hochgeschraubter Stimme in Kommentaren und kritischen Äußerungen: »Nun, Hugo, verplemperst du wieder wie üblich Zeit und Geld? Wo steckt deine Frau? Begreife nicht, wie Menschen diesen wertlosen Plunder kaufen können. Kein Geschmack, kein Urteilsvermögen. Ich habe Ghulam Kadir gerade gesagt, er darf sich glücklich schätzen, daß noch so viele geschmacksverirrte Touristen in Srinagar verblieben sind. Was machst du hier?«

»Nachahmung ist die sicherste Form der Schmeichelei«, sagte Hugo. »Ich folge Ihrem Beispiel und erstehe – widerstrebend und stellvertretend, sozusagen – eine Sammlung dieses wertlosen Plunders.«

Lady Candera stieß ein hohes, berstendes Gelächter aus. »Ich mag dich, Hugo Creed. Du bist so ungefähr die einzige Person, die den Grips hat, mir paroli zu bieten. Aber du verleumdest mich, wenn du denkst, ich kaufe dieses Zeug. Der Himmel bewahre mich! Ich gebe nur acht, daß Merils beklagenswerter Geschmack nicht zum Verlust ihrer Stellung führt. Der Resident möchte zwei Dutzend dieser Pappmaché-Werke und ähnlichen einheimischen Plunder an irgendeinen

Wohltätigkeitsbasar versenden und hat Meril gebeten, es für ihn zu besorgen. Der Mann muß in seinen zweiten Frühling eingetreten sein, um Meril mit der Auswahl zu betrauen. Bestimmt wird sie sich bei den Preisen gewaltig übers Ohr hauen lassen und mit allen unverkäuflichen Scheußlichkeiten Srinagars beladen zurückkehren. Major McKay war so liebenswürdig, zu meiner Unterstützung mitzukommen.«

»O Gott«, murmelte Reggie Craddock.

Man hörte Meril Forbes' Stimme zitternd protestieren: »Aber, Tante Ena, du weißt doch, es war . . .«

»Halt den Mund, Kind!« herrschte Lady Candera sie heftig an. »Ich will hierzu keine Einwände hören. Nun lauf los und schau dich nach hübschen Puderdosen um. Die letzten beiden, die du mir gezeigt hast, gefallen mir ganz und gar nicht. Major McKay kann dich beraten.«

Der staubige, reichbestickte Vorhang schwang zurück, und Lady Candera erschien auf der Bildfläche, ihre Lorgnette im Anschlag: »Ah, Antonia«, bemerkte sie zu Fudge, »du vergrößerst gerade den Schuldenberg deines Mannes, nehme ich an?« Sie richtete ihre Lorgnette auf Reggie Craddock, musterte ihn stumm und fügte hinzu: »Wie ich sehe, hast du deinen treuen Kavalier mitgebracht. Ach ja, jung müßte man sein –! Obgleich ich feststellen muß, daß wir in meiner Jugend eine Menge Gelegenheiten versäumten, da man strikter auf Konventionen achten mußte. Sie stoßen gleich eine von den Schalen um, Major Craddock.«

Reggie Craddock blickte finster, und in der Absicht, die rutschende Schale aufzufangen, stieß er drei weitere um.

»Warum legen Sie sie nicht auf den Diwan?« fragte Lady Candera. »Ist doch viel vernünftiger. Da, sehen Sie, nun haben Sie die eine angeknackst und werden sie kaufen müssen. Nichtsdestotrotz, ich habe keinen Zweifel, daß Sie sie als Aschenbecher benutzen können . . . Du siehst ein wenig gerötet aus, Antonia. Wenn ihr modernen Frauen schon Make-up benutzt, so wünschte ich, daß ihr einmal lernen würdet, mit sparsamer Hand damit umzugehen.«

Fudge sagte sanft: »Liebe Lady Candera, ich weiß, wie sehr

es Ihnen gefällt, uns zu sticheln. Aber heute morgen bin ich entschlossen, Sie zu enttäuschen, und weigere mich, in die Luft zu gehen.«
»Du und Meril, ihr seid von derselben Sorte«, befand Lady Candera und nahm königlich auf dem Diwan Platz. »Kein Durchsetzungsvermögen.«
Fudge lächelte und sagte: »Weil wir uns alle vor Lady Candera fürchten. Sie kennt jedermanns Geheimnisse, und nichts bleibt ihr verborgen. Ist es nicht so?«
»Ich kenne deins, falls du das meinst«, zischte Lady Candera.
»Aha!« sagte Hugo. »Ich sehe, Sie gehören zur *Alles ist entdeckt!*-Schule.«
»Und was ist das, bitte schön?«
»Kipling hat es einst sehr präzise formuliert: Schreibe einem Mann, alles sei verraten, und selbst der Papst würde unruhig schlafen. Mit anderen Worten: Flüstern Sie den Leuten ›Alles ist entdeckt!‹ ins Ohr, und neun von zehn Bürgern würden auf die entfernte Möglichkeit hin sofort das nächste Schiff nach Südamerika besteigen.«
»Sie meinen, weil niemand existiert, der nichts zu verbergen hätte?« fragte Mir Khan.
»Genauso ist es«, pflichtete Hugo bei. »Sollte mir einer ›Alles ist entdeckt!‹ ins Ohr zischeln, würden Sie mich in der Staubwolke nicht mehr erkennen können.«
»Das glaube ich sehr gern!« sagte Lady Candera bitter, kehrte Hugo den Rücken zu und hob ihre Lorgnette, um Sarah aus einigem Abstand zu betrachten. »Ah, die reiche Miß Parrish«, rief sie aus:
»Das bin ich leider nicht«, sagte Sarah.
»Was? Oh – Aber ich dachte, alle Touristinnen, die nach Indien kämen, wären reich.«
»Diese nicht, fürchte ich«, bekannte Sarah mit einem Auflachen.
»Nun, es ist kein schlechter Ruf, Mädchen. Sorgen Sie ruhig für seine Verbreitung«, riet ihr Lady Candera. »Für reich gehalten zu werden ist fast so gut wie wirklich reich zu sein. Sie werden feststellen, daß es eine große Hilfe ist, sich beliebt

zu machen. Wie ich sehe, kaufen sie gleichfalls diesen wertlosen Plunder.«
»Ja«, sagte Sarah. »Ich finde ihn bezaubernd.«
»Vor dem Krieg hatte er einen gewissen Wert«, räumte Lady Candera ein. »Aber wie alles andere hat sich der Preis vervierfacht und die Qualität vermindert – dank unserer diversen Verbündeten, die ohne jedes Urteilsvermögen phantastische Preise zahlten, so daß es sich nicht länger lohnte, einen annehmbaren Standard guter Handwerksarbeit zu halten. Jeder Kitsch würde seinen Käufer finden.«
Es war vielleicht ein Glück, daß die Unterhaltung an diesem Punkt durch das Eintreffen Helen Warrenders in Begleitung von Captain Charles Mallory unterbrochen wurde.
Charles, der Sarah in die allgemeine Begrüßung beiläufig einschloß, sah nicht im mindesten aus, als hätte er eine schlaflose und strapaziöse Nacht verbracht oder als wäre ihm die besitzergreifende Hand, die Helen auf seinen Arm legte, in irgendeiner Weise unwillkommen. Sarah fühlte sich dadurch irgendwie deprimiert und irritiert. Mir Khan hatte ihre linke Seite verlassen, um nebenan mit Meril Forbes und Major McKay die Vorzüge von Kerzenleuchtern und Tischlampen zu diskutieren, und als die anderen nun eine Gruppe um den Diwan bildeten, wo Lady Candera hofhielt, sah sie sich vorübergehend allein gelassen.
Zu ihrer Linken war ein schmaler Bogengang, halb verdeckt von einem reichbestickten Fransenvorhang. Von einem Gefühl der Verwirrung getrieben, schob sie den Vorhang beiseite und schlüpfte hindurch, um sich in einem weiteren Ausstellungsraum wiederzufinden; schummerig, staubig und mit Tischen vollgestellt.
Hier waren die Wände mit ziegelrotem Stoff behängt, der mit geometrischen Mustern in Rot- und Brauntönen bestickt war und üppig bestreut mit kleinen Spiegelglassteinen, nicht größer als ein Daumennagel, während der Fußboden mit dicken Perserteppichen belegt war. In der Mitte des Raums und an den Wänden standen zahllose Tische aus geschnitzten und eingelegten Hölzern, auf denen sich Artikel aus Papp-

maché auftürmten. Noch mehr Schalen, Vasen und Behälter waren auf den staubigen Teppichpyramiden aufgestockt. Aus diesem Raum schien es keinen Ausgang zu geben, außer dem Bogengang, durch den Sarah hereingekommen war. Aber auf einer Seite der verschnörkelt geschnitzten Fensterläden aus bemaltem Holz befanden sich ein Fenster und ein Balkon, die den Blick auf den Fluß freigaben.

Die Fensterläden waren geschlossen, so daß das einzige Licht in dem kleinen, schummerigen Raum durch die Spalten drang; die Atmosphäre war ebenso kalt wie stickig. Es roch nach Staub und Sandelholz und vergangenen Jahrhunderten . . . Und nach noch etwas anderem. Etwas, das Sarah im Moment nicht identifizieren konnte.

Sie wanderte rastlos durch den Raum, nahm prüfend verschiedene Gegenstände aus Pappmaché hoch, stellte sie zurück, ohne sie richtig anzusehen, und lauschte dabei mit halbem Ohr auf die Stimmen im Nebenraum: Charles' Stimme, Hugos, Helens und Lady Canderas, welche sich bald vermischten, leiser wurden und zu bloßem Gemurmel verebbten. Sie sind wohl anderswohin gegangen, dachte Sarah.

Der kleine, staubige, vollgestopfte Raum war sehr still: still und kalt und – und was? Sarah hätte keinen Grund angeben können, aber sie wurde plötzlich von einem Gefühl der Panik erfaßt, was ihr den Wunsch eingab, sich umzudrehen, aus dem Raum zu rennen und ihre Begleiter einzuholen. Irgendwie war es, als habe sie mit dem Betreten dieser Örtlichkeit einen Schritt aus der gewohnten Tageswelt heraus getan, denn hier gab es etwas, das sie erschreckte. Etwas . . .

Ganz plötzlich wußte sie, was es war. Der Geruch, der in dem dunklen verlassenen Korridor jener Hütte bei der Schlucht gehangen hatte. Er war auch hier! Schwach, aber deutlich, in Ghulam Kadirs Ausstellungsraum an der Vierten Brücke.

Sarah stand reglos: sie hielt den Atem an und vermochte sich nicht zu bewegen. Hinter dem Vorhang war jetzt kein Geräusch. Auch die Geräusche des Flusses und der Stadt schienen hinter den geschnitzten Rolläden in Schweigen zu

versinken. Irgend etwas raschelte hinter den Drapierungen an den Wänden, die winzigen Spiegelsteine blinzelten und zwinkerten in der schwachen Bewegung – Hunderte tückischer, glitzernder Augen, die Sarah beobachteten und ihre Gestalt auf den dunklen, staubigen Faltenwürfen bis zur Endlosigkeit widerspiegelten.
Auf den dicken Teppichen hörte man keine Fußtritte, aber der Vorhang, der über dem Bogengang hing, wurde zurückgestoßen, und Charles stand auf der Schwelle.
»Ich wurde abgesandt, dich aufzustöbern –« begann er, gewahrte die Furcht auf ihrem weißen Gesicht und ließ rasch den Vorhang fallen. Sarahs Stimme war ein rauhes Geflüster: »Der Geruch! Der Geruch von der Hütte. Er ist in diesem Raum . . . !«
»Kusch!« sagte Charles, tat einen raschen Schritt auf sie zu und ergriff ihr Handgelenk mit einem Druck, der schmerzte. »Reiß dich zusammen, Sarah!« befahl er mit heftigem Flüstern. »Rasch . . . So ist's recht, Mädchen.«
»Der Geruch . . .«, wiederholte Sarah.
»Ja, ich weiß. Was, zur Hölle, tust du hier?«
»Ich kam nur herein, um zu sehen –«
»Nein. Ich meine hier in diesem Haus?«
»Fudge wollte ein bißchen einkaufen.«
»Bist du –« Hinter dem verhangenen Eingang war ein sehr schwaches Geräusch zu vernehmen, und in fast dem gleichen Moment – so schnell und überraschend, wie er es schon einmal getan hatte – riß Charles sie in die Arme und küßte sie, hielt sie hart und eng an sich gepreßt, so daß sie sich weder rühren noch etwas sagen konnte.
Der Vorhang hinter ihnen schwang beiseite, und Major McKay stand im Bogengang. Sein bereits gerötetes Gesicht nahm stufenweise die Färbung einer Runkelrübe an. Er gab ein trockenes Hüsteln der Verwirrung von sich und trat zurück, als Sarah, befreit, mit flammenden Wangen an ihm vorbeistürmte.
Sie rannte durch den großen Ausstellungsraum und durch einen Gang in einen dahinter gelegenen Raum. Von hier

führte eine hölzerne Wendeltreppe nach oben, und irgendwo oberhalb konnte sie Reggie Craddock mit Fudge debattieren hören sowie Helen Warrenders hohes, affektiertes Lachen. Sarah stoppte abrupt, entmutigt von dem Gedanken an Helens spöttische Augen, Mir Khans wissendem Blick und Lady Canderas tödliche Lorgnette, die allesamt auf ihr gerötetes Gesicht und ihr zerzaustes Haar gerichtet wären.
Sie wollte sich daran erinnern, was sie mit ihrer Handtasche getan hatte. Darin war ein kleiner viereckiger Spiegel, außerdem eine Puderquaste und ein Kamm. Hatte sie sie Mir Khan zum Halten gegeben, oder lag sie auf irgendeinem Tisch in dem Raum, den sie gerade verlassen hatte? Als sie noch zögernd dastand, kam Charles rasch durch den Eingang. Sein Gesicht war vollkommen ausdruckslos. Er sah Sarah mit leichtem Stirnrunzeln an, als hätte er im Moment vergessen, wer sie sei.
»Ich vermute«, zischelte Sarah mit leiser, erboster Stimme, »daß das eine weitere Schockbehandlung war? Was habe ich diesmal zu vergessen?«
Charles' Stirnrunzeln vertiefte sich. Er nahm ihren Ellbogen, wirbelte sie herum und zog sie weiter zu der schmalen Treppe.
»Sei keine Närrin«, antwortete er brüsk. Am Fuß der Wendeltreppe blieb er kurz stehen, warf einen raschen Blick hinauf und hinter sich und sagte in gedämpftem Ton: »Jemand kam herein, und da ich keine Ahnung hatte, wer es war, mußte ich verdammt fix ein Alibi konstruieren. Vermutlich habe ich McKay dabei unnötig in Verlegenheit gebracht; der arme Junge stammelte unzusammenhängende Entschuldigungen. Aber dann soll er eben besser aufpassen. Nach allem, was ich weiß, hätte es auch jemand anders sein können. – Also, Tatsache ist, daß ich mir nicht erlauben kann, gerade jetzt in einer Privatunterhaltung mit dir entdeckt zu werden, Sarah. Nicht, solange ich nicht einen sehr klaren und unschuldigen Grund dafür liefern kann. Es war also nichts anderes als Tarnung.«
»Ich verstehe«, bemerkte Sarah kühl.

»Das bezweifle ich«, sagte Charles mit einem Drängen in der Stimme. »Dies ist ein sehr ungesundes Haus. Du solltest es nicht ausgerechnet jetzt besuchen, Sarah, und je eher du hier herauskommst, desto besser.« Er lächelte plötzlich in ihr ernüchtertes Gesicht. »Also gut, ich entschuldige mich. Es war abscheulich von mir und das zweite Mal, daß ich dich beleidigt habe. Sollte es ein drittes Mal vorkommen, weißt du, daß ich es ernst meine. Und wenn du jetzt versuchen könntest, weniger wie ein Mädchen auszusehen, das eine Leiche im Keller entdeckt hat, sondern mehr wie eines, das gerade im Gewächshaus geküßt wurde, wollen wir zu den anderen gehen. Glaubst du, du wirst es schaffen?«
»Ich werd's versuchen«, sagte Sarah ergeben.
»Das ist die richtige Einstellung«, lobte Charles und folgte ihr über die Stufen in einen großen, höher gelegenen Raum, wo Ghulam Kadirs verbliebene Kundschaft Möbel und Schnitzereien aus poliertem Walnußholz bewunderte.
»Oh, da bist du ja«, sagte Fudge aus einer Fensternische. »Wo warst du denn? Ich bat Charles, dich aufzulesen, falls du zwischen all diesen Räumen und Treppen verlorengegangen sein solltest. Was hältst du von diesen kleinen Walnußtischen? Ich glaube wirklich, ich sollte einen Satz davon haben.«
Hugo stöhnte vernehmlich, als einer der Gehilfen – ein fetter kleiner braungewandeter Mann mit einem Gesicht, das mit tiefen Pockennarben bedeckt war – sich beeilte, den Satz kleiner, polierter Tische ineinanderzustellen, das Ganze in riesige Bogen Packpapier einzuhüllen und mit schönen Bandschleifen zu versehen. Ein anderer Gehilfe, ein stattlicher Gentleman, dessen grauer Bart eindrucksvoll scharlachrot gefärbt war, war damit beschäftigt, dasselbe an Meril Forbes' Einkäufen unter dem kritischen Auge Lady Canderas zu vollziehen, während ein dritter Gehilfe die Rechnungen ausstellte.
Ghulam Kadir erschien im Eingang und gab einen halblaut geäußerten Befehl, woraufhin der rotbärtige Gehilfe durch einen verhangenen Bogengang entschwand und dann mit

einem großen Messingtablett erschien, das mit winzigen Tassen schwarzen Kaffees beladen war, die Ghulam Kadir mit blumigen Komplimenten herumreichte.
Charles bot Helen Warrender sein Zigarettenetui an, die darauf schaute und lachte. »Ich danke dir, aber ich will dich nicht deines letzten Glimmstengels berauben.«
»Verzeih«, entschuldigte sich Charles: »Ich hatte nicht bemerkt, daß nur eine übrig war, aber für dich, Helen, würde ich sogar meine letzte Zigarette opfern!«
»Lieber Charles, ich wünschte, ich könnte dich ernst nehmen! Du weißt, ich rauche niemals etwas anderes als Sobranies, aber dir zu Ehren werde ich deinen letzten Giftstengel akzeptieren.« Sie neigte sich über Charles Feuerzeug, als der pokkennarbige Gehilfe mit einer Zigarettenschachtel herbeieilte. Charles nahm sich wortlos eine Zigarette, und warf einen Blick auf seine Uhr: »Ich hasse es, dich zu drängen, Helen, aber es ist nach eins, und da wir von Johnnie und den Coply-Zwillingen um 1.15 Uhr in *Nedou's Hotel* zum Lunch erwartet werden, kommen wir nur eine gute halbe Stunde zu spät, wenn wir jetzt gleich starten.«
Helen stieß einen affektierten kleinen Entsetzensschrei aus und begann ihre Handtasche zu durchwühlen. »Was schulde ich Ihnen, Ghulam Kadir? O ja – die Puderdose und das Tablett und die acht Tischmatten. Das sind sieben Rupien, acht Annas und zwölf . . . warten Sie – die Matten waren jede für sich, nicht wahr? Ich habe sicher nicht genügend Geld bei mir. Charles, Lieber, du bist doch sicher besser im Rechnen als ich. Wieviel bin ich schuldig?«
»Einundfünfzig Rupien, acht Annas«, sagte Charles prompt. »Hier, ich hab's passend, du kannst es mir beim Mittagessen zurückgeben.« Er händigte ihr eine Handvoll zerknitterter Banknoten aus, während Helen flötete: »Du bist ein Engel, Charles! Vergiß nicht, mich zu erinnern, ja?« und Lady Candera sagte mit ätzendem Ton: »Eine beachtliche Morgengabe, Helen.«
»Schichtwechsel für alle von uns«, sagte Hugo. »Mein Magen mahnt energisch die Verspätung an. Wie lautet die gräßliche

Endsumme, Fudge? ... Der Himmel soll mich schützen! Hier, nehmen Sie, Ghulam Kadir, Sie alter Räuber. Ein Jammer, daß wir nicht mit einem Möbelwagen vorgefahren sind. Guter Gott, Sarah! Du willst doch nicht behaupten, du hättest all' das gekauft? Dann bedaure ich bei genauerer Betrachtung, daß wir nicht mit zwei Möbelwagen vorgefahren sind.«

Sie stiegen im Gänsemarsch die Wendeltreppe hinunter. Als sie den Hauptausstellungsraum erreichten, brachte Ghulam Kadir, der ihnen vorausgegangen war, eine Handvoll kleiner Gegenstände zum Vorschein – kleine Pappmaché-Behälter, die eine Schachtel Zündhölzer enthielten – und überreichte jeweils einen davon zeremoniös jedem seiner Kunden.

»Oh, vielen Dank! Die sind reizend«, rief Sarah und prüfte ihr Geschenk, das als Muster goldene Chenarzweige und braune, pelzige Chenarknospen auf cremefarbenem Fond aufwies.

»Und jetzt müssen wir wirklich gehen«, mahnte Fudge. »Wonach suchst du, Sarah?«

»Meine Tasche«, sagte Sarah. »Ich hab' sie irgendwo hier unten liegenlassen und habe meine Rechnung noch nicht bezahlt.«

»Ah, Captain Mallory, das ist wieder Ihr Stichwort, glaube ich«, bemerkte Lady Candera maliziös.

Sarah errötete ärgerlich. »Ich muß sie hier unten irgendwo hingelegt haben.«

»Hat jemand Sarahs Tasche gesehen?« fragte Hugo. »Hat jemand irgendwann mal eine Frau bei einer Einkaufsexpedition gesehen, die nicht irgendwas verlegt hätte? Ist hier ein Arzt – ich meine ein Detektiv – im Haus?«

Pakete wurden im Stich gelassen, während die Gesellschaft durch die Räume jagte. »Ach, herrjeh – tut mir leid«, entschuldigte sich Sarah zerknirscht. »Es ist eine weiße. Nicht sehr groß. Ich kann mir gar nicht vorstellen, wo –«

»Ist es diese?« fragte Hugo geduldig, eine weiße Wildledertasche zwischen einem geschnitzten Sandelholztisch und dem Diwanende hervorangelnd.

»Gott segne dich, Hugo!« Dankbar ergriff Sarah ihr Eigentum und bezahlte ihre Rechnung. Die Gruppe sammelte erneut ihre diversen Päckchen und Kartons zusammen und ging hinaus auf die Straße, wo sie Major McKay trafen, der seine aufgewühlten Gefühle am Flußufer mit einer Zigarette zu beruhigen versuchte.
Lady Candera, Meril und der Major, die anscheinend auch in *Nedou's Hotel* zu Mittag speisten, ließen sich von einer *shikara* zur Ersten Brücke bringen. Charles, der seinen Wagen auf der anderen Seite des Flusses stehengelassen hatte, nahm für sich und Helen einen Gastplatz bis zum anderen Ufer an. Sarah, Reggie Craddock und Mir Khan stiegen mit in den Creedschen Wagen und wurden durch das Gewirr enger, holpriger Gassen chauffiert, die sich durch die Srinagar-Altstadt schlängelten und wanden.

16

Es war fast zwei Uhr geworden, als Hugos Auto bei *Nedou's Hotel* vorfuhr und er seine Fahrgäste ablud.
»Reggie und Sie essen doch mit uns, nicht wahr, Mir?« fragte Hugo, während er sich von einem Stapel Pappkartons befreite.
»Ich wäre entzückt.«
»Und was ist mit dir, Reggie?«
»Nun«, sagte Reggie zögernd, »ich hatte in meiner Kneipe wegen des Essens nicht Bescheid gesagt, und deshalb –«
»Oh, ruf doch an, falls das alles ist, was dir Sorgen macht. Inzwischen rechnen sie wohl ohnehin nicht mehr mit dir.«
»Wahrscheinlich hast du recht«, stimmte Reggie bei. »In diesem Falle, recht vielen Dank: ich würde mich freuen.«
Im Gegensatz zu früheren Jahren, als es hier noch von Menschen wimmelte, wirkte *Nedou's Hotel* sehr ruhig und verschlafen. In der Eingangshalle waren nur wenige Gäste, als Fudge und Sarah hindurchgingen. Von der Bar drang ge-

dämpftes Stimmgemurmel und Gläserklingen herüber. Als Sarah im Vorbeigehen einen Blick durch die offene Tür warf, sah sie Johnnie Warrender und die Coply-Zwillinge beim Würfelspiel.
Hugo bahnte sich den Weg zu einem Fenstertisch. Kurz darauf nahm Helen, gefolgt von Johnnie, Charles und den Coply-Zwillingen ihre Plätze am Nachbartisch ein. Es lag etwas eigenartig Bedrückendes über dem riesigen, hallenden Raum mit seinem Meer von langen Tischen. Selbst Hugo schien etwas niedergeschlagen zu sein und seine gewohnte Lustigkeit vorerst abgelegt zu haben.
Der Lunch wurde zu einem größtenteils schweigenden Mahl, und nachdem abgedeckt worden war, nahmen sie ihren Kaffee in der Eingangshalle ein, wo sie die leeren Flächen des großen Ballsaals im Sitzen überblicken konnten. Am äußeren Ende war eine Bühne – das Podium für viele Amateurvorstellungen und Kabaretts vergangener Jahre –, und die schweren, dunklen Vorhänge aus karmesinrotem Plüsch, die die weitere Sicht verwehrten, schienen die Düsternis des verlassenen Ballsaals zu verstärken.
Hugo, Reggie und Mir schlenderten zielbewußt zur Bar, während Fudge und Sarah sitzen blieben, an ihrem Kaffee nippten und oberflächlich Konversation mit Major McKay machten, der den Anschluß verloren zu haben schien. Kurz darauf kam Charles durch die Halle und ließ sich auf der Armlehne von Fudges Sessel nieder.
»Zigarette, Fudge? Du willst keine, Sarah, wie? Nun, Sankt George, was hast du mit dem Drachen angestellt?«
Major McKay lächelte. »Falls du dich auf Lady Candera beziehst, so schlief sie über dem Kaffee ein. Wir haben oben im privaten Speisezimmer getafelt, denn wir wollten uns nicht unter das gemeine Volk mischen – damit bist du gemeint, Charles.«
»*Touché*«, erwiderte Charles mit einem Lachen. »Dann viel Glück. Ich hoffe, du schaffst es. Falls du es schaffst, verdienst du die Albert-Medaille mit Spangen.«
Major McKay lief rot an, und Sarah fragte: »Was schaffen?«

»George weiß schon Bescheid«, sagte Charles mit einem Grinsen.
»Im Gegenteil, ich habe nicht die leiseste Ahnung, worauf du anspielst«, versetzte Major McKay eisig. Er konsultierte seine Uhr und erhob sich. »Also – äh – die Zeit vergeht. Ich glaube, ich schaue mal nach, ob Lady Canderas Wagen schon da ist. Ich nehme an, ich sehe euch heute abend alle im Nagim-Klub.« Er stahl sich weg, und Fudge wandte sich vorwurfsvoll an Charles: »Du solltest ihn wirklich nicht so aufziehen, Charles! Das ist häßlich von dir. Es regt ihn auf. Im übrigen treibst du ihn nur zur Flucht.«
»Ich fand es unwiderstehlich«, sagte Charles. »George ist ein guter alter Knochen. Wenn er nur aufhören würde, sich so ernst zu nehmen. Und wenn ihn so etwas schon in die Flucht schlägt, dann ist er es nicht wert, die Zeit einer Frau zu vergeuden.«
»Worüber habt ihr beide überhaupt gesprochen?« fragte Sarah. »Was soll er schaffen?«
»Meril, natürlich«, sagte Fudge ungeduldig. »Du nimmst doch wohl nicht an, George McKay führt zum Spaß so einen Eiertanz um den alten Drachen auf, oder? Wir hoffen alle ganz närrisch, daß er mit Meril durchbrennt.«
»Was bist du doch für eine alte Kuppelmutter, Fudge! Mit ihr durchbrennen. Ich bin überzeugt, Major McKay würde niemals etwas so Unkonventionelles tun.«
»Tut er es nicht, bekommt er sie nie«, prophezeite Fudge. »In der Sekunde, in der Lady Candera feststellt, daß es gar nicht ihre witzige und anregende Unterhaltung ist, an der der galante Major interessiert ist, sondern ihre verachtete Nichte, wird sie ihm in unmißverständlicher Manier die Tür weisen. Und Meril, das arme Kind, wird niemals den Mut aufbringen, etwas daran zu ändern.«
»Das glaube ich nicht«, sagte Sarah deutlich. »Nicht in diesem Jahrhundert. Diese Art von Geschichten stammt doch aus viktorianischen Romanen und aus der Zeit, als noch Schleier getragen wurden. Meril ist keine Halbwüchsige mehr. Sie braucht niemandes Erlaubnis. Übrigens irrst du, wenn du

sagst, sie hätte keinen Mut. Ich habe sie Ski laufen sehen auf einer Piste, die ich nicht zu betreten gewagt hätte.«

»Ja, das ist eine völlig andere Form von Mut«, erklärte Fudge weise. »Viele Leute strotzen von Waghalsigkeit und haben keine Unze Durchsetzungsvermögen, wenn es darauf ankommt. Meril ist eine davon. Sobald ihre Tante im Spiel ist, verhält sie sich wie ein hypnotisiertes Kaninchen.«

»Klingt, als gäbe sie die vollkommene Ehefrau für den Major ab!« kommentierte Sarah bissig. »Doch was treibt dich zu der Annahme, er sei überhaupt an ihr interessiert? Lady Candera scheint eine Menge Leute zu hypnotisieren. Möglicherweise gehört er mit dazu.«

»Nun, er war letztes Jahr hier oben und hat eine Menge Zeit mit ihnen zusammen verbracht. Es war aber bestimmt nicht Lady Candera, die ihn nach Gulmarg gelockt hat. Meril pflegte ihm jeden Tag Skilektionen zu erteilen. Und jetzt ist er wieder hier. Obwohl er seinen Urlaub statt dessen in England verbringen könnte. Natürlich geht es um Meril! Übrigens, hast du gesehen, wie puterrot er wurde, als Charles ihn aufzog?«

»Ich für meine Person«, sagte Charles, »kann mir nichts Stumpfsinnigeres vorstellen, als mit so einem Muster an Redlichkeit und Schicklichkeit wie George McKay durchs Leben zu gehen. Keine Frau von Geist könnte das ertragen.«

»Unsinn«, sagte Fudge entschieden. »Er ist ein guter Mann. Er ist freundlich und zuverlässig. Im übrigen *ist* Meril eine Frau von Geist. Sie wird ihm eine vollkommene Ehefrau sein, und sie werden friedlich und glücklich miteinander leben wie . . . wie . . . Na ja, als ausgemachten Witzbold kann ich mir George nicht gerade vorstellen, das muß ich zugeben. Aber es ist zu spät am Nachmittag, um mir passende Vergleiche einfallen zu lassen. Wo, zum Kuckuck, steckt eigentlich Hugo? Es ist Zeit, daß wir uns auf den Heimweg machen.«

Fudge stand auf, durchquerte in Charles' Begleitung die Halle und entschwand in Richtung Bar. Sarah blieb allein zurück, drehte sich um und schaute über die düsteren Flächen des verlassenen Ballsaals.

Draußen vor der Reihe langer Fenster herrschte strahlender Sonnenschein, der auf eine Seite des Saals hereinfiel. Aber zwischen den Fenstern und der Tanzfläche war eine Säulenreihe, die eine lange Galerie abstützte und einen offenen Gang zwischen den Fenstern und dem Ballsaal bildete: einen Gang, in dem sich Sofas, Sessel, Tische und Notenständer befanden, der aber dank der Säulenreihe viel Tageslicht von der Tanzfläche abhielt.

Es war ein nüchterner und wenig anziehender Saal, der in dem nachmittäglichen Licht düster, nackt und unfreundlich wirkte. Doch Sarah belebte ihn im Geiste mit den fröhlichen Tänzern früherer Jahre und stellte ihn sich im flammenden Lichterglanz und voller Geräusche, Musik und Gelächter vor; kurz darauf bewegte sie sich auf die polierte Tanzfläche zu, summte leise vor sich hin und machte ein paar Tanzschritte auf der glänzenden Fläche.

Abgesehen von ihrem eigenen melodiösen Summen war es sehr still in dem großen Ballsaal. Das ganze Hotel schien tatsächlich Siesta zu halten, denn sie konnte kein Geräusch von der Halle oder den Gängen hinter dem Ballsaal her vernehmen. Selbst das gedämpfte Stimmengemurmel von der Bar war verstummt, und hinter den langen Fenstern döste der Garten im nachmittäglichen Sonnenlicht, leer und schweigend.

Die Tanzfläche vibrierte unter Sarahs Füßen, als sie sich zu den Klängen eines unsichtbaren Orchesters im Walzerschritt wiegte und drehte: »Der Mond in einer Märchennacht und jede süße Melodie . . .«, summte Sarah und blieb ruckartig stehen. Wieder diese Melodie! Janets Melodie. Vielleicht spukte es in diesem Ballsaal. Vielleicht hatte Janet hier letztes Jahr zu der Melodie getanzt – und in früheren Jahren . . .

Sarah blieb stockstill in der Mitte des schummerigen, verlassenen Tanzbodens stehen und versuchte sich ein Bild von Janet im Ballkleid zu machen, dachte an all die jungen Männer, die hier während der Kriegsjahre auf Fronturlaub getanzt hatten und dann weggegangen waren, um in Burma und Malaya, Nordafrika und Italien zu sterben; in japanischen

Kriegsgefangenenlagern und auf der berüchtigten Todes-Eisenbahn . . .
Und wie sie dort stand, nahm ihr Auge eine schwache Bewegung wahr. Die Vorhänge, die vor der Bühne hingen, hatten sich ganz schwach gekräuselt, als ob jemand sie ein oder zwei Zentimeter beiseite gezogen hätte, um hindurchzuspähen und sie dann wieder sanft zufallen zu lassen.
Sarah stand völlig still. Lauschte. Ja. Da war jemand auf der Bühne hinter den Vorhängen, denn in der Stille konnte sie sehr schwach das Tappen leiser Füße über die nackten Bretter vernehmen. Ein Hund oder eine Katze? Aber die Vorhänge hatten sich in der Höhe eines Menschenkopfs bewegt. Ein Hotelbediensteter, der im Schutz der Vorhänge eine kurze Siesta hielt?
Hundert zu eins war es nur ein Dienstbote! redete Sarah sich ein. Es war albern, sich selbst an so harmlosen Plätzen wie diesem irgendwelche Dinge einzubilden, und deshalb würde sie selber nachschauen.
Leichtfüßig lief sie über die Fläche und die niedrige Treppe hinauf, die zur Bühne führte, tat einen tiefen Atemzug, schlug den Vorhang beiseite und betrat die dahinterliegende Bühne.
Diese war weit größer, als sie erwartet hatte, aber nichts bewegte sich dort, außer den träge fallenden Stäubchen im Sonnenlicht.
Die weite Fläche teppichloser Bühnenbretter stieg gegen die Rückwand leicht an. Dort befand sich ein einziges langes Fenster. Nach der Düsternis des Ballsaals schien die Bühne diesseits der Vorhänge voller Licht.
Die Sonnenstrahlen, die durch das hohe Fenster fielen, bildeten symmetrische Muster auf den nackten Brettern und fielen schräg auf die Stühle und Tische, die aufeinandergestapelt an den Bühnenwänden standen. An einer Seite führten ein paar Stufen aus Beton weiter nach unten – wahrscheinlich zu den Umkleideräumen. Auf der entgegengesetzten Seite, wohin die Sonnenstrahlen nicht drangen, wand sich eine steile, geländerumspannte Treppe in die Schatten der oberen

Galerie hinauf. Eine Galerie, die eine Fortsetzung derjenigen war, die an einer Seite des Ballsaals oben entlanglief.
Da war jemand oder etwas auf der Treppe; Sarah wußte nicht recht, warum sie dessen so sicher war. Vielleicht hatte eine Stufe geknackt, oder zwischen den staubigen Schatten hatte etwas geflackert . . . Die leere Bühne dehnte sich weit und still im trägen Nachmittagslicht, und die schweren Falten der Vorhänge hingen dunkel und unbewegt; kein Laut drang vom Ballsaal dahinter zu ihr herüber. Das Mobiliar an den Wänden, die sorgfältig aufgestapelten Tische, die ineinander gedrehten Korbstühle, die Umrisse der kretonnebezogenen Sofas und Armsessel, die roten Plüschvorhänge schienen Sarah einzuschließen. Sie straffte die Schultern, ging festen Schrittes auf den Fuß der spiralförmigen Treppe zu und spähte in die staubige Dunkelheit hinauf.
Irgend etwas bewegte sich über ihr auf der Treppe, und für den Bruchteil einer Sekunde erblickte sie ein Gesicht, das aus den Schatten da oben zu ihr herunterstarrte. Dann drehte sich der Betreffende um, und sie hörte das hastige Tappen nackter Fußsohlen auf der Treppe, gefolgt von dem Geräusch eilig fliehender Füße auf der oberen Galerie.
Sarah wirbelte herum, rannte über die Bühne und schlüpfte durch die Vorhänge zurück. Von der Vorbühne aus konnte man zur Ballsaalgalerie hinaufschauen. Sie hatte gerade noch Zeit, um eine Gestalt durch die Außentür flitzen zu sehen: eine Gestalt, die ein braunes weites Gewand und den weißen Turban eines Kaschmiri trug und die sie für ein Mitglied des Hotelpersonals gehalten haben würde, hätte sie nicht einen kurzen Blick auf das Gesicht seines Besitzers geworfen, den sie auf der dunklen Treppe angetroffen hatte.
Sie besaß ein gutes Gedächtnis für Gesichter, doch selbst wenn sie es nicht gehabt hätte, wäre es unmöglich gewesen, dieses eine zu vergessen, das sie erst vor etwa einer Stunde gesehen hatte. Es war das pockennarbige Gesicht des fetten, kleinen Gehilfen in Ghulam Kadirs Pappmaché-Laden an der Vierten Brücke in der Altstadt Srinagars.
Wie sie noch dort stand und über den Ballsaal hinweg zu der

zur Hälfte sichtbaren Tür auf der Galerie hinaufstarrte, bewegten sich abermals die Vorhänge hinter ihr. Sarah fuhr herum, das Herz im Munde.
»Charles!«
»Hallo, Sarah.«
»Jesses!« ächzte Sarah. »Hast du mir aber einen Schrecken eingejagt. Was hast du da gemacht?«
»Dich beobachtet«, bekannte Charles. Er steckte sich eine Zigarette an. Seine Augen betrachteten sie nachdenklich über der gelben Flamme seines Feuerzeugs. »Du weißt, Sarah«, Charles blies die Flamme aus, »daß du entschieden zu neugierig bist. Zu neugierig und zu mutig. Und unter den gegenwärtigen Umständen ist das eine unglückliche Kombination. Ich würde mich sehr viel wohler fühlen, wenn du zur Abwechslung berücksichtigen könntest, daß Besonnenheit der bessere Teil der Tapferkeit ist«.
»Weißt du, wer dort hinter dem Vorhang war?« fragte Sarah. »Also, ich werd's dir sagen –«
Doch sie kam nicht dazu, weil Charles rasch einen Schritt vortrat und ihr seine linke Hand über den Mund legte. »Scht!« flüsterte Charles. »Hier gibt's zu viele Augen, Sarah, und zu viele Ohren.« Dann hob er die Stimme, als setze er eine Unterhaltung fort: »– es war auch eine sehr gute Band. Sie wurde von einem Mann von der Polizei dirigiert, der Chapman hieß und der auch verdammt gut Golf spielen konnte und –«
Es war aber nur Meril Forbes, die durch den Eingang geeilt kam, der unterhalb der Bühne aus dem Ballsaal in den langen, weißgetünchten Garderobengang führte.
Sie bot das gewohnte Bild zerstreuter Unsicherheit und stieß beim Anblick der beiden heraus: »Oh! . . . Hat – hat einer von euch Tante Ena gesehen? Sie hatte mich zum Zigarettenholen geschickt. Und der Himmel mag wissen, wo sie jetzt ist: ich habe überall nachgesehen. Sie haßt es so sehr, wenn man sie warten läßt. O Gott, man könnte fast denken, sie täte so was mit Absicht!«
»Natürlich tut sie das«, bemerkte Hugo, der mit dem Hut in

der Hand durch den Eingang geschlendert kam: »Kennst du nicht das schöne Wort? ›Sie tut es nur aus Übermut und weiß sehr wohl, wie weh es tut.‹ Aber du solltest dich nicht darüber aufregen, liebe Meril. Tatsache ist, daß deine bejahrte Tante draußen im Auto sitzt. Leicht geröstet.«

»O Gott!« wiederholte Meril hilflos und eilte durch den Ballsaal davon.

»Armes Kind«, bemerkte Hugo mitfühlend, als er der fliehenden Gestalt nachschaute. »Zu schade, daß ihr nicht jemand ein wenig Rückgrat vermitteln kann. Ah, da bist du ja, Sarah. Ich sollte dich suchen. Meine Gemahlin bat um deine sofortige Ergreifung. Sie möchte schnurstracks nach Hause. Kommst du?«

»Ja«, antwortete Sarah dankbar. Sie drehte sich um und lief die kleine Bühnentreppe hinunter, um Hugo auf der Tanzfläche zu treffen.

»Hat Charles eine Besichtigungstour mit dir gemacht?«

»Ja«, sagte Charles, der ebenfalls von der Bühne herunterkam. »Ich habe Sarah alles über die fröhlichen Zeiten erzählt.«

»Ob ihr's glaubt oder nicht«, entsann sich Hugo, »es hat sogar die historische Stunde gegeben, in der ich mich einst selbst auf der Bühne dort produzierte. Wenn mich mein Gedächtnis nicht trügt, sang ich ein Duett mit einem Mädchen namens Mollie Soundso. Ein geschmackvolles Liedchen über eine Bank in einem Park – oder war es etwas wie auf Zehenspitzen durch Tulpen? Ich kann mich nicht erinnern. Ich weiß aber noch, daß meine Hosenträger bei der Gelegenheit die Höhen der Unmoral erklommen. Sie gaben unter der Anstrengung des hohen C nach, und meine Hosen rutschten. Beim Publikum kam es gut an. Ich glaube, ich darf mit Fug und Recht und ohne Eitelkeit behaupten, daß ich ein Bombenerfolg war. Die Zuschauer kugelten sich in den Reihen. Wäre jemand in der Lage gewesen, einen Bindfaden oder eine Sicherheitsnadel zu besorgen, so hätte ich ein Dutzend Dacapos geben können. So aber blendete uns unser prüder Bühnenmeister einfach aus und ließ die Show à tempo weiterlaufen. Ach, ja! Das waren noch Zeiten!«

Irgendwo vor dem Hotel ertönte eine Serie ungeduldiger Hupgeräusche.
»Das ist zweifellos meine bessere Hälfte, deren Nerven zu reißen beginnen«, kommentierte Hugo die Geräuschkulisse. »Los, Sarah. Laß uns einen Zahn zulegen.«

17

An jenem Nachmittag trank Sarah auf dem Deck des Creedschen Hausboots Tee und blickte über den See hinaus zu den Bergen hinter Shilamar. Weidenzweige bildeten einen grünen Vorhang von Seide über dem Teetisch, und ein Trio kecker kleiner Bulbuls flirtete in den Zweigen und zwitscherte nach Krümeln.
Der See schien im Sonnenlicht des späten Nachmittags zu träumen. Die Strahlen spiegelten sich auf der friedlichen Oberfläche wider, nur gelegentlich von einem vorbeifahrenden Eingeborenenboot, einer *shikara* oder dem Aufplatschen eines prachtvoll gefiederten Eisvogels durchbrochen. Sarah spielte gedankenverloren mit einem Gurken-Sandwich und überlegte, ob sie auf die *Waterwitch* zurückkehren und ihre Suche fortsetzen solle, entschied sich aber dagegen. Der Gedanke, den friedlichen Sonnenschein und den bequemen Liegestuhl an Fudges Seite zu verlassen, um in den dunklen, staubigen Ecken der *Waterwitch* herumzuwühlen, war abstoßend. Obgleich ihr Gewissen gegen ihre Neigung ankämpfte, siegte die Neigung, und Miß Sarah blieb, wo sie war; beobachtete, wie die Schatten über dem Wasser länger wurden und die Berge sich in den Strahlen der sinkenden Sonne safrangelb, rosa und rot färbten, derweil Subhana, der Creedsche *mānji*, den Teetisch abräumte.
Lacro, endgültig genesen von seinem Abenteuer der vergangenen Nacht, schnüffelte und stöberte zwischen Schilfgestrüpp und Weiden am Uferrand. Fudge und Sarah saßen müßig, die Hände im Schoß, und blickten durch die weichen

blauen Schatten über den See, während einige *shikaras* und Eingeborenenboote in Richtung auf die Nagim-Bagh-Brücke an ihnen vorbeizogen. Ihre Paddel tauchten rhythmisch in das Wasser.

Ein Geruch nach Holzfeuer durchzog die stille Luft, und kurz darauf erstrahlte das Licht auf der Spitze des kleinen Steintempels, der den Hügel von Takht-i-Suliman krönte im warmen abendlichen Licht, wie der erste Stern an einem blassen Himmel. Von irgendwoher aus dem Creedschen Küchenboot ertönte eine Stimme, die ein klagendes Kaschmirilied voller seltsamer Triller und Schluchzer zu singen begann.

»Wo ist Hugo?« fragte Sarah plötzlich.

»Was?« Fudge erwachte ruckartig aus ihren Träumereien. »Hugo? Er fuhr zum Nagim-Klub, um einen Burschen zu treffen, der sich dort aufhält und am Anschlagbrett des Klubs eine Forellenangel zum Verkauf angeboten hat. Hugo wollte einen Blick darauf werfen. Ich glaube, das muß er schon sein –«

Hinter den Weiden, die den Feldweg säumten, der vom Hausboot zur Nagim-Straße führte, wurden Stimmen laut. Fudge seufzte und sagte: »Verdammt! Er hat jemanden mitgebracht; und ich hatte mich so sehr auf einen friedlichen Abend mit Nichtstun gefreut. Nun werden wir dasitzen, Drinks zu uns nehmen und stundenlang höfliche Konversation machen müssen. Ich nehme an, es ist dieser Kerl mit der Angel.

»Nein«, sagte Sarah, die aufgestanden war und durch die Weidenzweige spähte. »Es ist Charles.«

»Oh«, sagte Fudge mit merkwürdiger Betonung. Sie sah Sarah von der Seite an und lachte. »Immer noch an ihm interessiert, Sarah?«

»Nein, natürlich nicht«, beteuerte Sarah hastig.

»Was bedeutet, daß du's doch bist. Also bitte – hier kommt deine Chance.« Sie stand auf und winkte Hugo zu, der unten am Ufer angelangt war.

»Ich habe einen Gast mitgebracht«, rief Hugo hinauf. »Treib uns einen Drink auf, Schatz. Wir kommen nach oben.«

Fudge ging über das Deck und rief etwas zu Subhana hinunter, als Hugo und Charles, von Lacro enthusiastisch begrüßt, auf dem Dach des Hausboots erschienen.
»Ich entdeckte Charles im Klub«, erklärte Hugo. »Ich wußte gar nicht, daß er dort abgestiegen ist. Er möchte gern im Mondschein mit dir poussieren, Sarah.«
»Hugo!« mahnte Fudge. »Ich wünsche, daß du diesen häßlichen Ausdruck nicht gebrauchst.«
Charles lachte. »In Wahrheit«, sagte er milde, »wollte ich mich erkundigen, ob ihr mit mir zu Abend essen würdet. Anscheinend ist heute ein Tanzabend im Klub, und obgleich ich nicht glaube, daß die Besucherzahl groß sein wird, könnte es ganz spaßig werden. Der Sekretär hat um zahlreiches Erscheinen gebeten.«
Fudge lächelte und schüttelte den Kopf. »Das ist nett von dir, Charles. Ich glaube aber, Tanz wäre heute abend nichts für mich. Ich hab' ein wenig Kopfweh und würde lieber einen friedlichen häuslichen Abend verleben und früh zu Bett gehen. Aber nimm doch Sarah mit. Ich bin sicher, ihre Kaschmirikenntnisse wären nicht komplett ohne einen Tanzabend im Nagim in einer Mondscheinnacht.« Fudge wandte den Kopf zur Seite und blickte über den See hinaus, wo die sinkende Sonne die Gulmarg-Gebirgskette als eine flache lila Silhouette von dem safrangelben Himmel abhob: »Es wird eine wundervolle Nacht«, sagte sie.
Charles wandte sich an Sarah. »Wie steht's, Sarah? Hättest du Lust, mitzukommen? Leider kann ich dir keinen besonders amüsanten Abend versprechen: Wir können froh sein, wenn ein halbes Dutzend Paare im Klub aufkreuzen.«
Sarah zögerte einen Augenblick, sah von Fudge zu Charles und wieder zurück. Charles, der ein wenig die Haltung verändert hatte, so daß er mit dem Rücken zu den Creeds stand, senkte für den Bruchteil von Sekunden ein Augenlid. »Ja, ich hätte große Lust«, ging Sarah prompt darauf ein. »Wollt ihr bestimmt nicht mitkommen, Fudge?«
»Ganz bestimmt nicht!« erklärte Fudge fest. »Trotzdem vielen Dank, Charles.« Sie lächelte ihm zu, und Hugo sagte

traurig: »Ich, wie ihr bemerkt, habe bei dieser Angelegenheit nichts zu melden.«
»Oh, Schatz!« sagte Fudge schuldbewußt, »möchtest du wirklich hingehen? Gut, dann gehe ich mit, wenn du Spaß daran hast. Ich kann ja ein Aspirin nehmen.«
»Unsinn«, winkte Hugo ab, »ich wollte dich nur aufziehen. Nach dem gräßlichen Sturm von gestern dürfte mir ein langer Schlaf guttun. Ich habe kaum ein Auge zugetan. Außerdem bin ich auch schon ein ziemlich alter Gaul. Meine Glanzzeiten sind vorbei. Jetzt sind jüngere, muntere Pferdchen wie Sarah und Charles an der Reihe, in der Arena herumzugaloppieren. Alles, was ich jetzt noch zu dem Trubel beitragen könnte, wäre ein Schnarchen.«
Subhana und Ayaz Mohammed erschienen oben an Deck mit einer Auswahl von Gläsern und Getränken. Nachdem Hugo mit großzügiger Hand Sherry und Whisky ausgeschenkt hatte, saßen die vier in dem grünen Zwielicht, redeten und lachten, während ein riesiger, aprikosenfarbener Mond über den Bergen hinter Shalimar aufstieg und einen schimmernden Silberpfad über den See legte.
Wenig später blickte Fudge auf ihre Uhr und fragte Charles, an welche Zeit er für das Abendessen gedacht hatte.
»So gegen acht, dachte ich. Der Tanz wird kaum vor neun losgehen.«
»Nun, es ist gleich acht«, erinnerte Fudge. »Ich will dich nicht drängen, Sarah, aber wenn du dich noch umziehen willst, solltest du jetzt besser gehen.«
Sarah sprang auf, und Charles sagte: »Ich werde auf dich warten. Dann gehen wir zusammen zum Klub. Das heißt, falls es dir nichts ausmacht, einen Blick in die Zeitung zu werfen, solange ich mich umziehe. Oder wäre es dir lieber, ich komme zurück und hole dich in etwa einer halben Stunde ab?«
»Nein. Wart hier auf mich. Ich brauche nicht länger als zehn Minuten«, rief Sarah ihm zu und verschwand mit Lacro über den Lukeneinstieg.
Abdul Gaffoor, ihr *mānji,* schaltete die Lichter auf der

Waterwitch an, als sie auf dem Boot ankam. Sie blieb nur kurz stehen, um ihm mitzuteilen, daß sie zum Abendessen nicht da wäre, und begab sich zu ihrer Schlafkajüte. Sie konnte sich eines kleinen Schauders nicht erwehren, als sie durch die stillen Räume ging, und war dankbar für das Tapsen von Lacros Pfoten und sein aufgeregtes Schnuppern und Winseln, als er an den Dielen schnüffelte, hinter denen wohl ein einladender Rattengeruch lockte.

Über ihr ganzes Bett verstreut lag ein unordentlicher Haufen der Päckchen, die sie an diesem Morgen eingekauft und die Abdul Gaffoor und der Creedsche Träger vom Auto hereingetragen hatten; Sarah war ziemlich verärgert, als sie sah, daß jedes Päckchen geöffnet, die Bindfäden zerschnitten und die Papierhüllen nur flüchtig wieder über die Souvernirs gestülpt worden waren. Abdul war wohl neugierig auf ihre Einkäufe gewesen und hatte überall hineingeschaut. »Wenigstens hätte er soviel Anstand haben sollen, alles wieder richtig zuzumachen!« schimpfte Sarah laut vor sich hin.

Sie raffte den ganzen Haufen hastig zusammen und stopfte ihn in ein leeres Schrankfach hinein. Als sie Schuhe und Kleid wechselte, fuhr ihr plötzlich ein Gedanke durch den Kopf. Sie erstarrte und blickte gebannt auf das Bett, wo eben noch die Päckchen gelegen hatten. Dann fuhr sie herum, öffnete den Schrank und sah ihren Verdacht sofort bestätigt; es bedurfte keines Augenblicks, um zu erkennen, daß jemand all ihre Habseligkeiten durchwühlt hatte.

Ordentlich gestapelte Unterwäsche lag nicht mehr ganz so ordentlich an ihrem Platz, wie sie sie zurückgelassen hatte. Ein Satz von sorgfältig gerollten Strümpfen war durcheinandergebracht worden, und die Anordnung der Schuhreihe am Boden des Hängeschranks hatte sich geändert – Sarah stellte die Laufschuhe stets an den Beginn der Reihe, gefolgt von Hausschuhen und den Abendschuhen. Jetzt standen ein paar goldene Abendsandaletten zwischen blauen Wildlederhausschuhen und braunen Wanderschuhen . . .

Es gab noch andere Anzeichen, die an sich unbedeutend waren, doch immerhin anzeigten, daß jemand einen überaus

gründlichen Blick auf ihre sämtlichen Besitztümer geworfen hatte. War es lediglich Neugier seitens Abdul Gaffoors, oder gab es dafür eine weniger angenehme Erklärung? Sarah war plötzlich ungemein dankbar, daß sie als Vorsichtsmaßnahme Charles' Waffe immer bei sich in der Tasche trug und sie niemals aus den Augen gelassen hatte, außer –
In jäher Panik riß sie die Tasche an sich und öffnete sie, aber die Pistole war noch da, mit einem Chiffonschal umwickelt. Sie tat einen tiefen Atemzug der Erleichterung und betrachtete sie gedankenvoll. Sie konnte doch an einem Tanzabend wirklich keine Waffe bei sich tragen! Außerdem würde sie ja mit Charles zusammensein, und da der Raum bereits durchsucht worden war, war es höchst unwahrscheinlich, daß sich ihn jemand nach so kurzer Zeit nochmals vornehmen würde. Zu diesem Schluß gelangt, nahm sie die Pistole heraus und stopfte sie unter ihr Kopfkissen. Dabei fiel ihr Blick auf ihren Reisewecker und sie stellte mit Bestürzung fest, daß sie die zehn Minuten bereits überschritten hatte, die sie fortzubleiben versprach.
Himmel! dachte Sarah. Ich bin entsetzlich spät dran, und Charles wird denken, ich gehöre zu den nervtötenden Weibern, die immer zehn Minuten sagen, dreißig meinen und fünfzig brauchen! Rasch eilte sie zum Schrank zurück, wählte ein raffiniert schlichtes Abendkleid aus weißem Leinen mit kühnem schwarzen Laubmuster und schlüpfte in ein Paar weiße Seidensandaletten. Das dürfte für diesen Abend genügen, dachte Sarah – und für Charles.
Einige Minuten später war sie fertig angezogen. Sie warf einen letzten Blick in den Spiegel und suchte im Schrank nach einer Abendtasche. Die Auswahl, die sich ihr bot, erwies sich indes als nicht zufriedenstellend. Deshalb schnappte sie sich nach einem weiteren Blick auf die Uhr und einem Ausruf des Unwillens die weiße Wildledertasche, aus der sie die kleine Pistole entfernt hatte. Nachdem sie ein kurzes Pelzcape an sich genommen und die Lichter gelöscht hatte, kehrte sie mit Lacro auf den Fersen zum Creedschen Boot zurück.
Charles mußte schon nach ihr Ausschau gehalten haben,

denn er kam über die Laufplanke herunter, als sie sich dem Boot näherte. »Hast du etwa die Absicht, die kleine Töle mitzunehmen?« fragte er. »Weil er nicht in die Klubräume hinein darf, weißt du.«
»Keine Sorge. Ich bitte Hugo, ihn im Auge zu behalten: Lacro ist ganz vernarrt in ihn und wird sich still verhalten, solange Hugo in der Nähe ist. Sowie ich ihn allein lasse, beträgt er sich abscheulich und jault ununterbrochen wie eine verlorene Seele. Wir ließen ihn heute morgen in der Obhut des *mānji*, doch ich fürchte, er ist ein Snob. Ich glaube, er schätzt die ›Gesellschaft‹ der *mānjis* nicht, denn ich erfuhr, daß er kaum eine Atempause eingelegt hat. Er begann zu heulen, als wir ihn verließen, und wir konnten ihn schon auf der Nagim-Straße hören, als wir um halb vier zurückkamen. Doch bei Hugo beträgt er sich wie ein Engel. Stimmt's, Lacro, du kleines Scheusal?«
»Wer nimmt vergebens meinen Namen in den Mund?« fragte Hugo, der im offenen Eingang am oberen Ende der Gangway auftauchte.
»Ich«, rief Sarah hinauf. »Hugo, sei ein Schatz und kümmere dich um Lacro. Er hat seine Abendmahlzeit bekommen, wenn ich ihn aber allein auf dem Boot lasse, wird er jaulen, bis ich wiederkomme.«
»Okay«, seufzte Hugo. »Schleuder ihn hoch. Hoppla, Lacro – Junge – nein, du brauchst mir keine Löcher in den Schuh zu beißen, um mir deine Zuneigung zu beweisen. Gute Nacht, Charles. Viel Spaß, Sarah.«
»Werd' mich bemühen«, versprach Sarah. »Gute Nacht, Hugo.« Sie erhob die Stimme und rief durch die Weidenzweige hinauf: »Gute Nacht, Fudge«, doch vom Bootsdeck kam keine Antwort, und Hugo sagte: »Sie ist schon zu Bett gegangen – es ist wohl ihre Migräne, fürchte ich. Ich werde ihr einen Gutenachtgruß von dir sagen.« Er winkte fröhlich mit der Hand. Sie kehrten dem Ufer den Rücken, umrundeten den schattigen Stamm eines hohen Chenarbaums und gelangten auf den mondbeschienenen Pfad, der durch die Felder zur Nagim-Straße führte.

»Gute Arbeit«, sagte Charles, ergriff Sarah am Arm und eilte mit ihr den Pfad zwischen dem jungen Korn entlang. »Ich brauche heute nacht ein Alibi, und das bist du. Verdammtes Ding!« ... er war auf ein Stück verrostetes Stück Blech getreten, das einer der *mānjis* hingelegt hatte, um eine Querrinne im Weg zu überdecken, die der Regen vergangene Nacht mit lehmigem Wasser gefüllt hatte. Es hatte laut und protestierend unter seinem Fuß geknirscht, als hätte ein nächtlicher Raubvogel in den Feldern geschrien.

»Ich hätte die Creeds bitten sollen, mitzukommen und einen Blick auf dieses Ding zu werfen«, sagte Charles, »doch Fudges Migräne hat mir einen Haufen Mühe erspart.«

»Was hast du eigentlich vorhin gemeint? Wofür brauchst du mich als Alibi?« fragte Sarah.

Bevor er antwortete, blickte Charles rasch über die Schulter, doch das ausgedehnte Mondlicht auf den Feldern bot wenig oder keine Deckung. Außerdem waren sie außer Hörweite der Boote und Bäume. Nichtsdestoweniger senkte er die Stimme, als er ihr erklärte: »Ich habe heute nacht eine Verabredung. Auf einer Insel im See. Nicht gerade die Art von Örtlichkeit, die ich mir selber ausgesucht hätte, doch ich nehme an, es hat seine Gründe. Wie auch immer, unter den gegebenen Umständen möchte ich mich nicht allein dorthin treiben lassen. Es würde nicht meinen Gewohnheiten entsprechen und könnte leicht Anlaß zu Gerede und Aufsehen geben. Andererseits gibt es kaum etwas, was die Burschen in Kaschmir lieber tun, als mit einem Mädchen in einer *shikara* rund um den See zu fahren. Niemand würde es daher im mindesten merkwürdig finden, wenn ich mit der schönen Miß Parrish eine Mondscheinkahnfahrt mache. Selbst wenn Fudge und Hugo sich entschlossen hätten, mitzukommen, hätte es wohl kaum mehr als ein nachsichtiges Grinsen und Augenzwinkern hervorgerufen, wenn ich für ein oder zwei Stunden mit dir zum Kahnfahren verschwunden wäre.«

»Was ist das denn für eine Verabredung?« fragte Sarah, deren Augen vor Erregung glitzerten. »Und mit wem?«

»Mit einem unserer Männer. Du sahst ihn gestern – zweimal,

wenn ich nicht irre. Beim zweiten Mal hast du ihn wohl ziemlich erschreckt!«
Sarah blickte mit zusammengezogenen Brauen fragend zu ihm auf. »Ich verstehe nicht. Ich habe heute niemanden, den ich nicht kenne, gesehen, außer –« Sie zog mit einem heftigen Atemzug die Luft ein und blieb stehen. »Doch nicht – doch nicht der Mann aus dem Laden?«
»Genau«, nickte Charles. »Der Gehilfe mit dem pockennarbigen Gesicht. Du sahst ihn im Hotel wieder, glaube ich.«
»Aber – aber ich verstehe nicht«, wiederholte Sarah. »Was tat er in dem Hotel?«
»Er versuchte, mich zu treffen«, sagte Charles und zog sie weiter. »Er ist einer unserer besten Agenten. Wir setzten ihn hier vor zwei Jahren an. Der Laden war auch eine sehr geschickte Tarnung. Er hoffte, heute morgen eine Gelegenheit zu finden, mit mir zu sprechen, als wir alle dort waren. Aber wegen des Kundenmobs, der dort aufkreuzte, war er zu sehr beschäftigt und wollte das Risiko nicht eingehen. Immerhin konnte er mir ein Zeichen geben. Was er tat, als er mir die Zigarettenschachtel anbot.«
»Was war es?« fragte Sarah wispernd.
»Keinesfalls etwas Sensationelles, fürchte ich«, versetzte Charles mit einem Grinsen. »Er kratzte lediglich mit dem kleinen Finger der linken Hand sein Kinn. Mit einer Bewegung, die in Kurzschrift NGB heißt und entschlüsselt soviel wie ›bedaure, kann nichts machen – übergebe dir‹ bedeutet. Also erwähnte ich unverzüglich *Nedou's Hotel* und daß ich dort zu Mittag speisen würde. Ich sprach auch beiläufig von der Bühne.«
»Ja«, sagte Sarah langsam. »Ich erinnere mich.«
»Ahamdoo schaltet enorm schnell, und das war ausreichend für ihn. Aber das Treffen im Nedou war leider ein Reinfall – größtenteils deinetwegen, muß ich sagen! Du bist hineingeplatzt, bevor er Zeit fand, mir ein Wort zu sagen. Wir hörten dich kommen. Er flitzte davon und war schon auf der Treppe zur Galerie, als du auf der Bühne erschienst, sichtlich voller Argwohn. Danach ist es mir zwar noch gelungen, ihn

einzuholen, doch entweder glaubte er, er würde verfolgt oder sei von seinem Todfeind entdeckt worden, denn er war in blinder Panik und konnte es kaum abwarten, wegzukommen. Er flüsterte mir nur noch rasch zu, daß er heute nacht Punkt elf auf der Char-Chenar-Insel wäre, und war schon auf und davon, mir blieb kaum Zeit zum Atemholen, und ich konnte gerade noch mit dem Kopf nicken; ich muß gestehen, ich hätte dir mit Wonne den Hals umgedreht, weil du unsere Verabredung zum Platzen brachtest!«

»Du hättest mich eben vorher warnen sollen«, konterte Sarah, die sich der beliebten Taktik bediente, daß Angriff die beste Form der Verteidigung sei. »Und überhaupt, wo warst du?«

»Ich saß in einem der Armsessel, die mit dem Rücken zu dir standen. Die Rückenlehne war zwar hoch, aber ich brauche dir nicht zu sagen, Sarah, daß du mir ein paar eklige Momente beschert hast. Du konntest mich nicht bemerken, es sei denn, du hättest zwischen den Möbeln herumgestöbert; andererseits konnte ich dich auch nicht sehen und wußte nicht, wer zum Teufel da eigentlich war. Ich wagte mich nicht zu rühren, bis ich dich zur Wendeltreppe gehen hörte. Glaub mir, mir fiel ein Stein vom Herzen, als ich sah, daß du es warst.«

»Warum hast du es mir nicht sofort gesagt?« fragte Sarah entrüstet. »Ich war wie gelähmt vor Schreck. Du hättest es erklären sollen!«

»An einem Platz, wo es von Menschen wimmelt? Kaum!« erwiderte Charles derb.

»Was für Menschen präzise?« fragte Sarah wißbegierig.

Charles sah zu ihr herunter und schüttelte dann den Kopf, denn inzwischen waren sie in der Nähe eines kleinen Dorfes angelangt. Einige Meter weiter verließ der Pfad das Feld und wand sich zwischen einer Handvoll hoher, baufälliger Kaschmirihäuser hindurch, bevor er die Hauptstraße erreichte, die sich nach beiden Seiten weiß und ausgestorben im Vollmondschein erstreckte.

Die Akazienbäume, die sie säumten, pflasterten die staubige Straße mit Schatten und füllten die Luft mit Wohlgerüchen.

Die wenigen Läden – gebrechliche Bauwerke, die während der kurzen Blütezeit Nagim Baghs aus unabgelagerten Deodarhölzern hastig errichtet wurden – waren größtenteils geschlossen und stumm. Nachdem sie diese sicher passiert hatten und in Richtung auf den Klub weitergingen, wiederholte Sarah ihre Frage.

»Nun«, sagte Charles bedachtsam, »da wäre zum einen Reggie Craddock.«

»Aber der wird doch nicht in eine Sache wie diese verwickelt sein?« stieß Sarah entsetzt hervor. »Ja, ich weiß, er hat versucht, mich von dem Boot zu vertreiben, aber – o nein! Er könnte es nicht. Wirklich nicht. Schließlich ist er Engländer!«

Charles erwiderte trocken: »Meine liebe Sarah, Geld spricht alle Sprachen. Und hier geht es um viel Geld.«

»Demnach glaubst du, daß Reggie . . .?« begann Sarah.

»Ich glaube gar nichts«, erklärte Charles kurz. »Er könnte aber zum Beispiel Schulden haben. Wenn solche Burschen in die Hände indischer Geldverleiher geraten, können sie in gräßlichen Fallstricken enden. Ich will gar nicht gesagt haben, daß er es wirklich ist; aber Reginald Craddock macht mich etwas neugierig. Er kannte Janet Rushton, und soviel ich weiß hatte er sie aufrichtig gern; obgleich mir das kein ausreichender Grund zu sein scheint, dich von Janets Boot weghaben zu wollen. Craddock gehörte auch zu der Gruppe in der Skihütte. Und er war heute zu einer Zeit in Ghulam Kadirs Laden, als dort eine äußerst wichtige Botschaft weitergegeben werden sollte.«

»Was sagst du da?« Sarah blieb einen Moment auf der mondhellen Straße stehen. »Oh, du meinst die, die der pockennarbige Mann an dich übergeben wollte?«

»Nein, das meine ich nicht. Der Laden wird für so manches als Tarnung benutzt. Ich glaube, man kann sagen, daß sein ältlicher respektabler Besitzer vorsichtig genug ist, um an Intrigen oder Anschlägen nicht aktiv teilzunehmen. Er gestattet einzig und allein, daß sein Laden gegen eine hübsche fette »Gebühr« als eine Art Nachrichtenumschlagplatz benutzt wird, wo die Gegenseite Informationen sammelt und weitergibt. Irgend etwas war für heute geplant. Ahamdoo war überzeugt davon. Ich habe da meine eigenen Vorstellungen, wie es ausgeführt werden sollte, aber ich kann mich auch irren. Wir haben jeden überprüft, der den Laden heute betreten oder verlassen hat. Reggie war natürlich auch darunter.«

»Wenn es nur darum geht, so bin ich auch verdächtig. Und genauso eine Menge anderer Leute – du inbegriffen«, sagte Sarah schlagfertig.

»Ich weiß. Trotzdem bin ich aber ganz besonders an Major Reggie Craddock interessiert ... Hier, links – das ist der Klub.«

Sie bogen durch ein offenes Tor und gingen eine lange, dreispurige Auffahrt entlang, die sich durch einen Obstgarten schlängelte und zu Rasenflächen, gepflegten Blumenbeeten und einem flachen Klubgebäude am äußersten Ende des Nagim-Bagh-Sees führte. Als sie sich diesem näherten, sagte Sarah, die einige Minuten geschwiegen hatte, nachdenklich:

»Ich frage mich, ob du für jeden, der heute morgen in diesem Laden gewesen ist, ein Motiv hättest?«

»Selbstverständlich«, versicherte Charles fröhlich. »Ich kann verschiedene Theorien aufstellen, die auf jeden einzelnen passen würden; die für dich bestimmte ist sogar die beste von allen.«

»In diesem Falle überrascht es mich, daß du mir das alles so freimütig anvertraust«, sagte Sarah auflachend.

»Woher weißt du, ob ich das wirklich tue?« fragte Charles sanft. Sarah starrte ihn verblüfft an, doch bevor sie Zeit fand, eine empörte Antwort zu formulieren, hatte Charles sie in den Klub gelotst, in einen Sessel am Rand der Tanzfläche gesetzt, einen Tomatensaft bestellt und versprochen, sie nicht lange warten zu lassen. Dann war er in Richtung des klubeigenen Wohntrakts verschwunden und hatte sie mit einem Stapel illustrierter Zeitschriften und zwei gelangweilten Klub-*khidmatgars* allein gelassen, die an der Bar am Ende des Raums miteinander tuschelten.

Am Rande des Tanzsaalparketts gab eine tiefreichende Fensterfront den Blick auf den See und eine lange, unbedachte Veranda frei, die von hölzernen Säulen gestützt wurde und mit Stühlen und Tischen besetzt war. Sarah verließ ihren Platz, trat hinaus und blickte auf eine mondbeschienene Wasserfläche, die am anderen Ufer von einer Anzahl schwach sichtbarer Hausboote begrenzt wurde, aus denen gelegentlich ein senkrechter Lichtschein fiel. Die Mehrzahl davon – im Gegensatz zu den vielen Booten, die nahe am Ufer vertäut lagen – schien unbewohnt. Dahinter über fernen Baumkronen, erhob sich dunkel das geduckte Massiv des festungsgekrönten Hari Parbat und bildete einen scharfen Kontrast zu der mondüberfluteten Ebene und der langen Linie der glitzernden Schneegipfel, die den fernen Rand des Tals säumte.
Sarah stützte sich mit den Armen auf die Verandabrüstung und starrte über das im Mondlicht schimmernde Wasser hinaus auf die schneebedeckten Hänge des Apharwat, die sich über der dunklen Baumlinie des Khilanmarg erhoben. Irgendwo dort oben, ein Punkt in der weißen Wüste, lag die kleine Skihütte. Und irgendwo darunter, zwischen meilenweiten Wäldern, lagen die weitläufigen Hotelgebäude und das kleine Hotelzimmer, in dem ihr phantastisches Abenteuer begonnen hatte. Und als sie auf jene fernen Bergketten schaute, fragte sie sich erneut, warum sie eigentlich weiterhin in Kaschmir blieb, wo sich seit jener Nacht, in der sie vom Vollmondschein geweckt worden war, so grauenhafte Dinge zugetragen hatten.
Sie hatte die Gegend doch mit einem Gefühl der Erleichterung verlassen und tiefe Dankbarkeit empfunden, daß sie sie niemals wieder würde sehen müssen. Doch eine Mischung aus Herausforderung und Neugier sowie ein Versprechen, das sie einem toten Mädchen gegeben hatte, hatten sie wieder hierher zurückgeführt. Seitdem hatte sie in einem ununterbrochenen Zustand der Furcht und Anspannung gelebt. Warum also blieb sie, wo es doch so leicht war, den Pierces in Ceylon ein Telegramm zu schicken, ein Auto zu mieten, in weniger als einem Dutzend Stunden in Rawalpindi zu sein

und noch am gleichen Tag mit dem Grenzexpreß gen Süden zu rasen? Ließe sie die Vernunft walten, würde sie jetzt wohl ans Packen und an sofortige Abreise denken. Aber sie hatte überhaupt nicht die Absicht, abzureisen. Sie wurde sich, im Gegenteil, eines Gefühls erhöhter Lebensfreude bewußt. Obwohl sie letzte Nacht auf der *Waterwitch* Entsetzliches erlebt hatte. Ähnliches war ihr heute widerfahren. Zuerst in Ghulam Kadirs Laden und später im *Nedou's Hotel*, als sie hinter der Bühne zur dunklen Wendeltreppe emporschaute. Aber all dies schien nicht zu zählen. Alles, was zählte, war, daß sie sich jung und lebendig fühlte und daß das Leben herrlich aufregend war – weil sie mit Charles zum Dinner ging.
Sarah lächelte im Mondlicht ein wenig schuldbewußt in sich hinein und dachte: du darfst es ebensogut zugeben. Du bleibst nicht nur aus uneigennützigen Motiven hier und nimmst es eben hin, daß du dabei zu Tode erschreckt wirst. Du bleibst nur darum hier, weil du dich in einen Mann verliebt hast, der leider schon mit einer hübschen Blondine namens Cynthia liiert ist! Du hast herrliche Zeiten damit verbracht, mit der Liebe zu spielen und die Männer in dich verliebt zu machen, aber jetzt hast du dir die Finger verbrannt. Cynthia hin oder her, du scherst dich keinen Deut darum, wie viele Leute sich gegenseitig abmurksen und ob das gesamte Britische Empire und der Subkontinent Indien dabei draufgeht, solange du nur bei Charles sein kannst.
Frauen, schloß Sarah zynisch, waren eben seltsam! An diesem Punkt wurden ihre Überlegungen von Captain Mallory unterbrochen, der – in korrektem Smoking – an der Verandabrüstung auftauchte und zwei Gläser Sherry brachte.
»Der hier ist für dich, Sarah.«
»Danke.« Sarah nippte an ihrem Sherry und sah Charles über den Rand ihres Glases an. »Wer ist Cynthia?« fragte sie unvermittelt.
»Wer ist Cynthia? Ist das nicht ein Lied? Oder meinst du vielleicht meine Schwester?«
»Deine Schwester! Du hast eine Schwester, die Cynthia heißt?«

»Habe ich wirklich. Sie wird dir gefallen.«
»Oh.« Sarah lächelte entzückt und verwirrt. Ja, sie fühlte sich jung und lebendig, und das Leben war herrlich aufregend – weil sie mit Charles zum Dinner ging . . .
Außer einem melancholischen Gentleman mit Kneifer und Tweedanzug sowie einem jugendlichen Paar, das unter dem Tischtuch Händchen hielt und eine lebhafte Unterhaltung im Flüsterton führte, war der Speisesaal im Wohntrakt des Klubs völlig leer. Charles und Sarah dinierten etwas abseits an einem Tisch in einer Fensternische, von wo aus sie die Rasenflächen und den See bis zu den Bergen überblicken konnten. Der melancholische Gentleman verschwand schließlich, kurz darauf folgte ihm das Pärchen. Aber Charles und Sarah saßen tief in ihre Unterhaltung versunken . . .
Sarah fühlte sich wunderbar. Ihre grünen Augen leuchteten, und ihre Kupferlocken schimmerten in dem matten Licht der gelblichgrauen Deckenlampen. Im gegenseitigen Einverständnis berührte die Unterhaltung nicht das Geschäft, das Charles in das Tal geführt hatte. Sie waren fast am Ende der Mahlzeit angelangt, als ihr einfiel, daß man ihr Zimmer durchsucht und ihre Einkaufspäckchen geöffnet habe. »Du hattest doch nichts drin?« fragte Charles stirnrunzelnd. »Nichts Belastendes, meine ich?«
»Nein, Gott sei Dank nicht. Das einzig Belastende, das ich besaß, war die kleine Pistole, und die hatte ich in meiner Handtasche bei mir getragen. Zum Glück!«
»Allerdings«, bestätigte Charles nüchtern. »Ich verstehe nur nicht, warum überhaupt jemand an dem Zeug interessiert sein sollte, das du heute morgen eingekauft hast. Danach sieht's eher so aus, als ob es nur die Neugier deines *mānjis* gewesen ist. Hoffen wir's jedenfalls.«
Ein weißgekleideter *khidmatgar* brachte den Kaffee und fragte, ob sie ihn drüben im Tanzsaal oder draußen serviert haben wollten, doch Sarah wollte nicht umziehen. »Bis er dort ist, ist er kalt, und die Art von Kaffee, die sie hierzulande zubereiten, ist schon heiß getrunken schlecht genug.«
Sie schenkte das blasse, unappetitliche Gebräu aus und über-

reichte Charles eine Tasse, wobei sie versehentlich etwas auf ihr Kleid schüttete.
»Zum Henker!« rief Sarah und griff nach ihrer Handtasche, um ein Taschentuch herauszuholen. Irgend etwas kam gleichzeitig mit ihm zum Vorschein – der kleine Pappmachè-Behälter für Zündhölzer, den Ghulam Kadir ihr am Morgen geschenkt hatte.
»Komplett mit Streichholzschachtel, wie ich sehe«, stellte Charles fest, ihn müßig zwischen den Fingern drehend. »Du wurdest bevorzugt. Ich bekam nur das Gehäuse ohne Schachtel.«
»Dieses hier ist genauso«, sagte Sarah, steckte das Taschentuch weg und nahm den kleinen Behälter zur Hand. »Nein, doch nicht. Aber ich hätte schwören können . . . He, das ist ja überhaupt nicht meiner. Schau! Meiner hatte fast das gleiche Muster, goldene Chenarblätter auf cremefarbenem Fond. Aber da waren noch so kleine pelzige Chenarknospen im Muster, während hier Bulbuls drauf sind. Jetzt weiß ich, wie's passiert sein muß! Wir legten doch alle die Sachen aus der Hand, als wir nach meiner Tasche suchten. Das war kurz nachdem man uns diese Dosen überreichte. Wahrscheinlich habe ich dann versehentlich einen anderen an mich genommen.«
»Du hast *was?*« fragte Charles scharf. »Rasch! Gib mir den Behälter! Die Chance steht tausend zu eins, aber –« Er zog die Streichholzschachtel heraus, die der kleine Behälter enthielt. Es waren jedoch keine Hölzer drin. Nur ein kleines Stück zusammengefaltetes Papier.
»Tausend zu eins«, wiederholte Charles in ehrfürchtigem Flüstern, »und, bei Gott, wir haben's geschafft! Dies hier war es natürlich, wonach sie suchten, als sie dein Zimmer durchkämmten.«
Er glättete das Stückchen Papier auf seiner Handfläche. Es trug eine einzige Zeile in anmutig verschnörkelter orientalischer Handschrift. Charles studierte sie mit zusammengezogenen Brauen.
»Was ist es?« fragte Sarah drängend. »Kannst du's lesen?«

»Ich kann es gut lesen, habe aber keine Ahnung, was es bedeutet. Es ist eine Zeile aus einem persischen Gedicht.«
»Was bedeutet sie?«
»Nun, ziemlich frei übersetzt bedeutet sie ›der Autor‹ – oder besser: ›der Geschichtenerzähler – reiht seine klugen Worte auf wie Perlen an der Schnur‹.«
»›Der Geschichtenerzähler reiht seine klugen Worte auf wie Perlen an der Schnur‹«, wiederholte Sarah langsam. »Was, um alles in der Welt, soll das heißen? Ist es ein Code?«
»Weiß der Himmel«, sagte Charles. »Es kann alles mögliche heißen. Vielleicht ein Losungswort. Immerhin haben wir endlich etwas. Und was noch besser ist: Die Tatsache, daß es die Person, für die es bestimmt war, nicht erreichte, hat sicherlich gewaltige Verwirrung gestiftet. Ich könnte mir vorstellen, daß wir einen guten Schritt vorangekommen sind.«
Charles rollte das kleine Stück Papier zusammen und steckte es in seine Brusttasche. »Nun versuche dich um Gottes willen zu erinnern, von welcher Stelle du die Schachtel genommen hast, Sarah. Kannst du dir noch ein Bild davon machen, wo sie gelegen hat oder wessen Sachen daneben gelegen haben? Haben wir einen Anhaltspunkt, wer sie ursprünglich besaß, dann hätten wir die Schlacht praktisch gewonnen. Denk nach, Sarah!«
Sarah nahm den Kopf zwischen die Hände und blickte eine lange Minute grübelnd auf das Tischtuch hinunter.
»Es hat keinen Zweck«, sagte sie. »Tut mir schrecklich leid, aber ich habe keinen blassen Schimmer, wer sie gehabt haben könnte. Jemand fand meine Tasche – Hugo –, und ich sah diese Streichholzschachtel und glaubte, es sei meine. Sie war so ähnlich, und ich hatte keine Zeit, einen Blick auf die Behälter der anderen zu werfen. Ich nehme an, ich nahm sie einfach und steckte sie in meine Tasche. Ich glaube, ich nahm sie von dem großen geschnitzten Tisch. Oder könnte sie auf dem Diwan gelegen haben? Ich bin mir nicht sicher. Aber – o nein – –!«
»Was ist?«

»Begreifst du nicht? Wenn dies wirklich die Botschaft gewesen ist, die heute jemandem übergeben werden sollte, dann muß das einer von *uns* sein! Einer aus der Gruppe im Laden. Ein Europäer. Engländer . . . !«

»Nicht unbedingt«, sagte Charles langsam, den kleinen Behälter zwischen den Fingern drehend. »Wir haben an alles zu denken. An jede Möglichkeit. Außer denen, die wir heute dort trafen, waren noch etliche andere Leute da, die heute morgen den Laden besuchten. Es liegt auch im Bereich des Möglichen, daß jemand, der vor unserer Ankunft den Laden verließ, den gleichen Irrtum beging wie du. Eine Dose hingelegt und die verkehrte wieder aufgenommen. Da lagen eine ganze Menge von diesen Streichholzbehältern auf den Tischen der Ausstellungsräume herum.«

»Du hältst es aber nicht für sehr wahrscheinlich?« warf Sarah scharfsinnig ein.

»Nein«, sagte Charles bedächtig. »Ich halte es nicht für wahrscheinlich.«

»Dann denkst du, es könnte –«

»Ich denke, je rascher wir über diese orientalische Spielerei Bescheid wissen, desto besser«, versetzte Charles grimmig. »Ich könnte mir vorstellen, daß es unter Umständen sicherer für dich wäre, mit einer Zeitbombe als mit dem Ding da in der Tasche herumzugehen.«

»Das kann ich nicht glauben.«

»Nicht? Je schneller du es tust, desto besser für dich.«

»Das glaube ich nicht. Ich glaube nicht, daß es die Botschaft ist. Warum sollte sich jemand bemühen, es so verhüllt weiterzugeben – so abwegig? Es klingt albern und kompliziert – und viel zu weit hergeholt für mich.«

»Was du dir nicht vor Augen hältst, ist, daß der Orient abwegig *ist*. Er wird es immer vorziehen, ein Ziel vom Ende her anzugehen, als direkt darauf loszumarschieren; es ist das Versäumnis des Westens, das zu verstehen, deshalb stolpern wir so oft darüber. Im übrigen, wie ich dir schon sagte, ist der Laden nichts anderes als ein Umschlagplatz für Informationen, nur zur Annahme und Weiterbeförderung bestimmt.

Wer immer die Botschaft sandte, wird sie wohl nicht persönlich abgeliefert oder sich auch nur in der Nähe des Platzes aufgehalten haben. Wahrscheinlich ist sie sogar durch verschiedene Hände gegangen; nur um die Spur zu verwischen und sicher zu sein, daß sie nicht zur Quelle zurückverfolgt werden kann.«
»Vom Ende her, in der Tat«, bemerkte Sarah.
»Sehr richtig. Jeder, der damit in Berührung kam, hat sicher einen gründlichen Blick darauf geworfen und nichts damit anfangen können. Du kannst aber deinen letzten Heller darauf verwetten, daß es für den richtigen Empfänger einen Sinn ergibt – und für sonst niemanden! Komm nun, Sarah, laß uns tanzen gehen.«
Er stand auf und führte sie geschwind aus dem Gebäude über den mondbeschienen Pfad dorthin, wo der Klang einer großen Musiktruhe anzeigte, daß der Tanz im Saal offiziell begonnen hatte.
Inzwischen sah es im Klub schon erheblich bunter aus. Mehrere hohe Barhocker waren von überzähligen Männern besetzt, während an die acht bis zehn Paare zu der Musik des Plattenspielers tanzten: unter ihnen mehrere Leute, die Sarah kannte.
Meril Forbes trug ein blaßblaues Taftkleid und tanzte mit Major McKay, und einer von den Coply-Zwillingen hatte sich mit einer unbekannten Blonden zusammengetan. Auch Reggie Craddock war da, ebenso Helen Warrender – in einer dekolletierten Kreation mit glitzernden grünen Pailletten, die eher zu einem Ball beim Vizekönig als zu einem Grammophongehopse im Klub gepaßt hätte; sie tanzte mit einem hochgewachsenen O-beinigen mit riesigem strohblondem Schnurrbart, von dem Charles zu berichten wußte, daß es ein Oberst Grainger war; ein Vierer, wie er hinzufügte.
»Und was heißt das, bitte?« fragte Sarah sanft.
»Polo-Handikap. Er wird auf vier Tore eingeschätzt, für welche Seite er auch spielt. Johnnie war ein Siebener.«
»Was ist er heute?«
»Ein Gewesener«, sagte Charles kurz.

»Ist Johnnie nicht dort drüben an der Bar?« fragte Sarah. »Ich nehme es an, das ist sein gewohnter Stammplatz, der ihn zu dem gemacht hat, was er jetzt ist, der arme Teufel.«
Die Schallplatte lief zu Ende. Die Tänzer standen auf dem Parkett und applaudierten oberflächlich, während der Klubsekretär die nächste Platte auflegte. »Hallo, Meril«, sagte Charles und ging mit Sarah zu Major McKay und seiner Partnerin hinüber. »Ist Tante Ena heute abend auch hier?«
Meril zuckte nervös zusammen und drehte sich um. »Oh! ...oh, hallo, Charles. Äh ... Nein, Tante Ena fühlte sich nicht recht wohl. Sie wollte kommen. Ich meine ...« Meril fummelte nervös an ihrer kleinen, mit bunten Perlen und Pailletten besetzten Abendtasche, ließ sie fallen und bückte sich ungeschickt, um sie aufzuheben.
Charles kam ihr zuvor, überreichte sie ihr und sagte mit gespielter Strenge: »Willst du mir etwa erzählen, deine Tante denkt, ihr beide sitzt brav im Institut?«
»Nun – nun, ja«, Meril schluckte.
Charles sah den geröteten Gesichtsausdruck Major McKays und stieß einen hörbaren Pfiff aus. »George, ich muß mich über dich wundern! Ich hatte keine Ahnung, daß sich hinter deiner unschuldigen Fassade soviel Doppelzüngigkeit und Draufgängertum verbergen. Hast du bedacht, was Tante Ena sagen wird, wenn sie entdeckt, daß du ihre Nichte statt zu dem Vortrag ›Drei Jahre auf Borneo‹ – mit handgemalten Diapositiven – zu einer rauschenden Orgie wilden Nachtlebens entführt hast?«
»Nun – äh – es ist nämlich so«, begann Major McKay unsicher. »Ich – äh – das heißt –«
»Ich bat ihn, mich hierherzubegleiten«, unterbrach Meril trotzig. Zwei hellrote Flecke brannten auf ihren sonst so blassen Wangen, und Sarah stellte mit Erstaunen fest, daß sie ausgesprochen hübsch aussah. »Ich hasse Lichtbildervorträge, und ich hasse das Institut, und ich wüßte nicht, warum ich statt dessen nicht lieber tanzen gehen sollte. Schließlich kann es Tante Ena nicht im geringsten stören. Sie ging schon zu Bett.«

»Ich würde es George nicht einmal nachtragen, wenn er ihr etwas in den Kaffee getan hätte«, versetzte Charles heiter. »Du mußt auf diese Ärzte aufpassen, Meril. Verdammt gefährliche Burschen.«
»Mein lieber Charles«, sagte Major McKay beleidigt, »ein Scherz ist ein Scherz, aber du solltest wirklich nicht –« er fing Charles' Augenzwinkern auf, grinste und sagte: »Jedenfalls vielen Dank für den guten Rat. Ich werd's mir merken.«
Charles lachte und zog Sarah auf die Tanzfläche zurück.
»Ich habe George falsch eingeschätzt«, sagte er. »Ich glaube, er wäre sogar fähig, Meril zu ermuntern, für sich selber einzustehen, wenn Lady Candera herausfindet, was er im Schilde führt, und ihm befiehlt, niemals wieder ihre Schwelle zu betreten.«
»Wenn du mich fragst«, gab Sarah zurück, »so braucht Meril keine Ermunterung. Wenn man ihr glauben darf, so war es ihre Idee, diesen Lichtbildervortrag zu schwänzen und sich statt dessen ins Nachtleben zu stürzen. Deshalb bin ich sicher, daß du und Fudge – und wer sonst noch Interesse daran hat – schon losmarschieren könnt, um die silbernen Fischbestecke und Toaströster zu besorgen.«
»Du klingst ein wenig verschnupft, Sarah-Herzchen. Meril ist nur eine Art von knochenlosem Wunder. Du kennst ihre Tante noch nicht so lange wie wir, sonst würdest du verstehen, warum es uns solch einen Spaß macht, den alten George behutsam zur Rettung vorgehen zu sehen. Es schenkt uns das gleiche Gefühl, als ob wir ein paar stämmige Londoner Bobbies dabei beobachteten, wie sie – unterstützt von sämtlichen Hilfsmannschaften der örtlichen Feuerwehr –, über eine vierzig Meter hohe Leiter klettern, um ein Kätzchen zu retten, das auf einem Fabrikdach hockt.«
Sarah lachte. »Ich weiß. Und ich bin auch nicht echt verschnupft. Es geht mir nur gegen den Strich, wenn sich eine meiner Geschlechtsgenossinnen – insbesondere eine, die wie Meril Ski laufen kann, eine hübsche Figur hat und sogar hübsch aussehen könnte, wenn sie sich die leiseste Mühe gäbe – so entsetzlich schlapp aufführt!«

»Das kommt davon, wenn man in der WRAF gedient und eine Uniform getragen hat«, sagte Charles grinsend. »Der Anblick einer echt weiblichen Frau, samt flatternden Nerven, Furchtsamkeit und Hitzewallungen, ganz zu schweigen von Migräne und Angst vor Mäusen, erfüllt dich mit heftiger Gereiztheit.«
»Das tut es in der Tat! Dies ist das Atomzeitalter – so traurig es ist –, und jemand, der so rückgratlos wie Meril Forbes ist, sollte schleunigst in die Brontë-Romane zurückversetzt werden, wo er hingehört. Allerdings, wenn sie sich schon zum Tanzen wegschleicht, sobald das Auge ihrer Tante nicht mehr auf ihr ruht, dann habe ich das Gefühl, daß noch Hoffnung besteht. Wenn sie nur einen Funken Mumm besäße, würde sie sich betrinken, nach Hause gehen und –«
Sarah hielt inne, zog die Stirn kraus und ließ einen Tanzschritt aus.
»Was ist los?« fragte Charles.
»Nichts – nur hatte ich plötzlich das sonderbare Gefühl, etwas zu zitieren, was jemand anders schon gesagt hat ...«
Und just als sie es aussprach, war die Erinnerung wieder da.
Natürlich. Es war Janet gewesen, die in der Skihütte am Khilanmarg ungeduldig gesagt hatte: »Was dir fehlt, Meril, ist ein gehöriger Rausch, um deiner Tante die Unabhängigkeitserklärung aufzusagen ...« Aber sie weigerte sich, heute nacht an Janet zu denken. Resolut verdrängte sie die Erinnerung aus ihrem Gedächtnis und war dankbar, daß die Platte in diesem Augenblick zu Ende ging und ihr einen Vorwand gab, das Thema zu wechseln. Der Sekretär ließ pflichtschuldigst noch ein paar Platten abspielen. Dann schloß er den Plattenspieler für eine Pause und die Tänzer verteilten sich an die diversen Tische am Rande des Parketts, begaben sich an die Bar oder auf die Veranda.
Charles führte Sarah zu einem Stuhl auf der Rasenfläche draußen und rief einen herumlungernden *khidmatgar* heran, um Getränke zu bestellen. Zweimal brummte ein Auto hinter ihnen und brachte verspätete Besucher; Tänzer kamen und gingen, und nachdem sie kurze Zeit dort gesessen hatten,

hörten sie das Knirschen des Schotters auf dem Weg hinter der Rasenfläche, als jemand in Richtung des Parkplatzes wegging.
»Wer war das?« fragte Charles und drehte seinen Stuhl.
»Reggie, glaube ich«, antwortete Sarah und versuchte, durch das Gemisch aus Mondlicht und Schatten zu spähen. »Ich konnte es aber nicht genau erkennen. Warum?«
Charles gab keine Antwort. Kurz darauf hörten sie ein Auto starten. Es fuhr davon und bog, dem Geräusch nach, nach links in Richtung Nasim ab. Als sie es nicht mehr hören konnten, stand Charles auf und sagte: »Laß uns reingehen und tanzen. Wir haben noch eine Viertelstunde bis wir aufbrechen müssen.« Sie gingen gemeinsam über den Rasen zurück. Als sie den Tanzsaal wieder betraten, beugte er sich zu ihr herunter und fragte: »Glaubst du, du könntest dir den Anschein geben, du seist an einer Romanze mit mir interessiert? In etwa fünfzehn Minuten müssen wir diesen Klub verlassen. Angeblich, um gemeinsam in den Mond zu schauen. Kannst du versuchen, deinen Part zu spielen?«
»Meinst du, ich könne einer ansonsten dürftigen und wenig überzeugenden Geschichte Glaubwürdigkeit verleihen?« murmelte Sarah schalkhaft.
Charles lachte und zog sie in die Arme. »Vielleicht. Immerhin haben sie eine entsprechend anfeuernde Melodie für uns aufgelegt.«
Sie bewegten sich auf die Tanzfläche zu, während eine volltönende Tenorstimme vom Plattenspieler verkündete: »Die Leute werden sagen, wir sind verliebt!«
»Hoffen wir es«, sagte Charles. Er war ein exzellenter Tänzer. Sarah senkte ihre langen Wimpern und gab sich ganz dem süßen Schwingen und Wiegen der Musik hin:

> Seufze nicht, schau mich nicht an –
> Es gleichen deine Seufzer schon zu sehr den meinen,
> Laß deine Augen nicht wie meine leuchten,
> Die Leute werden sagen, wir sind verliebt . . .

»Du machst das wundervoll«, flüsterte Charles ihr ins Ohr. Die Musik hörte auf. Sarah öffnete die Augen und applaudierte mechanisch.
Obgleich der Tanz bereits anderthalb Stunden dauerte, waren mehrere Leute offenbar schon gegangen. Sarah konnte weder Reggie Craddock noch Helen Warrender erblicken. Ein Coply-Zwilling saß draußen auf der Veranda und sprach mit einem Mädchen, das Sarah nicht erkennen konnte. Der Farbe des Stoffs nach zu schließen, handelte es sich wohl um Meril Forbes. Gleichwohl gab es verschiedene Neuhinzugekommene: unter ihnen Mir Khan in einer Sechsergruppe, die Sarah allesamt fremd waren. Er verbeugte sich ihr gegenüber und lächelte, sagte aber nichts.
Johnnie Warrender saß noch an der Bar und schien sich allmählich in einem gefährlichen Zustand zu befinden. Seine Stimme war durch das Stimmengewirr und die Schallplattenmusik noch deutlich vernehmbar.
»Helen?« sagte Johnnie mit schwerer Zunge. »W-wie s-soll ich das wissen? Wa-wahrscheinlich weg, um irgendwo herumzupoussieren. Sie ver-ver-achtet mich. Da-das ist es. Genau w-wie das Sh-Shakespeare-Weib. ›O schwache Willenskraft! Gi-gib mir die Dolche!‹ Da-das ist Helen!«
»Hmm«, meinte Charles, als er mit Sarah an der Bar vorübertanzte. »Sehr aufschlußreich. Ich möchte wissen –« Er kam nicht dazu, seinen Satz zu beenden, denn in diesem Augenblick kippte Johnnie mit einem lauten Krach von berstendem Glas von seinem Hocker, rappelte sich mit Hilfe seines Nachbarn hoch und verließ unsicheren Schritts das Gebäude.
Wieder wechselte die Musik, und einen Augenblick später erschauerte Sarah.
»Was ist?« fragte Charles ruhig. »Kalt?«
»Nein, es ist die Melodie. Sie scheint mich zu verfolgen.«

Der Mond in einer Märchennacht
Und jede süße Melodie
Sie wurden nur für dich gemacht ...

»Warum?«

»Janet sang sie draußen vor der Skihütte am Khilanmarg; während sie ihre Skier anschnallte. Und – und seitdem scheint sie immer wieder aufzutauchen. Sie spielten es in jener Nacht in Peshawar. Die Nacht, als ich ihren Brief las –«

»Ja«, sagte Charles. »Ich erinnere mich.«

»Und nun schon wieder!«

»Vielleicht ist es ein Omen. Diesmal ein gutes, wollen wir hoffen.«

Die große Uhr an der Wand schlug die Viertelstunde. »Komm«, sagte Charles. »Wir müssen uns auf den Weg machen.« Er warf einen Blick auf seine Uhr und fluchte. »Verdammt und zugenäht!« zischte Charles mit unterdrückter Wut. Dann ergriff er Sarahs Arm und zog sie von der Tanzfläche weg.

»Wieso? Was ist los?«

»Es ist meine eigene verdammte Schuld«, sagte Charles erbost. »Ich hätte die Uhrzeit nicht von jener Uhr dort ablesen sollen. Es ist schon fünfzehn Minuten drüber. Mach fix!«

»Tut mir leid«, sagte Sarah bestimmt, »aber da ich annehme, daß es ein längerer Ausflug wird, muß ich zuerst noch einen Sprung in den Waschraum tun.«

»Mußt du? Also gut, nur beeil dich! Ich geh' schon und kümmere mich um meine *shikara*. Ich treffe dich oben an der Treppe am Ufer. Gleich rechts am Ende des Gebäudes. Mach schnell!«

Er verschwand in der Nacht, und Sarah huschte in den Garderobenraum.

Die Damentoilette des Nagim-Klubs betrat man von einem kleinen Vestibül, das von der Eingangshalle abzweigte. Sarah legte ihre Handtasche auf den Frisiertisch und tat einen raschen Blick in den Spiegel. Vor dem Fenster waren leichte, laufende Schritte zu hören, kurz darauf gefolgt von einem schwachen Geräusch am Ende des Ganges, der vom Umkleideraum nach links führte, wo die Toiletten lagen. Es hörte sich an, als ob jemand entweder leise eine Tür geöffnet oder geschlossen hatte.

Sarah betupfte ihre Nase mit einer Puderquaste und lief in den Gang. Sie versuchte die Tür der ersten Toilette zu öffnen, fand sie aber abgesperrt. Doch die nächste in der Reihe war offen. Als sie die Tür hinter sich schloß, war auf der anderen Seite des Gangs ein leise raschelndes Geräusch zu hören, gefolgt von einem erstickten Lachen. Sarah gab nicht weiter darauf acht, aber als sie den Handgriff drehte, um die Toilette wieder zu verlassen, ging die Tür nicht auf. Oh, verdammtes Ding! dachte Sarah verzweifelt. Jetzt stecke ich hier wahrhaftig fest! Sie riß an der Klinke, doch die Tür blieb standhaft.
Ein orientalisches Sanitärsystem war, wie fast überall in Kaschmir, auch in der Klubanlage Usus. Demzufolge hatten die Toiletten jeweils zwei Türen: die rückwärtige führte in einen schmalen Gang, der fast ausschließlich für die Toilettenwärter reserviert war. Hastig entriegelte Sarah diese Tür. Aber nur um festzustellen, daß sie gleichfalls abgeschlossen war. Abgeschlossen . . . Natürlich, das war's! Die Türen waren nicht verklemmt. Jemand hatte sie eingesperrt. Alberner Scherz eines echten Spaßvogels, dachte Sarah, als sie sich an das leise Lachen von vorhin erinnerte. Aber Charles hatte gesagt »Beeil dich!«, und er wartete an der Treppe am Ufer auf sie: sie *mußte* hier raus.
Sie hämmerte mit den Fäusten an die Tür und schrie, so laut sie konnte, bis der widerhallende Lärm in der kleinen weißgetünchten Zelle sie fast taub gemacht hatte. Als sie jedoch innehielt, um zu lauschen, konnte sie kein Geräusch vernehmen, außer den fernen Klängen der Musiktruhe aus dem Tanzsaal. Mit wachsender Angst konstatierte sie, daß sie sich hier ohne jeden Erfolg heiser schreien konnte. Über die Stimmen- und Musikgeräusche im Tanzsaal hinweg konnte kein Mensch sie hören, solange keine andere Frau die Damentoilette betrat.
Ausgerechnet in einem Klo eingesperrt! dachte Sarah wütend. Die unwürdigste, albernste und dümmste aller Situationen!
Der Wortlaut eines albernen Reims aus ihrer frühen Schulzeit kam ihr ungebeten in den Sinn:

»Drei alte Ladies saßen irgendwo
Sechs Tage eingesperrt auf einem Klo!
Keiner konnte es verstehn
Keiner hatte es gesehn . . .«

Sarah kicherte hysterisch und wurde gleich darauf von einem weiteren Stich Panik getroffen. »Keiner hatte es geseh'n . . .« Das war das Schlimme daran. Charles wußte zwar, wo sie war, konnte aber schwerlich den Affront begehen, die geheiligte Damentoilette zu betreten, um sie zu suchen. So dringend sein Wunsch nach Eile auch sein mochte, sie war überzeugt, daß sein angelsächsisches Taktgefühl ihm verbieten würde, eine solche Verletzung der Etikette zu begehen.
Es schien jedoch, als habe sie Charles' Respekt vor Konventionen überschätzt.
Sie hörte, wie die Tür zum Waschraum energisch geöffnet wurde, schrie erneut und vernahm Charles' Stimme: »Wo, zum Teufel, steckst du?«
»Hier drinnen!« rief sie zurück. »Ich bin eingesperrt!«
Das Geräusch rascher Fußtritte und eines Riegels, der zurückgeschoben wurde. Die Tür sprang auf und ließ sie in Charles' Arme stürzen.
»Alles in Ordnung mit dir?« fragte Charles scharf. »Was ist passiert?«
Sarah war unfähig zu antworten, denn sie wurde von einem unangemessenen Heiterkeitsausbruch erfaßt.
»Um Gottes willen, hör auf zu kichern!« schnaubte Charles.
»Ich ka-kann – nichts dafür«, gluckste Sarah. »Es ist so a-a-albern! Drei alte Ladies ei-eingesperrt auf einem Klo. O Mann –!«
Charles packte sie bei den Schultern und schüttelte sie, bis ihr Haar einer rotgoldenen japanischen Chrysantheme ähnelte. »Reiß dich zusammen, Sarah!« befahl er energisch. »Wie ist es passiert?«
»Ich weiß es nicht«, antwortete Sarah, während sie sich die Augen betupfte. »Als ich hereinkam, hörte ich ein leises Geräusch und jemand lachen. Und als ich rauswollte, merkte

ich, daß irgendein idiotischer Witzbold mich eingesperrt hatte. Dann bummerte und schrie ich ein bißchen, und dann kamst du. Das ist alles.«
»Wer war es?«
»Ich sage dir doch, ich weiß es nicht! Ich hörte nur, wie jemand lachte. Ich nehme an, man fand es furchtbar lustig. Es sollte wohl ein Scherz gewesen sein.«
»Wollen wir's hoffen«, versetzte Charles grimmig. »Komm, wir müssen hier raus. Wo geht's zur Hintertür?«
Er nahm sie am Ellbogen, hetzte sie durch den Gang hinter den Badekabinen und zur Außentür hinaus. Aber einmal im Freien, war er gezwungen, seinen Schritt zu verlangsamen, und so wandelten sie gemessen den Weg entlang.
Irgend etwas glitzerte und funkelte mit einem Aufblitzen grünlichen Feuers auf dem mondbeschienen Kies unter dem Fenster des Umkleideraums. Fast ohne nachzudenken, blieb Sarah stehen und hob es auf. Es war eine kleine grüne Paillette.

18

Charles nahm den Weg über den Pfad, umrundete das Ende des Gebäudes und gelangte zu einer Treppe breiter Steinstufen, die zum Wasser hinunterführten. eine Anzahl *shikaras* lag hier im Schatten eines großen Chenarbaums am Ufer vertäut. Ihre Crews schliefen geräuschvoll, und in jedem Bug blinkten rauchige kleine Öllampen als Fahrtlichter.
Eine einzige *shikara* war an die untere Stufe herangezogen worden. Eine schattenhafte Figur in Kaschmiritracht stand mit einem Fuß auf dem Bug, mit dem anderen auf der Treppe, und hielt so das Boot. Charles half Sarah hinein, raunte dem Mann einige Worte zu und folgte ihr. Der Mann stieß das Boot vom Ufer ab, sprang an Bord, kam an ihnen vorbei und schwang sich in das Heck, wo die Ruderer saßen.
Sie trieben schnell aus den Schatten des Ufers und hinaus in

das strahlende Mondlicht auf dem See. Sarah lehnte sich über den Bootsrand, um hinter die dick gepolsterte Scheidewand zu lugen. Sie diente den Fahrgästen als Rückenlehne und schirmte sie von der Crew ab. Sie konnte erkennen, daß vier Männer das Boot ruderten. Sie drehte sich wieder zu Charles um, der neben ihr saß und berührte dessen Schulter. Gedämpft fragte sie: »Ist es sicher?«

»Ist was sicher?«

»In einer öffentlichen *shikara* auf solch eine Art Ausflug zu gehen?«

»Es ist keine öffentliche *shikara*. Es ist eine private – und es sind alles ausgesuchte Männer.«

»Du meinst, es sind Briten? In Verkleidung?«

Charles stieß ein kurzes Lachen aus. »Sei nicht solch eine kleine Nachteule! Natürlich nicht. Sie kommen aus allen Schichten und Religionen dieses Landes. Hindus, Moslems, Sikhs, Dogras, Patharen, Parsen, Panjabis, Bengalis – jede Menge. Einer unserer besten Männer ist ein stiller kleiner *bunnia* (ein Krämer), der einen Laden im Basar von Delhi unterhält. Ein anderer lenkte eine *tonga* (zweirädriges, von Pferden gezogenes Fahrzeug) in der Altstadt von Peshawar.«

»Hm«, machte Sarah und war für eine Weile still.

»Was bedrückt dich?« fragte Charles leise.

»All diese Leute«, flüsterte Sarah, »und der Mann, der letzte Nacht für dich Wache gehalten hat – Habib. Und da war einer, den du an irgendeiner Stelle in der Nähe Gulmargs getroffen hast, und der pockennarbige Mann aus dem Laden, der dich treffen . . .«

»Was ist damit?«

»Nun, waren sie nicht alle hier, als Janet und Mrs. Matthews noch lebten?«

»Gewiß waren sie hier – außer Habib, selbstverständlich.«

»Und – und warum konnten sie ihnen dann nicht helfen? Warum hat nicht einer von ihnen Kaschmir verlassen und eine Botschaft nach Britisch-Indien gebracht?«

»Ich dachte, ich hätte dir bereits gesagt, warum«, sagte Charles ungeduldig. »Tatsache ist, daß wir eine bestimmte Zahl

von Leuten haben – wie diese Männer heute nacht –, die wir zu unserer Unterstützung abrufen können. Was nicht bedeutet, daß sie mehr als einen Bruchteil von dem wissen, was vorgeht. Nicht mehr, als ein junger Angestellter in einem gigantischen Multinationalkonzern weiß, was in dem Kopf des Vorstands einer Direktorenversammlung vorgeht! Über was jene beiden Frauen auch immer gestrauchelt sein mögen, es war bedauerlicherweise zu heiß, um von einem der ortsansässigen Helfer dieses Staates bewältigt zu werden. Und was noch bedauerlicher war, keine der beiden hatte erkannt – nach allem, was du mir von deiner Unterhaltung mit Janet berichtetest –, daß sie enttarnt worden waren. Bis es zu spät war, einen Trupp von Beobachtern zu bestellen, der ein sicheres Auge auf die beiden hielt. Vielleicht hielt es Mrs. Matthews zu jenem Zeitpunkt auch für weiser, von dieser Möglichkeit abzusehen. Das ist ein weiterer Punkt, den wir nie erfahren werden.«
»Das ist anzunehmen«, sagte Sarah und verfiel erneut in Schweigen.
Die Ruder hoben und senkten sich weich und rhythmisch, mit sanft monotonem Geräusch, als das Boot gleichmäßig durch das Wasser glitt. In jener Nacht wehte kein Lüftchen auf dem See. Der Fahrtwind reichte kaum aus, die ausgebleichten Baumwollvorhänge, die von der Baldachinverzierung über ihnen herunterhingen, zu bewegen.
Charles veränderte unentwegt seine Körperhaltung. Auch wenn sein Rücken scheinbar entspannt gegen die Kissen lehnte, wurde Sarah bald gewahr, daß er angespannt und in höchstem Alarmzustand war.
»Was ist? Warum befiehlst du ihnen nicht, schneller zu rudern?«
»Ich wage es nicht«, sagte Charles kurz, die Schultern abermals in einer kleinen ruckartigen Geste der Wachsamkeit bewegend. »Jemand könnte uns beobachten, und solange wir nicht außerhalb der Sichtweite des Klubs sind, dürfen wir nicht den Eindruck erwecken, als seien wir in Eile. Man glaubt uns auf einer romantischen Mondscheinfahrt und

nicht bei einer Regatta. Das Schlimme ist, daß wir sehr viel Verspätung haben.«
»Aber er wird doch sicher warten?« fragte Sarah ängstlich.
»Ahamdoo? Selbstverständlich. Es könnte aber für ihn gefährlich werden, dort zu lange rumzuhängen. Ich nehme an, daß er die Insel wählte, weil sie relativ leicht für mich erreichbar ist. Der Platz ist sicherer, weil ich ihn über das Wasser erreichen kann, statt über Land durch all die Basare und Hauptstraßen zu müssen. Es scheint mir dennoch eine ziemlich heikle Wahl gewesen zu sein.«
»Warum hast du dann zugestimmt?« wisperte Sarah.
»Ich hab's dir doch gesagt. Mir blieb keine Wahl!«
»Verzeih. Ich – ich hab's vergessen.« Wiederum sank sie in Schweigen. Charles drehte den Kopf und blickte dabei zurück, wo sich die Lichter des Klubs hinter ihnen im Wasser spiegelten. Etwa eine Minute später sagte er: »Okay, ich glaube, jetzt können wir unbesorgt aufdrehen.«
Er gab den Ruderern einen leise gesprochenen Befehl, und das Tempo der Ruderblätter erhöhte sich augenblicklich. Sarah hätte es nicht für möglich gehalten, daß das flache Holzboot eine derartige Geschwindigkeit erreichen konnte. Die vier herzförmigen Paddel tauchten ein und hoben sich, trieben den spitzen Bug mit einem Geräusch wie reißende Seide durch das Wasser, derweil die Vorhänge im Fahrtwind flatterten und klatschten.
Als sie sich dem Ende des Nagim-Sees näherten, wo das Wasser in schmale Kanäle abfloß, die nach Srinagar oder zum Dāl-See führten, gab Charles einen neuen Befehl. Sie verlangsamten ihre Geschwindigkeit, schwenkten nach links und glitten gemächlich unter dem schattigen Bogen der Nagim-Brücke hindurch.
Auf der Nagim-Brücke stand eine Gestalt. Irgendein Nachtschwärmer, der sich am Ende der Brücke gegen das Holzgeländer lehnte, wohin ein Baum einen schattigen Streifen warf. Das Ende einer Zigarette ließ in der Dunkelheit einen orangefarbenen Funken aufleuchten.
Jenseits der Brücke und mehr zur Linken dehnte sich das

Stauwasser von Chota Nagim. Sarah konnte die Umrisse des Creedschen Boots erkennen und dahinter das einzelne Buglicht, das die Position der *Waterwitch* markierte. Dann paddelten sie an Schilfrohrdickicht und dunklen Flecken von Lotosblättern vorbei, und kurz darauf glitt die *shikara* in einen weidenumsäumten Kanal, der nicht breiter war als ein Dutzend Meter, so daß die dünnen Zweige über dem Wasser einen Bogen formten und sich ineinander verflochten. Das Mondlicht brach in tausend silbernen Fragmenten hindurch und glänzte auf dem Wasser wie eine helle Puderschicht. Aber selbst hier änderten die Ruderblätter noch nicht ihren Rhythmus.

Charles schob eine Manschette zurück und spähte auf seine Uhr. Der grünliche, leuchtende Uhrkreis glühte matt im Schatten und erinnerte Sarah daran, daß sie immer noch die kleine grüne Paillette umschloß, die sie auf dem Kiesweg unter dem Fenster der Damengarderobe vom Nagim-Klub gefunden hatte.

Als die *shikara* die Düsternis des kurzen weidenbeschatteten Kanals verließ und wieder auf das offene Wasser kam, untersuchte sie ihren Fund. Die kleine grüne Paillette lag auf ihrer Handfläche, blinkte und blitzte im Vollmondschein, und sie war schon drauf und dran, sie über Bord zu werfen, als es in ihrem Hirn plötzlich wie bei einem Kameraverschluß Klick machte.

Eine grüne Paillette. Helen Warrender hatte ein Kleid getragen, das mit grünen Pailletten bestickt gewesen war. Also mußte Helen Warrender irgendwann den Pfad, der an der Hintertür der Damengarderobe entlangführte, passiert haben. Jemand anders würde selbstverständlich durch den Haupteingang in die Halle gekommen sein.

Sarahs Mund wurde schmal, und ihre Augen blitzten gefährlich. Ein Scherz? Keineswegs, dachte Sarah zornig. Sie wollte mich vor Charles lächerlich machen, und etwas Lächerlicheres, als sich selbst im Klo einzusperren, kann ich mir nicht denken. Sie möchte Charles für sich haben. Nun, sie wird ihn nicht bekommen, und damit basta –!

»Luder!« zischte Sarah, ohne zu bemerken, daß sie laut gesprochen hatte.
»Was ist los?« fragte Charles verblüfft.
»Nichts«, antwortete Sarah, schuldbewußt errötend. »Ich dachte nur gerade an etwas.«
Sie schnippte die kleine Pailette über Bord, wo sie im Mondlicht wie ein boshaftes kleines grünes Auge kurz aufblitzte und von den Ruderblättern weggewirbelt wurde – denn nun bewegten sie sich wieder mit hoher Geschwindigkeit.
Die *shikara* durchfuhr eine enge Wasserstraße, an einer grasbewachsenen Insel mit einer Reihe hoher Pappeln vorbei, die den Stränden von Nasim einen Arm entgegenstreckte. Dann erreichten sie die weite schimmernde Fläche des Dāl-Sees. Zu ihrer Linken, zwischen dunklen Baummassen an dem kurvigen Strand lag das Dorf von Nasim und die Moschee des Hazratbal; und weit in der Ferne, an der anderen Seite des Sees, lagen die Shalimar-Gärten und die Berge im Mondschein.
Wie ein gewaltiger Spiegel, glatt und schimmernd, breitete sich der See vor ihnen aus. Die Nacht war so still, daß das Eintauchen und Abstoßen der Ruder störend laut die nächtliche Ruhe durchschnitt. Dennoch war dies in jener Nacht nicht das einzige Boot auf dem Dāl-See. Da waren noch einige niedrige Eingeborenenboote, kaum mehr als dunkle Striche auf dem schimmernden Wasser: Angler – oder Hausboot-*mānjis*, die vom Besuch bei Freunden in den umliegenden Dörfern heimkehrten. Weiter draußen auf dem See, die weißen Baldachine gespenstergleich im Mondschein, mit Öllampen im Bug, sah man zwei weitere *shikaras*, die wie Nadeln durch das Silber stachen.
Inzwischen steuerte ihre eigene *shikara* von der Nasim-Küste fort auf die Mitte des Sees zu, und Charles hatte aufgehört, sich gegen die Kissen zu lehnen. Er saß aufrecht, ein wenig vorgebeugt. Seine Hände umklammerten die Knie, und er starrte intensiv geradeaus; Sarah folgte der Richtung seines Blicks, sah einen geisterhaften Schatten vor ihnen auf dem Wasser schwimmen und erkannte, daß es eine Insel war. Ein

winziges Eiland, von hohen Bäumen gekrönt, verlassen und anmutig in der Mitte des mondüberfluteten Dāl.

Zuerst war es nur ein Schatten, wie eine Silhouette im Silberrahmen; als sie aber näher kamen, verschärften und verdunkelten sich die Umrisse, und sie konnte nun erkennen, daß in der Mitte auf erhöhtem Grund ein kleines Gebäude stand, während an jeder Ecke ein riesiger Chenarbaum seine Zweige über das Wasser neigte.

Sarahs Auge wurde von einer Bewegung zur Rechten der Insel abgelenkt. Da war noch eine weitere *shikara* draußen auf dem See, eine weiße Motte im Mondlicht. Allein, da sie kein Fahrtlicht im Bug trug, ließ sich unmöglich feststellen, ob sie sich auf die Insel zu oder von ihr wegbewegte.

Charles hatte es ebenfalls gesehen. Er gab eine kurze Order an die Ruderer, und sie hielten ihre Paddel an. Ein oder zwei Augenblicke bewegte sich das Boot aus eigener Kraft, das Wasser plätscherte an den Seitenwänden; dann wurde es langsamer und kam allmählich zum Stillstand.

Sarah bewegte sich, und ihr Kleid raschelte auf den Kissen. Charles forderte mit einer knappen gebieterischen Geste absolute Stille. Er starrte in das Mondlicht hinaus, den Kopf ein wenig schief gelegt. Sarah saß ebenfalls still und lauschte. In der Stille konnte sie das rasche Atmen der Ruderer hinter sich hören sowie das Tropfgeräusch des Wassers von den Paddeln. Ein Fisch sprang, und ein Frosch quakte aus einem Flecken schwimmenden Rieds. Dann, sehr schwach, vernahm sie ein Rudergeräusch und wußte, daß Charles darauf gehorcht hatte.

Jene anderen Rudergeräusche wurden nicht lauter, sondern leiser, was wohl bedeutete, daß sich das Boot hinter der Insel entfernte. Doch da war noch ein anderes Geräusch irgendwo weit entfernt auf dem See. Eine kaum wahrnehmbare Vibration in der Stille, die wohl von einem Motorboot herrührte . . .

Charles wandte den Kopf und gab eine kurze Order. Die *shikara* bewegte sich erneut voran. Langsam jetzt, als ob keine Notwendigkeit zur Eile mehr bestünde; und kurz bevor

der Bug gegen den Ufersand knirschte, sprang Charles an Land. Sarah folgte etwas vorsichtiger, aber ihr auffällig gemusterter Rock war nahezu unsichtbar gegen das karierte Schwarz und Silber des Mondlichts und der Chenarbäume.
Das kleine Eiland konnte kaum mehr als dreißig Meter Durchmesser haben. Die vier großen Chenarbäume wurzelten auf der Höhe der Rasenfläche. In der Mitte des Anwesens führte eine Anzahl künstlicher Terrassen mit einer Böschung persischen Flieders zu einem kleinen Sommerhaus. Es bedurfte nicht mehr als weniger Minuten, die ganze Insel zu umrunden. Jedoch es war niemand da.
Charles sah wieder auf seine Uhr und starrte über das Wasser, wo sich ein schwacher weißer Punkt im Spiegelbild der Berge abhob. Es war die *shikara,* die sie hinter der Insel gesehen hatten und die sich jetzt in Richtung Srinagar fortbewegte.
In den lila Büschen raschelte ein Vogel, doch kein anderes Geräusch durchbrach die Stille, denn das leise Schlagen der Ruderblätter und auch das Tuckern des Motorboots waren verstummt. Während Sarah Charles angespanntes Profil beobachtete, das sich weiß von den tintenschwarzen Schatten des Chenarbaums abhob, durchrieselte sie ein jäher Schauer, der sie rasch über die Schulter blicken ließ, als erwarte sie, jemanden zwischen den Schatten hinter sich stehen zu sehen.
»Warum ist er nicht hier?« fragte sie. Sie hatte zwar laut sprechen wollen, doch irgendwie kam ihre Frage nur im Flüsterton heraus. Und es war ebenfalls ein Flüstern, als Charles darauf erwiderte: »Ich weiß es nicht. Entweder ist er nie gekommen oder . . .«
Er beendete den Satz nicht, und nach einem Augenblick fragte Sarah: »Oder was?«
Charles drehte sich um. In dem klaren Mondlicht wirkte sein Gesicht hart und verzerrt, wie das Antlitz eines Fremden. Es war, als sei er in wenigen Minuten um ein Jahrzehnt gealtert. Als hätte er Sarah völlig vergessen, sagte er gedämpft zu sich selbst: ». . . oder – er ist noch hier.«
Sarah trat rasch einen Schritt zurück, die Hände an ihrem Hals: »Noch hier? Du meinst – auf der Insel?« Ihre Stimme

klang merkwürdig rauh: »Sei nicht kindisch, Charles! Außer uns und den Bootsleuten ist keiner hier.«
»Möglich«, sagte Charles knapp. »Trotzdem sollten wir uns vergewissern.«
Er kehrte sich abrupt ab und begann zwischen den Büschen zu suchen. Dies war der Augenblick, in dem Sarah die volle Bedeutung seines Verhaltens erfaßte. Ihr Hirn war kalt und taub und stumpf und sie schien unfähig, sich zu rühren. Wie gebannt blieb sie stehen und starrte blind in die Schatten vor sich, während es in den Büschen um das kleine Sommerhaus raschelte, als Charles dazwischen herumstocherte.
Direkt vor ihr, schwarz abgehoben von dem See, der hell im Mondschein lag, stand einer der vier riesigen Chenarbäume, die jenem Eiland seinen Namen gegeben hatten. Sein massiver Stamm war vom Alter ausgehöhlt. Nachdem Sarahs Augen sich an die Dunkelheit gewöhnt hatten, tauchte wie bei der Entwicklungsphase einer Fotografie Einzelheit um Einzelheit aus den Schatten auf.
Charles hatte seine Runde durch die lila Büsche beendet. »Er ist nicht hier«, sagte er.
»Nein«, sagte Sarah. Ihre Stimme klang heiser und fremd, als ob sie gar nicht zu ihr gehöre – als ob sie irgendeinem fremden Mädchen gehöre, das in einem schwarzweiß gemusterten Rock zwischen den schwarzweißen Mustern von Schatten und Mondlicht stand. Sie hob den Arm und zeigte steif wie eine Gliederpuppe geradeaus: »Er ist da drüben. Im Baum . . .«
Und plötzlich, als wollten ihre Beine sie nicht länger tragen, ließ sie sich wie ein Stein in das taufeuchte Gras fallen und begann zu lachen.
Charles beugte sich herunter und schlug ihr mit dem flachen Handrücken auf die Wangen.
Sarah keuchte, würgte, zog ihre Unterlippe zwischen die Zähne und starrte einen langen Augenblick in Charles' ruhige, unbewegte Augen, die ihr Kraft zu geben schienen.
»Tut mir leid«, sagte sie gepreßt. »Ich – ich habe mich sehr schlecht benommen.«

Charles sagte: »Ich hätte dich nicht mitkommen lassen sollen. Geh und setz dich ins Boot, Liebes.«
»Nein«, schüttelte sie den Kopf. »Jetzt geht's mir besser. Bitte, laß mich bleiben.«
»Es wird nicht angenehm sein.«
»Ich weiß«, sagte Sarah. »Janet war nicht angenehm . . . und – und Mrs. Matthwes auch nicht.« Charles erhob keinen weiteren Einwand, drehte sich um und ging zum Baum hinüber.
Sarah hatte recht gehabt. Die herausragenden Finger einer plumpen, verkrallten Hand, die so still zwischen den toten Blättern und Gräsern am Fuß des alten Chenarbaums zu sehen war, gehörten Ahamdoo. Der Rest von ihm lag zusammengepreßt in dem hohlen Baumstamm; das Heft eines Khyber-Messers ragte ihm aus der Brust.
Charles und der hochgewachsene Ruderer, der am Fuß der Treppe beim Klub gestanden hatte, hoben ihn heraus und legten ihn auf das Gras in das strahlende Mondlicht. Das runde, pockennarbige Gesicht, das im Leben so häßlich gewesen war, war im Tode noch häßlicher: die dunklen Augen weit aufgerissen und weiß umringt, die Lippen im Todeskampf oder vor Furcht von den ungleichmäßigen Zähnen zurückgezogen.
Charles kniete sich neben ihn und durchsuchte das bauschige braune Gewand. Er zog ihm die Pantoffeln ab, befühlte ihr Inneres und prüfte die Sohlen. Falls Ahamdoo aber irgendeine Botschaft bei sich getragen hatte, so war sie nicht mehr da. Nur . . . nur . . . in den Falten des Gewandes hing noch schwach, aber trotz der frischen Nachtluft gut erkennbar, der gleiche seltsame Geruch, dem sowohl Sarah als auch Charles schon zweimal begegnet waren: zuerst in der verlassenen Hütte bei der Schlucht, und dann wieder, an diesem Morgen, in dem düsteren Ausstellungsraum von Ghulam Kadirs Laden an der Vierten Brücke.
Nun war er auch hier; auf einer kleinen Insel in der Mitte des mondbeschienenen Dāl entströmte er den Kleidern eines Ermordeten.

Charles lüftete eine Falte des Gewandes und schnupperte daran, runzelte die Stirn. Er erhob sich und sprach mit dem langen Ruderer, der eine Taschenlampe vom Boot holte, mit der sie Schritt für Schritt die Insel absuchten: den Rasen, die Terrassen und die Stufen, die zu dem kleinen Sommerhaus führten, die persischen Fliedersträucher, die hohlen Stämme und verschlungenen Wurzeln der alten Chenarbäume. Aber sie fanden lediglich abgestorbene Blätter und Abfälle früherer Picknicks. Und da es eine Fülle von Fußspuren gab, konnte man unmöglich feststellen, wer sie wann hinterlassen hatte. Auch machten viele einheimische Boote auf ihrer Fahrt durch den See auf der Insel Station.

Charles kehrte zu der *shikara* zurück. Bäuchlings suchte er auf dem flachen Bug mit Hilfe der Taschenlampe das Wasser rund um den Strand ab, während einer der Ruderer das Boot langsam im Kreis um das Eiland paddelte. Offenbar hatte er Sarah vergessen, die in einem Streifen strahlenden Mondscheins mit dem Rücken zu den Fliederbüschen stand, die Hände ineinander verkrampft. Hin und wieder erschauerte sie, bewegte sich aber nicht.

Die *shikara* vollendete ihre Runde um die Insel, und Charles kehrte zu Ahamdoos Leichnam zurück. Es gab kein anderes Boot und keinen Hinweis, wie Ahamdoo auf die Insel gelangt war. Charles schwieg eine Weile und starrte konzentriert auf die zusammengekrümmte Gestalt, als ob er durch die Kraft seines Willens dem toten Gehirn seine Geheimnisse rauben könne. Dann ließ er sich jäh wieder auf die Knie nieder.

Ahamdoos rechte Hand, die Sarah vorher aus dem hohlen Stamm des Chenarbaums herausragen sah, lag mit verkrallten, verrenkten Fingern auf dem Gras. Die andere hatte er jedoch geballt, und Charles kniete nieder, hob die geschlossene Faust und bog die Finger auf. Die Leichenstarre hatte noch nicht eingesetzt, und der Körper war noch warm, aber die Finger hatten sich so eng geschlossen, daß er sie nur mit Mühe zu öffnen vermochte.

Da war etwas in der Handfläche Ahamdoos, um das sich seine braunen Finger im Augenblick des Todes geballt hatten;

etwas, das trübe im Mondlicht schimmerte. Eine einzelne blaue Porzellanperle. Charles nahm sie, hielt sie hoch und drehte sie zwischen den Fingern, roch daran, schüttelte sie, sah durch sie hindurch und berührte sie behutsam mit der Zunge. Endlich brachte er mit einem leisen Schulterzucken ein Taschentuch zum Vorschein, in das er die Perle vorsichtig einwickelte. Nachdem er sie in seiner Tasche deponiert hatte, stand er auf, staubte sich die Knie ab und sprach zu dem langen Ruderer in dessen Muttersprache.
Gemeinsam hoben sie den kleinen, plumpen Leichnam Ahamdoos auf und betteten ihn in den Schatten des Chenarbaums. Ein zweiter Mann kam mit einer derben Decke vom Boot, in die der Leichnam eingewickelt wurde. Charles sprach mit leiser Stimme zu ihnen, und sie nickten wortlos. Der lange Mann steckte seine Hand in die Brusttasche seiner Tracht, und für eine Sekunde glaubte Sarah den Lauf eines Revolvers aufblitzen zu sehen. Charles berührte seine Schulter, dann drehte er sich zu ihr um. »Ich bringe dich heim«, sagte er kurz. »Hier gibt es nichts mehr für uns zu tun.«
Er nahm Sarahs kalten Arm und führte sie zum Boot zurück, während der Lange und der andere Mann, der die Decke gebracht hatte, sich nach indischem Ritus im Schatten neben das formlose dunkle Bündel, das Ahamdoo gewesen war, niederkauerten. Kurz darauf stieß die *shikara,* nunmehr mit nur zwei Ruderern, von der Insel ab.
Sarah stellte fest, daß ihre Zähne klapperten, ob vor Kälte oder aus Angst, war ihr nicht klar. Charles hob das Pelzcape auf, das auf dem Boden des Bootes lag, und legte es um ihre widerstandslosen Schultern. Auf dem Vorderkissen lag ein zusammengefaltetes Reiseplaid. Er schüttelte es aus und breitete es über ihre Knie.
Sarah versuchte, ihrer Stimme einen festen Klang zu verleihen und fragte: »Was machen die beiden jetzt?«
»Abwarten, bis ich ihnen das Boot zurückschicke.«
»Willst du nicht die Polizei verständigen?«
»Nein«, sagte Charles kurz. »Je weniger die örtliche Polizei oder sonst jemand von der Sache weiß, desto besser.«

»Aber – die Leiche. Du kannst sie nicht einfach dort lassen. Was werden sie mit ihr machen?«
»Sie beseitigen«, sagte Charles dumpf.
»Wie?«
Charles zuckte die Schultern. »Oh, da gibt es viele Möglichkeiten. Es ist besser für alle Beteiligten, wenn Ahamdoo sofort verschwindet. Ich versichere dir, es ist ein durchaus übliches Vorkommnis in diesem Lande.«
Er versank in Schweigen; mit finsterer Stirn blickte er auf den Schatten der Kordel des Baldachin, der bei jedem Ruderschlag mithüpfte; seine Hände umklammerten seine Knie.
Sarah zog das Pelzcape dichter um den Hals und erschauerte. Charles, der die leichte Bewegung offenbar wahrgenommen hatte, warf ihr einen Blick zu.
»Kalt?«
»Nein«, sagte Sarah. »Ich – ich überlegte nur gerade. Taten sie es – weil wir zu spät kamen? Hätten wir uns nicht verspätet, wäre er dann –«
Charles schüttelte den Kopf. »Es war uns wohl bestimmt, zu spät zu kommen. Hätte uns die eine Sache nicht aufgehalten, wäre es eine andere gewesen. Ich war zu sicher, daß sie mir nicht auf den Fersen sind.«
Sarah zog scharf den Atem ein und fuhr mit dem Kopf herum. »Du meinst, du glaubst, sie wissen über dich Bescheid?«
Charles lachte, aber ohne jede Heiterkeit. »Selbstverständlich. Ich würde aber gerne wissen, wie sie mich aufgespürt haben. Seit Jahren bewege ich mich wie auf Eierschalen, damit das nicht eintritt.«
»Was macht es für einen Unterschied?«
»Sei nicht töricht, Sarah«, erwiderte Charles ungeduldig. »Nur wer außer Verdacht steht, ist nützlich. Die anderen sind so nützlich wie Kopfweh.« Er schlug mit den geballten Fäusten auf die Knie. »Ich hätte möglichst schon vor Mondaufgang auf der Insel sein und mich bis zu Ahamdoos Ankunft dort aufhalten sollen. Statt dessen habe ich eine unnötige Verschleierungstaktik angewandt, mich mit vollkommen

überflüssigen Alibis im Klub versorgt und mir dabei gestattet, mich gründlich zu verspäten, während jemand anders meine Verabredung wahrnimmt und Ahamdoo unter meiner Nase ausradiert.«

»Du konntest doch nicht wissen –« begann Sarah.

»Konnte was nicht wissen?« fragte Charles bitter. »Ich wußte, daß Ahamdoo pünktlich zu der Uhrzeit eintreffen würde, die er genannt hatte. Unsere Leute kommen bei Aufträgen nie zu spät oder zu früh, das garantiere ich dir: es ist unzuträglich für die Gesundheit. Ich hätte mir die Mühe machen und herausfinden sollen, wie lange ich exakt brauche, um vom Nagim-Klub zur Insel zu gelangen. Und ich hätte die Uhrzeit auf meiner eigenen Uhr ablesen sollen. Ich hab's nicht getan. Sondern instinktiv auf die Klubuhr geschaut, weil ich zufällig weiß, daß sie täglich nach der Radiozeit gestellt wird; und es war einfacher, dorthin als dauernd auf meine eigene Uhr zu schauen. Und weil ich meiner Sache so sicher war, tappte ich in eine Falle, in die nicht einmal ein Baby hätte tappen dürfen!«

»Was meinst du?« fragte Sarah. »Welche Falle?«

»Natürlich die Uhr. Heute abend ging die Klubuhr, die noch um fünf Uhr nachmittags mit der meinen und der Radiozeit übereingestimmt hatte, fast zwölf Minuten nach. Sie noch weiter zurückzudrehen wäre ein zu großes Risiko gewesen und vielleicht aufgefallen – aber in zwölf Minuten kann eine Menge geschehen. Wahrscheinlich bedurfte es keiner zwölf Sekunden, Ahamdoo zu töten! Ein Gewinn von zwölf Minuten ist eine feine Sache, und man soll nichts dem Zufall überlassen. Deshalb wendeten sie noch einen weiteren Trick an ... Besser eine tödliche Gewißheit als der Zufall. Wenn man darüber nachdenkt!«

»Wie meinst du das?«

»Ich meine, sofort als du und ich im Klub eintrafen, scheinbar in der Absicht, zu dinieren und zu tanzen, wurde ihnen klar, was ich im Sinn hatte. Sie setzten darauf, daß du dem Damenraum einen flüchtigen Besuch abstatten würdest, bevor wir für etwa eine Stunde zu einer Mondscheinfahrt auf dem See aufbrachen! Erfahrungsgemäß war es ziemlich sicher, daß du das tun würdest. Irgend jemand war wahrscheinlich Stunden vorher instruiert worden, dich im Auge zu behalten und in dem Augenblick, da wir aufbrechen wollten, aufzuhalten – die typische Anfängertour! Hätte das erste Hemmnis versagt, hätte man andere in Reserve gehabt. Aber es hat nicht versagt. Es wirkte wie ein Zauber, und das Resultat waren weitere acht oder zehn verlorene Minuten. Selbst als wir auf Hochtouren ruderten, um das Äußerste an Zeit herauszuholen, trafen wir gute zwanzig Minuten zu spät auf der Insel ein.«

Sarah erinnerte sich an die grüne Paillette und sagte erschüttert: »Aber wie kannst du so sicher sein, daß es kein Zufall war? Mich einzusperren hätte doch auch ein Scherz sein können, oder? Das kannst du nicht völlig ausschließen!«

»Ich glaube nicht sehr an Zufälle solcher Art«, erwiderte Charles. »Insbesondere dann nicht, wenn ich zu einem Rendezvous komme und merke, daß vor mir schon jemand dagewesen ist. Das wäre allzu bequem.«

»Aber war es nicht auch riskant? Du hättest ebensogut auf deine und nicht auf die große Uhr schauen können – andere Frauen hätten sich im Damenraum aufhalten können, die mich gehört und herausgelassen hätten und sie daran gehindert, etwas anderes zu versuchen.«

»In unserem Fall«, sagte Charles, »kannst du versichert sein, daß irgend etwas ähnlich Unschuldiges auch unter den Augen Dritter passiert wäre, das uns aufgehalten hätte . . . Und selbst wenn alle unschuldig wirkenden Tricks versagt hätten, glaube ich immer noch nicht, daß man uns gestattet hätte, rechtzeitig auf der Insel einzutreffen. Irgendein häßlicher Unfall hätte sich ereignet.«

»Was für ein ›Unfall‹?« Sarahs Stimme klang dünn.

»Weiß der Himmel. Aber . . . bitte, überleg doch mal, wie leicht es beispielsweise gewesen wäre für jemanden, der uns rechtzeitig aufbrechen sah, in ein Auto oder auf ein Fahrrad zu steigen – oder sogar schnell zu Fuß zu laufen! – und die Nagim-Brücke oder besser noch die Landzunge direkt dahinter vor unserer *shikara* zu erreichen. Wir wären dann eine lebende Zielscheibe im Mondschein gewesen. Sie konnten uns nicht verfehlen!«

»Du willst sagen, du denkst – du kannst doch nicht im Ernst annehmen, man würde versucht haben, uns zu *erschießen*?«

»Nicht uns alle; einen von uns. Es hätte keine besondere Rolle gespielt, ›wer‹, solange es nur darum ging, daß wir zu spät oder gar nicht auf der Insel ankamen.«

»Ich kann es nicht glauben!« stieß Sarah atemlos heraus. »Ich glaube nicht, daß irgend jemand so etwas tun würde und –«

»Oh, vielleicht auch nicht«, unterbrach Charles ungeduldig. »Ich sage ja nur, daß man einen Weg gefunden hätte, uns daran zu hindern, rechtzeitig zur Insel zu gelangen, und daß, falls die harmloseren Tricks fehlgeschlagen wären, irgend etwas verflucht Unangenehmes an ihre Stelle getreten wäre!« Er machte eine Pause und starrte über den mondbeschienenen See, und nach einer Weile dachte er laut:

»Wer immer es getan hat, muß schon auf der Insel gewartet haben. Natürlich, das Motorboot. Das ist die Lösung des Problems. Ein Motorboot kann einen Mann an Land setzen und binnen weniger Minuten wieder fort sein. Ahamdoo wäre nie an Land gegangen, wenn sich dort schon ein anderes Boot befunden hätte. Er wird sich vergewissert haben, daß keines da war, bevor er das Ufer betrat. Und der Mörder hat dann natürlich Ahamdoos Boot benutzt, um wegzukommen. Die einzige Sache, die keinen Sinn ergibt, ist: Warum schafften sie den Leichnam nicht weg?«

»Warum sollten sie?«

»Oh, nur um den Fall ein wenig zu verwirren. Falls es dort keinen Hinweis auf ihn gab, konnte ich nicht hundertprozentig sicher sein, daß er nicht nur zuletzt kalte Füße bekommen hatte. Und sie können auch nicht ernsthaft annehmen, sie könnten mich verscheuchen, indem sie mir demonstrieren, wozu sie fähig sind. Nein, Sarah, irgendwie habe ich den Verdacht, daß es ein Fehler des Mörders war, ihn dort zu lassen, und ich vertraue darauf, daß sich dieser Fehler als hübsch folgenreich erweisen wird.

»Was ich nicht verstehe, ist, warum sie nicht etwas länger gewartet haben«, bemerkte Sarah.
»Du meinst, um mich gleichfalls zu erledigen? Also, erstens werden sie wohl gewußt haben, daß ich dort nicht allein eintreffen würde und daß ich und meine Begleiter bewaffnet sein würden. Zum anderen ist eine Schießerei zu dieser Stunde, in einer so ruhigen Nacht wie der heutigen, ein gewaltiges Risiko. Es würde einen höllischen Lärm geben, ganz zu schweigen von dem öffentlichen Aufsehen, das sie damit erregten. Bedenke doch, daß bis jetzt jedes Geräusch vermieden worden ist. Ein Schlag auf den Kopf von Mrs. Matthews und von Miß Rushton und ein Messer für Ahamdoo –«
»Aber eben hast du gesagt, daß jemand von der Brücke oder von der Landzunge her auf uns hätte schießen können!«
»Vielleicht hätten sie ein Luftgewehr benutzt – es würde bei der Entfernung völlig genügt haben! Oder einen Schalldämpfer. Sie konnten sich aber nicht darauf verlassen, daß auch wir Lärm vermeiden würden. Sie mußten Ahamdoo zum Schweigen bringen, und in dem Augenblick, in dem sie's getan hatten, wußten sie, daß sie hübsch flink verschwinden mußten – und das taten sie!«
Charles versank in Schweigen und schien mit seinen eigenen Gedanken beschäftigt. Sarah starrte vor sich hin, doch sie sah nicht die Schönheit des Sees im Vollmondschein, sondern eine kleine glitzernde grüne Paillette, die vom Kiespfad vor dem Klubgebäude wie ein kleines böses Auge zu ihr hochgeblinzelt hatte.
Wenn Charles recht hatte und es Teil eines Plans gewesen war, sie einzusperren, dann war Helen . . . Nein! Es war unmöglich! Es konnte nicht Helen gewesen sein. Es mußte jemand anders gewesen sein. Denn was hätte Helen Warrender heute abend auf dem Kiespfad zu suchen gehabt? Wie lange hatte die Paillette dort gelegen? Oder war da vielleicht noch jemand, der ein Kleid mit grünen Pailletten getragen hatte? Leute, die man kennt, tun solche Sachen nicht – Verschwörung und Spionage oder sich für einen Mord herge-

ben. Es konnte unmöglich Mrs. Warrender gewesen sein. Und dennoch . . .
Sarah ging die Tatsache durch den Kopf, daß Johnnie Warrender hoch verschuldet war. Das war kein Geheimnis, denn Helen redete ständig von dem Umfang seines Schuldenbergs. Sie machte auch keinen Versuch, ihre Vorliebe für die Gesellschaft jener, die sozial und finanziell besser als sie gestellt waren, zu verleugnen. Trotzdem könnte irgendein Geldbetrag sie in Versuchung bringen, sich in einen Mord verwikkeln zu lassen? Es schien wenig glaubhaft . . .
Sarahs Gedanken drehten sich unaufhörlich in einem ausweglosen Kreis, wie ein Eichhörnchen in einem Laufrad, als die *shikara* aus dem Dāl-See abdrehte und eine schmale offene Wasserstrecke überquerte, die in den dunklen, weidenbestandenen Kanal nach Chota Nagim mündete, wo die *Waterwitch* und das Creedsche Hausboot ankerten.
Hinter dem Massiv des Hari Parbat näherte sich der Mond den Bergen. Der Baldachin der *shikara* warf keinen Schatten mehr auf ihre Fahrgäste. Das klare kalte Mondlicht beleuchtete jeden Winkel des Boots. Sarah sah zur Seite nach Charles. Er starrte mit nachdenklich gekrauster Stirn auf etwas, das er wieder und wieder zwischen den Fingern drehte. Sie erkannte, daß es die billige blaue Porzellanperle war, die er Ahamdoos geballter Faust entwunden hatte.
Aus irgendeinem Grund erfüllte der Anblick Sarah mit Schauder: eine Erinnerung an das Entsetzen, das sie beim Anblick der plumpen, erstarrten Finger, die zwischen den verwelkten Blättern am Boden des hohlen Chenarbaums herausragten, empfunden hatte. Jäh und heftig sagte sie: »Wirf es weg, Charles! Wie kannst du's anrühren?«
Charles warf die Perle leicht in die Luft und fing sie wieder auf. »Wegwerfen? Kommt nicht in Frage! Dies bedeutet eine Menge, Sarah, wenn wir es nur herausfinden.«
»Warum sollte es etwas bedeuten? Es ist nur eine Porzellanperle.«
»Du vergißt etwas«, sagte Charles und rollte die Perle in seiner Handfläche.

»Was?«
»Die Schrift auf dem Stück Papier in der Streichholzschachtel.«
Sarah hielt den Atem an. »Natürlich! Ich hatte es vergessen. Es war etwas über Perlen –«
»›Der Geschichtenerzähler reiht seine klugen Worte auf wie Perlen an der Schnur‹«, zitierte Charles. »Ein merkwürdiger Zufall, nicht wahr?« Er rollte die Perle auf dem Handteller, warf sie hoch und fing sie wieder auf.
»Ich dachte, du glaubst nicht an Zufälle«, sagte Sarah.
»Tu' ich auch nicht. Das ist der Grund, warum mich diese Perle interessiert. Die Zeile aus dem Gedicht würde offenbar eine ganze Menge für die Person, für die sie bestimmt war, bedeutet haben. Und ich glaube nicht, daß Ahamdoo diese Perle aus Spaß bei sich trug. Zwischen beidem besteht eine Verbindung, und die gedenke ich herauszufinden. Für den Anfang nicht viel, aber es ist immerhin etwas.«
Sarah blickte auf das kleine blaue Rechteck, das im Mondlicht schimmerte. Es war ungefähr einen halben Zentimeter lang und bestand aus roh glasiertem Porzellan. Das Loch in der Mitte war groß genug, um ein ziemlich dickes Stück Schnur durchzulassen. Man sah Ketten dieser Perlen in einheimischen Basaren und um die Hälse von *tonga*-Ponys: es hieß, daß sie Glück brächten und den bösen Blick abwendeten. Sogar die sehnigen kleinen Pack-Ponys, die auf der Gulmarg-Straße durch den Schnee stapften, hatten Stränge davon um die Hälse getragen.
»Könnte irgend etwas darin verborgen sein?« fragte sie.
»Nein«, antwortete Charles und schielte im Mondlicht durch sie hindurch. »Gar nichts. Trotzdem werde ich sie aufknakken, wenn ich zurück bin. Nur, um sicherzugehen. So, hier sind wir wieder auf heimischem Boden. Ich hoffe, Fudge und Hugo haben nicht auf dich gewartet. Ich hatte Fudge versprochen, dich nicht zu spät zurückzubringen. Nehmen sie ihre Pflichten als Anstandswauwau überhaupt ernst?«
»Lacro wird der einzige sein, der noch wach ist«, sagte Sarah. »Ich hoffe nur, daß er nicht bellt und alle aufweckt.«

Die *shikara* war aus der Hauptfahrrinne abgedreht und trieb nun gemächlich auf dem Stauwasser von Chota Nagim dahin. Sarah spähte zum Ufer, wo die *Waterwitch* im Schatten der Weidenbäume hinter dem Creedschen Boot vor Anker lag. Bevor sie das Boot verließ, hatte sie alle Lichter ausgeschaltet mit Ausnahme des einen über der Eingangstür, das den Bug und die Spitze des vorderen Steges erhellte. Aber der *mānji* hatte es augenscheinlich nicht für ausreichend gehalten. Jetzt beleuchtete nämlich ein orangefarbener Willkommensschein die Fenster des Salons, und fügte dem schwindenden Mondlicht und den schwarzen Schatten einen warmen Farbton hinzu, als die *shikara* sich sanft ihren Weg durch die Seerosenblätter bahnte und längsseits anstieß.
Niemand war an Bord außer Lacro, der, noch warm vom Schlaf, begeistertes Willkommensgewinsel ausstieß. Charles warf einen Blick auf den überladenen Salon, und nachdem er das Türschloß geprüft hatte, fragte er: »Hast du schon die Riegel, die du an Türen und Fenstern anbringen solltest?«
»Noch nicht«, bekannte Sarah. »Aber der *mānji* sagte, er würde sie morgen montieren. Es wird schon alles klargehen. Lacro wird mich beschützen, und diesmal schließe ich mich auch in meiner Schlafkajüte ein. Wer will, kann an Bord kommen und das Boot ausräubern – ich stecke den Kopf unter die Bettdecke und rühre mich nicht.«
Charles runzelte die Stirn und zuckte unruhig mit den Schultern. »Kann ich damit rechnen?« fragte er, ohne zu lächeln.
»Ich verspreche es«, beteuerte Sarah. »Ich habe genug davon, meine Nase überall hineinzustecken. Und auch für diese Nacht ziemlich genug von aufregenden Expeditionen. Sei unbesorgt. Schau Lacro an. Der platzt fast vor Temperament und Angriffslust. Sollte es jemand wagen, heute nacht das Boot zu betreten, wird er sich die Lunge aus dem Halse bellen und in meilenweitem Umkreis jeden wecken. Heute nacht ist kein Sturm, und du könntest in der Stille eine Maus rascheln hören. Horch!«
Sie hielt den Finger hoch, und die Stille erschien geradezu erdrückend.

»Siehst du? Letzte Nacht war's anders. Der Sturm machte ein derartiges Getöse, daß ein Trupp Elefanten hätte an Bord gehen können, ohne daß man sie gehört hätte; und Lacro war betäubt worden. Heute nacht aber könntest du eine Nadel zu Boden fallen hören, und falls ich schreie, würden Hugo und Fudge und die *mānjis* und Hugos Träger sofort zur Stelle sein. Im übrigen lasse ich alle Lichter brennen, und es gibt keinen Schnüffler, der sich in einer Nacht wie der heutigen nach Mitternacht auf ein hell erleuchtetes Boot schleichen würde.«

»Nein, das gibt's nicht«, bekräftigte Charles langsam. Er ging zum nächsten Fenster und starrte ins Mondlicht hinaus. »In weniger als vier Stunden dämmert es.« Er drehte sich zu Sarah um. »Hast du die Waffe zur Hand?«

»Ja«, sagte Sarah. »Sie ist unter meinem Kopfkissen, falls du's wissen willst.«

»Gut. Also du machst es, wie du's gesagt hast. Schließ dich in deiner Schlafkajüte ein, und falls du hörst, daß sich vor Morgengrauen jemand an Bord bewegt, schreie, daß die Decke herunterfällt, und zögere nicht, zu schießen.«

»Ich weiß«, sagte Sarah. »Ich höre, wie sich jemand an meiner Tür zu schaffen macht, und ›peng‹! – hab' ich den *mānji* erschossen, der mir meinen Morgentee bringen wollte. Ich hoffe, du holst mich dann gegen Kaution raus?«

Charles lachte. »Das werd' ich tun. Wir holen dich morgen ohnehin von diesem Boot. Es ist das Risiko nicht wert. Ich würde dich heute nacht nicht drauf lassen, wenn ich dich nicht gut unter Beobachtung gestellt hätte.«

»Du hast *was*?« fragte Sarah. »Willst du etwa sagen –?«

»Oh, ich habe seit heute morgen einige unserer Leute im Schichtwechsel das Boot beobachten lassen – Ich meine, gestern morgen«, korrigierte er sich nach einem Blick auf seine Uhr.

»Wo sind sie jetzt?« fragte Sarah interessiert. »Ich habe niemanden gesehen.«

»Das solltest du auch nicht. Einer von ihnen überwacht diejenigen, die sich stromaufwärts nähern, und ein anderer

ist am Brückenende postiert, um jeden zu überprüfen, der über das Wasser hier vorbeikommt; ein paar Jungs stehen auf der landwärts gelegenen Seite. Personen, die so aussehen, als wollten sie auf dieses Boot, werden beschattet. Ich will die Namen jedes potentiellen Besuchers wissen.«
»Wohin willst du jetzt?« fragte Sarah. »Zurück zu – zurück zu der Insel?«
»Nein, ich habe das Boot dorthin zurückgeschickt. Das ist ein Auftrag, den sie besser ohne mich erledigen. Von hier aus gehe ich zum Klub.« Er drehte sich um, und Sarah begleitete ihn zum Bug hinaus.
Die Nachtluft war kühl und erfrischend nach der stickigen Atmosphäre des kleinen Hausboot-Salons. Charles ging über den Bootssteg ans Ufer. Dort stand er und spähte in den Schatten des großen Chenarbaums. Er zog die Taschenlampe aus seiner Tasche und ließ sie zweimal kurz aufblitzen. Etwa fünfzig Meter vom Boot entfernt löste sich eine Gestalt aus dem Schatten, wo die Weiden am dicksten waren, und trat ins Mondlicht hinaus.
Sarah hörte ein leises Rascheln von Fußtritten auf dem Gras. Gleich darauf stand ein langer Inder am Ende des Steges. Er trug eine dunkle Decke um Kopf und Schultern geschlungen, so daß sein Gesicht im Schatten blieb und Sarah nur einen Schimmer der Augen und Zähne auffangen konnte.
Charles sprach in gedämpftem Ton in seiner Muttersprache, und der andere antwortete ebenso gedämpft.
»Ist jemand in der Nähe des Boots gewesen?«
»Niemand, Sahib; außer dem *mānji*, der auf das Küchenboot zurückgekehrt ist und jetzt schläft, und dem großen Sahib, der Miß-sahibs Hund zurückbrachte. Sonst war weiter keiner da, weder vom Wasser noch vom Land her.«
»Bleib und wache weiter. Jetzt, da die Miß-sahib zurück ist, gestatte niemandem, das Boot vor morgen früh zu betreten.«
Der Mann salutierte und zog sich geräuschlos in den Schatten zurück. Charles drehte sich um, kam wieder den Steg herauf und sagte: »Warte hier, Sarah. Ich will nur kurz nachsehen, ob der *mānji* irgend etwas unversperrt gelassen hat.«

Er stieg hinab auf die Planken, die in Höhe der Fensterbretter rund um das Boot liefen, prüfte kritisch jedes Fenster und jede Tür, an denen er vorbeikam, und verschwand im Dunkeln. Gleich darauf erschien er wieder auf der Gegenseite, nachdem er seinen Rundgang um das Boot beendet hatte.
»Okay. Alles scheint fest verschlossen zu sein. Besser, du verriegelst auch diese Tür. Nur, um auf Nummer Sicher zu gehen.«
»Ist gut«, sagte Sarah langsam. Sie spürte eine jähe Aversion, sich in die stickige Atmosphäre des beengten, abgeschotteten Bootes zu begeben, auf dem Janet gewohnt, gearbeitet und ihr Geheimnis verwahrt hatte.
Eine Rohrdommel aus dem Schilfdickicht am anderen Ende des Stauwassers stieß einen einsamen, klagenden Schrei aus. Sarah erschauerte, und Charles sagte: »Bist du ganz sicher, daß du dich wohl fühlst? Denkst du nicht, es wäre besser, zu Fudge und Hugo hinüberzugehen und um eine Schlafstatt zu bitten?«
»Nein, das will ich nicht«, sagte Sarah mit Überwindung. »Gute Nacht, Charles. Ich möchte jetzt nicht sagen ›vielen Dank für den reizenden Abend‹, denn es war der grausigste Abend, den ich je verbracht habe, und ich hoffe, ich werde niemals einen ähnlichen erleben. Aber trotzdem danke schön.«
Charles lächelte sie an. Sein Gesicht wirkte erschöpft und müde im Mondlicht. In einer kurzen zärtlichen Geste legte er leicht seinen Handrücken gegen ihre Wange und sagte: »Geh hinein und laß mich hören, wie du den Riegel vorschiebst.« Sie drehte sich um und ging gehorsam hinein.

19

Der Riegel schnappte zu. Sarah lehnte sich müde gegen die Tür und horchte auf die Schritte von Charles, die sich über den Bootssteg entfernten.

Das kleine Boot schwankte und knarrte etwas, kam wieder zum Stillstand, und die Stille flutete erneut zurück.
Lacro kam von einer Expedition durch die dunklen Räume am anderen Ende des Bootes zurückgetappt und sprang um ihre Füße herum. Sie hob ihn auf die Arme, setzte sich in eine Ecke des schäbigen Sofas und fühlte sich sehr müde. Zu müde, um ins Bett zu gehen, und dennoch nicht im mindesten schläfrig.
Wie sie so zusammengekuschelt und entspannt dasaß, mit dem Kinn auf Lacros seidigem Kopf ruhend, fiel ihr ein, daß sie eben zu Charles gesagt hatte, die Nacht sei so still, daß man eine fallende Nadel hören könnte. Solange er neben ihr war, stimmte das, doch jetzt, da sie allein war, schien die Nacht voller kleiner Geräusche zu sein: das leise Plätschern des Wassers gegen die Bootswände, das Trippeln einer Ratte irgendwo unter den Planken, das Knarren des Holzes, das sich in der Nachtluft zusammenzog und das Quaken eines Froschs zwischen den Seerosenblättern, Lacros leises Atmen und das leichte klick-klack des Perlenvorhangs im Durchgang zwischen Salon und Eßraum.
Langsam, sehr langsam stahl sich eine seltsame Unsicherheit in den überfüllten kleinen Raum: ein drängendes und unsicheres Gefühl, das fast greifbar war. Es schien sich Sarah auf Zehenspitzen zu nähern und stand jetzt neben ihr, wispernd – flüsternd –, ihr müdes Hirn zur Wachsamkeit rufend. Als ob womöglich Janet selbst den Raum betreten hätte und zu sprechen versuchte . . .
Für einen Augenblick war das Gefühl, daß jemand – war es Janet? – sie beobachtete, so lebhaft, daß Sarah zusammenzuckte und hinter sich blickte. Doch da war niemand, und es gab keinen Spalt zwischen den reglosen Falten der billigen Baumwollvorhänge, die die dunklen Vierecke der Fensterrahmen abdeckten und das nächtliche Mondlicht aussperrten.
Aber es war dennoch etwas da, das mit wortloser Beharrlichkeit Aufmerksamkeit heischte. Und Sarahs müdes Hirn war mit einemmal hellwach. Sie blieb weiterhin still sitzen; gespannt jetzt und äußerst wachsam sah sie sich um.

Der Raum war noch derselbe. Nichts schien sich in ihm bewegt zu haben, seit sie ihn verlassen hatte. Da waren die Sessel mit den abgenutzten Kretonnebezügen und das Sofa, auf dem sie saß. Die Schnitzereien der reichverzierten Tische waren schon seit Jahren vom Staub ausgefüllt. Die Reihen zerlesener Bücher und alter Zeitschriften lehnten gegeneinander auf dem alten Holzregal, das um den engen Raum lief. Ein vergilbter Kalender, datierend aus den unruhigen, längst vergangenen zwanziger Jahren, hing noch an einem Nagel an der Wand neben dem geschnitzten Walnußschreibtisch. Und der verschlissene Axminster-Teppich, der in irgendeiner dunklen englischen Fabrik des edwardianischen Zeitalters hergestellt worden war und zehntausend Meilen zurückgelegt hatte, um das Ende seiner Tage auf den Planken eines Hausboots am Dāl-See zwischen den Bergen Kaschmirs zu beenden, breitete noch immer seine verblichenen Rot- und Blaufarben unter ihren Füßen aus . . . Der Teppich könnte eine Geschichte erzählen, dachte Sarah, als sie auf die abgewetzte Oberfläche starrte. Der Geschichtenerzähler reiht seine klugen Worte auf wie Perlen an der Schnur . . .
Ein Frosch sprang draußen ins Wasser, und ein leichter Windstoß von den Bergen bewegte die Zweige der Chenarbäume. Die Zugluft wellte den fadenscheinigen Axminster und bewegte die Baumwollfalten an den Fenstern, und der Vorhang im Durchgang zum Eßraum schwang und klickte. Perlen – rot und grün und weiß und gelb: Glasperlen, funkelnd und glitzernd; Porzellanperlen, stumpf und glatt. Blaue Porzellanperlen . . .
»Klick . . . klack . . . klick.« Eine leise Stimme in der Stille, die immerfort wiederholte: »Schau! . . . schau! . . . schau!« Irgend etwas klickte auch in Sarahs Gehirn wie der Verschluß einer Kamera, und sie merkte gar nicht, daß sie laut gesprochen hatte: »Natürlich!« sagte Sarah. »Wie Perlen auf der Schnur!« Natürlich. Warum hatte sie nicht eher daran gedacht? – es ist hier – in dem Vorhang. Janets Aufzeichnung!«
Sie ließ Lacro auf den Boden fallen und stand auf.
Warum war es ihr vorher nicht aufgefallen, daß der Vorhang

kein Muster hatte? Daß die Perlen nicht regelmäßig angeordnet waren? Kleine Perlen, in kurzen, unregelmäßigen Abständen von großen blauen Porzellanperlen durchsetzt. Das war es – unregelmäßige Abstände. Punkte und Striche, kurze Perlen und lange Perlen, mit blauen Porzellanperlen, um die Absätze zu markieren. So einfach. Genauso einfach wie die Seite eines Morse-Codes ... und so furchtbar rasch und einfach zu machen –

Sarah spürte, wie sie vor Erregung zitterte, als sie zum Schreibtisch rannte, Schreibblock und Bleistift ergriff, einen geschnitzten Stuhl heranzog, sich vor den Vorhang setzte und die Reihenfolge der Perlen jedes einzelnen Stranges niederzuschreiben begann.

Die Buchstaben ergaben keinen Sinn, doch sie las sie glatt in Punkten und Strichen ab. Lange Perlen und kurze Perlen und blaue Porzellanperlen. Es wird ein Code sein, dachte Sarah, den Charles vielleicht kennt. Sie kritzelte in der Stille weiter.

Ein Nachtvogel schrie im Schilf, und ein neuerlicher Windstoß über dem See kräuselte die Seerosenblätter und ließ das Wasser gegen die Bootswände schlagen. Lacro schnarchte friedlich auf dem Sofa, aber jäh und unvermittelt verlangsamte sich Sarahs Bleistift und stockte. Ihre Augen wurden starr ...

Jemand beobachtete sie. Dessen war sie ganz sicher. Ein sonderbarer, unmißverständlicher, prickelnder Schauer kroch an ihrem Rücken herauf. Sie mußte sich zwingen, über ihre Schulter zu blicken. Da war niemand. Und bei den dicht zugezogenen Vorhängen konnte man ganz unmöglich vom Ufer oder vom Wasser her in den Raum hineinsehen. Und wäre jemand auf die Planken geklettert oder in einer *shikara* nahe herangepaddelt, hätte sie es bei der Stille hören müssen. Ihre Nerven mußten ihr einen Streich gespielt haben.

Dennoch hielt das Gefühl, von jemand beobachtet zu werden, an, wurde stärker und stärker, bis es nicht mehr nur ein Gefühl war, sondern tödliche Gewißheit. Sarah saß stocksteif, spitzte die Ohren und lauschte angestrengt.

Irgendwo in der Dunkelheit auf der anderen Seite des Perlenvorhangs knarrte vernehmlich ein Fußbodenbrett. Sie fühlte ein leichtes Beben unter ihren Füßen. Es war tatsächlich noch jemand auf dem Boot! Ein knarrendes Brett an sich war nichts Auffälliges – sie knarrten schließlich jede Nacht –, doch jene zitternde Bewegung, die die *Waterwitch* durchlief, rührte unverkennbar von einem Tritt her. Jemand hatte irgendwo auf dem Boot einen Schritt in der Dunkelheit getan.
Sarah horchte, aufgeschreckt und zitternd: sie hatte gedacht, daß niemand an Bord hätte kommen können, weder vom Wasser noch vom Land, ohne mehr Aufsehen zu erregen . . .
Erst in diesem Augenblick fiel ihr zur größten Erleichterung ein, daß Charles einen Wächter am Ufer zurückgelassen hatte. Mehrere Wächter! Der eine dort draußen mußte den Fuß auf die Laufplanke gesetzt und das leichte Beben verursacht haben, denn keinem Fremden würde es möglich gewesen sein, an Bord zu kommen, ohne von einem von Charles' Männern gesehen zu werden. Es war dumm von ihr, in Panik zu geraten. Sie war hier vollkommen sicher.
Sie nahm wieder ihren Bleistift auf. Erneut knarrte ein Brett in der Dunkelheit, und das kleine Boot schwankte unter weichen Fußtritten. Einmal – und wieder – und wieder . . .
Lacro hörte auf zu schnarchen und hob den Kopf.
Irgend jemand bewegte sich auf dem Boot. Nein. Nicht *auf* dem Boot – *in* dem Boot.
Türen und Fenster waren verschlossen und verriegelt, und am Ufer waren Wächter; doch völlig umsonst. Niemand würde versuchen, das Boot zu betreten, denn es war schon jemand da. Jemand, der schon die ganze Zeit über dagewesen war und in der Dunkelheit hinter den blinkenden Schnüren des Perlenvorhangs gewartet hatte.
Sarah saß ganz still und wagte nicht, sich zu bewegen; sie war steif vor Angst, halb von Sinnen wie ein erschrecktes Tier in der Falle.
Charles hatte gesagt, sie sei sicher – sie hatte eine Waffe, und keine zwanzig Meter entfernt war ein Wächter am Ufer.

Sie brauchte nur hinauszuschreien. Aber die Waffe war unter ihrem Kopfkissen in der Schlafkajüte, weitab in der Dunkelheit jenseits des Perlenvorhangs, und sie schien die Kraft, sich zu bewegen oder zu atmen, völlig verloren zu haben. Sie öffnete den Mund zum Schrei, doch ihr Hals schien ausgetrocknet zu sein.
Hinter sich hörte sie Lacro vom Sofa springen und mit einem kleinen Plumps auf dem Boden landen. Er kam angetappt, stand neben ihr und stierte in die Dunkelheit hinter dem glitzernden Vorhang. Das Boot schwankte leicht unter den weichen Fußtritten, als sich jemand durch den Speiseraum bewegte. Jetzt erschien es ihr, als hörte sie jemanden atmen – oder war es nur das wilde Schlagen ihres eigenen Herzens, das so laut in der Stille widerklang?
Etwas bewegte sich hinter dem Perlenvorhang: Augen schauten sie an, und eine Hand kam heraus, zog den Vorhang beiseite – eine schreckliche Hand . . .
Sarah versuchte zu schreien, jedoch drang kein Laut aus ihrer Kehle, und Lacro, neben ihr, klopfte mit seinem Schwanz auf den Boden, als der Vorhang beiseite schwang. Es war Hugo, der im Eingang stand.
»Hugo! Oh, Hugo – Gott! Hast du mich erschreckt! Hugo, du Biest – ich bin fast gestorben vor Angst. Ich nehme an, du hast die ganze Zeit auf meinem Bett geschnarcht, seit du Lacro zurückbrachtest – und ich dachte – Oh! Hugo!«
Sarah fiel zu einem Häuflein Elend zusammen, ächzte, würgte, schluchzte hysterisch vor Erleichterung. Nach ein oder zwei Augenblicken wischte sie sich mit dem Handrücken die Tränen aus den Augen und lachte zu ihm empor.
Aber da war irgendwas verkehrt. Irgend etwas stimmte nicht. Warum lachte Hugo nicht? Warum sagte er nichts? Warum blickte er so – so –
Die kalte Hand, die sich um Sarahs Herz geklammert und für einen Augenblick gelockert hatte, begann sich erneut zusammenzukrallen – sehr langsam. Sie rappelte sich mühsam auf, stand da und starrte Hugo an, ihre Hände umkrampften die Rückenlehne des geschnitzten Stuhls. Da war

ein merkwürdiger Geruch im Raum – so schwach, daß sie ihn nicht bemerkt haben würde, wenn die Fenster offengestanden hätten. Ein Geruch, der schreckliche Erinnerungen heraufbeschwor . . .

Hugo sagte: »Was hast du gemacht, Sarah?«

Seine Stimme war die Stimme eines Fremden, leise und ohne jeden Ausdruck – fast ein Flüstern.

Sarah sagte: »Hugo! Sieh mich nicht so an! Was ist los?« Ihre Stimme war eigenartig rauh.

Hugo wandte seine Augen nicht von ihrem Gesicht. Wieder sagte er: »Was hast du gemacht, Sarah? Du hast es niedergeschrieben, nicht wahr?«

Sarah gab keine Antwort. Sie starrte nur völlig empfindungslos, ihre Augen waren wie hynotisiert von Hugos Blick.

Hugo sagte: »Ich sah dich. Ich habe dich vom Pantry-Eingang her beobachtet. Du hast es aufgeschrieben, nicht wahr? Ich hätte nie gedacht, daß es hier ist. Wie hast du es herausgefunden?«

Sarahs Hirn war erfüllt von flackernden, lächerlichen Gedanken, die schwalbengleich herabstießen und hochschossen. Unglaubliche, unmögliche, phantastische Ideen, die einander durch das Hirn jagten – schwindelerregend und absurd – und verschwunden waren, bevor sie sie festhalten oder in Worte fassen konnte.

Hugo bückte sich und hob den Schreibblock auf, und Sarahs Augen, losgelassen, flackerten . . . schlossen sich und öffneten sich wieder.

Hugo – Hugos Hände hielten den Block. Glänzend rote Hände: blank, aalglatt, gräßlich . . . Warum? Weil er Handschuhe trug! Gummihandschuhe . . . Rote Gummihandschuhe, glatt und straff über seine Gelenke gezogen, außer wo ein gezackter Riß am Rand des linken Handschuhs einen kleinen dreieckigen Streifen sonnenbraunen Fleisches freigab . . .

Er hielt den Block in seiner linken Hand. In der Rechten hatte er einen merkwürdigen Gegenstand – eine Waffe? Wiederum sprach er, obgleich seine Worte keinen Sinn für

Sarah zu ergeben schienen. Sie konnte nur auf jene glatten, schlüpfrigen, roten Hände starren und dabei versuchen, sich an etwas zu erinnern –

Rot ... wie Blut ... und glänzend; und der Geruch in dem dunklen, muffigen Korridor der Hütte bei der Schlucht. Das war es! – der winzige dreieckige Fleck nassen Bluts an der Kante des Stuhls, das gar kein Blut gewesen war, sondern ein Überbleibsel des roten Gummis –!

Hugo sagte: »Tut mir leid, Sarah, aber so ist es. Du weißt zuviel. Du hättest dich nicht einmischen sollen. Warum, zur Hölle, konntest du die Sache nicht in Ruhe lassen?« Seine Stimme klang plötzlich quengelig und gekränkt wie die eines verwöhnten Kindes.

Sarah zwang ihren Blick von jenen purpurroten Händen weg in Hugos Gesicht. Als sie endlich sprach, war ihre Stimme ein gefrorenes Flüstern: »Dann warst du es, der in der Hütte auf Janet gewartet hat. O nein! Nein, ich kann es nicht glauben. Es ist Wahnsinn – das konntest du doch nicht tun, Hugo!«

»Ich mußte es tun«, sagte Hugo in demselben sonderbar quengeligen Ton. »Du nimmst doch wohl nicht an, ich hätte es gern getan? Das verdammte Mädchen war zu ihrem eigenen Schaden etwas zu clever. Im übrigen heiligt der Zweck die Mittel – daran glaubst du doch, nicht wahr? Das Individuum zählt nicht – kann nicht zählen. Janet war nur Sand in der Maschine. Sie mußte entfernt werden.«

Er ist wahnsinnig, dachte Sarah, er ist vollkommen wahnsinnig! Er *muß* wahnsinnig sein. Sie sagte: »Hugo – hör auf! Du weißt nicht, was du redest.«

Hugo lachte plötzlich auf, und als er wieder sprach, klang seine Stimme ganz normal. Er trat näher in den kleinen überladenen Salon. Als der Perlenvorhang hinter ihm klirrte, warf er einen Blick darauf, zog die Brauen zusammen und sagte: »Ich werde das verdammte Ding abschneiden müssen, oder unser teurer Freund Charles könnte dasselbe ausfindig machen wie du. Komisch, wenn man bedenkt, daß ich dieses verfluchte Boot so gründlich durchgekämmt habe und nicht

bemerkt, was direkt unter meiner Nase war. Verdammt smart von dir, es aufzuspüren, Sarah: ich wußte immer, daß du ein smartes Mädchen bist. Wie hast du das gemacht?
Sarah sagte verzweifelt: »Hugo – Hugo, ich verstehe es nicht. Warum hast du ...? Oh, ich glaube, ich verlier' den Verstand.«
Hugo behielt sie im Auge und setzte sich rittlings auf einen Stuhl. Er legte seine Arme auf die Rückenlehne und stützte das Kinn auf den Ärmel, hielt aber den merkwürdig ausschauenden Gegenstand in seiner Rechten weiterhin auf Sarah gerichtet. Seine Hand war ganz ruhig, und plötzlich hatte Sarah Angst wie nie zuvor, selbst da nicht, als sie kurz zuvor die Fußtritte im Dunkeln hinter dem Perlenvorhang gehört hatte. Und seltsam genug, ihre Angst festigte sie.
Sie schaute Hugo an, und es war, als sähe sie ihn zum erstenmal.
Der Hugo, den sie gekannt hatte, der fröhliche, schwatzende, leichtlebige Hugo war sowenig eine reale Person, wie ein Stück gemalter Landschaftsszenerie etwas Reales ist. Jener Hugo war lediglich Fassade; ein Nebelvorhang; und dahinter lebte der echte Hugo. Als sie ihn jetzt betrachtete, konnte Sarah nicht verstehen, warum sie jemals angenommen hatte, jene harten, unbarmherzigen Augen seien fröhlich, oder warum ihr die Grausamkeit des schmalen, festen Mundes entgangen war. Ich vermute, dachte sie verwirrt, es kam daher, weil er immer lachte – oder sprach. Sein Mund war immer offen und seine Augen zusammengekniffen. Man hörte ihm zu, lachte über das, was er sagte, und hat ihn gar nicht richtig angesehen ...
Verzweifelt sagte sie: »Aber warum? – Wofür hast du's getan?«
»Für die Partei«, sagte Hugo; wie einer, der sagt »für Gott«.
»Was für eine Partei? Ich verstehe nicht – du bist Engländer – du kannst doch nicht meinen –«
»Präzise gesagt«, sagte Hugo, »bin ich zur Hälfte Ire, aber –«
»O Gott!« unterbrach Sarah. »Rache an Cromwell, was?«
Hugo warf den Kopf zurück und lachte; aber die ungetrübte

Heiterkeit dieses Tonfalls konnte Sarah nicht länger täuschen. Es war eine Angewohnheit, weiter nichts. Teil seines Repertoires. Sein Lachen blieb völlig an der Oberfläche.

»Ich erspare dir das«, sagte Hugo, »aber falls du meinst, daß mich ein Winken mit dem Union Jack beeindrucken könnte, so vergeudest du deine Worte. Nein, es ist stets die Sache, um die es geht. Wir alle bekommen nur ein Leben, Sarah, und dann sind wir lange Zeit tot. Hast du je darüber nachgedacht? Nein, ich nehme an, das hast du nicht. Du bist noch zu jung. Aber es gibt Millionen Menschen, die es in Elend und Krankheit und zerreibender Armut verbringen, die sich das Gedärm aus dem Leibe schuften, um Macht und Geld und Müßiggang für eine Handvoll verwöhnter Profitgeier zu vergrößern. Verbrauchte Strolche, die sich noch immer für ›die Aristokratie‹ halten und alle, die mit ihren Händen arbeiten oder weniger hoch geboren oder gut beteiligt sind, als ›Pöbel‹ betrachten . . .

Jetzt, wo der Krieg vorüber ist, wird dieser Abschaum erneut an die Spitze gelangen und sich einbilden, er könne in genau derselben Weise weitermachen wie früher. Nun, sie sind fällig für eine Serie ungemütlicher Schocks! Sehr viel ungemütlicher als die Wahlresultate, die letztes Jahr eine Katze zwischen die Mäuse gesetzt haben! Die Menschheit bewegt sich, und nichts kann sie jetzt mehr aufhalten.«

»Willst du damit sagen – du wärst einer von *ihnen*?« keuchte Sarah. »*Ein Roter?*«

»Wenn du es so nennen willst. Obwohl wir das Wort nicht gebrauchen.«

»Aber du bist doch ein Offizier im Dienst . . . du kannst nicht . . . Bedeutet dein Land dir gar nichts, um – Nein, ich sehe, das tut es nicht. Aber Janet – und Mrs. Matthews – und, und – Ahamdoo – O Gott! warst du das? Wie viele waren es? Wie konntest du –«

»Sei keine Närrin, Sarah!« sagte Hugo grob. »Sie waren auf der anderen Seite, und sie kannten die Risiken des Spiels. Das ist alles, was dazu zu sagen ist. Meinst du, einer von ihnen hätte gezögert, mich zu erschießen,wenn sie schneller

gewesen wären? Selbstverständlich nicht! Dein kostbarer Charles würde nicht zögern, mir in den Rücken zu schießen, wenn er nur eine halbe Chance hätte. Und völlig zu Recht. Und ich würde dasselbe mit ihm machen, wenn ich dächte, ich käme damit durch. Nur um ein Haar wäre ich über Charles gestrauchelt. Cleverer Bursche. Brachte mich zum Schwitzen, wie ich's nie erträumt hätte . . . Oh, ja –!«
Sarah fragte unsicher: »Weiß – weiß Fudge davon?«
Hugos Gesicht veränderte sich. Seine Brauen zogen sich in finsterem Stirnrunzeln zusammen, seine Stimme klang plötzlich rauh und kratzend: »Nein, sie weiß es nicht. Fudge hat rein gar nichts hiermit zu tun. Natürlich weiß sie, wo meine Sympathien liegen, weshalb sie auch darauf best . . . mich zu überreden versuchte, meinen Job beim Geheimdienst aufzugeben – weil sie fürchtete, ich könnte ›zu voreingenommen‹ sein. Sie hatte nicht die leiseste Ahnung, daß es dafür schon zu spät war oder daß der Schaden – von ihrer Warte aus gesehen – bereits entstanden war. Sie weiß auch jetzt nichts. Noch nichts, jedenfalls.«
Sarah sagte: »Wie hast du das mit Janet bewerkstelligt? Du warst mit ihr am Khilanmarg, als . . . Nein, warst du nicht! Das war der Grund, warum Janet blieb: du sagtest, du habest dir eine Sehne verzerrt. Das hattest du nicht, nehm' ich an.«
»Nein, ich wollte nur nicht zum Khilan, weil ich hoffte, denjenigen zu schnappen, der zur Hütte bei der Schlucht kommen wollte: Charles, vermute ich? O ja, wir hatten uns richtig mit der Hütte angefreundet. Es war nicht allzu schwierig, denn es ist einer der großen Vorteile der Arbeit für den Geheimdienst, daß du eine stattliche Zahl deiner Kollegen kennst und erfährst, wie jeder einzelne tickt. Zum Beispiel, daß einige der Gelehrteren, die nicht ganz sicher sind, ob ihre Diener Englisch verstehen und eventuell nicht abgeneigt sein könnten, Bestechungsgelder anzunehmen und an Türen zu lauschen – daß die es vorziehen, ihre streng geheimen Diskussionen lateinisch zu führen; in der Annahme, daß kein Wort von irgendeinem Lauscherohr verstanden wird. Und wie recht sie damit gehabt hätten, wenn ich nicht Wind davon

bekommen und ein paar ausnehmend unschuldigblickende indische ›Ohren‹ hier und dort angesetzt hätte, deren Eigentümer, überzeugend als bescheidene Diener verkleidet, alle im Besitz von klassischen akademischen Graden waren – selbstverständlich an englischen Universitäten erworben. Das Hütten-Schema war nur eine von verschiedenen interessanten Einrichtungen zur Übermittlung von Nachrichten, die wir auf diese Weise auffangen konnten: und es erwies sich als sehr nützlich – allerdings war ich ziemlich überrascht, daß Janet meinen Platz am Khilan just in dem Moment einnahm, als es ein Fall von ›Jetzt oder Nie‹ geworden war, mit der Möglichkeit eines häßlichen Wetterumschwungs und ohne ein Zeichen irgendeines verflixten Lampenanzünders. Glücklicherweise war es kein Handikap, denn sie kam jedenfalls. Ich flitzte vom Hotel herüber und zündete meine Signallampe an. Auf gut Glück, sie damit herunterzulocken, und es funktionierte. Alles, was ich zu tun hatte, war warten. Der einzige Verlust auf unserer Seite war dieser Idiot Mohan Lal, der offenbar nicht mitbekommen hatte, daß sie verpflichtet war, eine Waffe zu tragen. Sie plombierte ihn sehr gründlich.«
»Wer – wer war Mohan Lal?« fragte Sarah bebend.
»Oh, nur einer von den Jungs. Ziemlich mieses Stück Ausschußware und kein großer Verlust. Es ärgerte aber den dritten Mann in der Gruppe, den wir als Kellner im Hotel installieren konnten, ganz gehörig. Ich hatte die größte Schwierigkeit, ihn davon abzuhalten, das Mädchen freihändig abzuknallen, was keinen schlechten Aufruhr verursacht hätte. Es geht doch nichts über einen klaren Unfalltod, um eine lästige Episode ohne Ärger zu beenden. Vermißte Tote oder Leichen mit Einschußlöchern bringen eine Hölle von Plagen mit sich und wirbeln zu viele peinliche Fragen auf.«
Sarah unterbrach ihn: »Wie hast du's getan? Warum haben sie sich nicht –« Die Stimme versagte ihr.
»Warum sie sich nicht gewehrt haben? Ah! Siehst du diesen kleinen Apparat hier?« Er gestikulierte mit der seltsamen Waffe in seiner Hand. »Gas. Eine sehr gescheite Erfindung von einem sehr gescheiten Mann. Es kann entweder betäu-

ben, anästhesieren oder auf der Stelle töten. Es hängt nur von deinem Zeigefinger am Abzug ab, welche Wirkung eintritt. Es hinterläßt keine Spur und macht kein Geräusch. Ein Hauch davon, und danach ist es eine einfache Arbeit, jemand an einem geeigneten Ort auf den Kopf zu schlagen, so daß es aussieht, als habe er sich selbst bei einem schweren Sturz verletzt. Oder stich ohne jedes Geräusch ein Messer hinein: nicht ein Piep ...!

Ich verfüge über einen ausgezeichneten Stab, aber das Gehirn sitzt hier.« Hugo tippte gegen seine Stirn, warf plötzlich den Kopf zurück, lachte laut und dröhnend: »Gott, hab' ich mir manchmal ins Fäustchen gelacht, wenn ich ›unsere‹ pompösen Stabsoffiziere sah, unsere vergoldeten Außendienstler und Politikersnobs – die arroganten ›Hochgeborenen‹! Hätten sie nur geahnt, daß ich sie die ganze Zeit über – hier, in meiner Hand hatte!« Die harten, blauen Augen bekamen für einen Augenblick einen fanatischen Glanz. Seine Stimme sank zu einem Flüstern herab. »Aber keiner wußte es. Ich war zu clever für sie. Niemand weiß es. Guter alter Hugo – der dumme Esel vom Dienst.«

In dem Versuch, ihre Stimme ruhig klingen zu lassen und das wilde Entsetzen nicht auf ihrem Gesicht zu offenbaren, fragte Sarah: »Warum erzählst du mir das alles?«

Hugo sah sie einen Moment an, als habe er vergessen, daß sie sich im Raum befand. Verdrießlich antwortete er: »Sei nicht töricht, Sarah. Du weißt sehr wohl, warum. Du weißt zuviel. Viel zuviel. Tut mir leid, aber so ist es.«

»Aber – aber –« Die Worte schienen ihr im Mund zu verdorren, »du kannst mich nicht töten, Hugo! Du kannst es nicht. Wenn – wenn ich verspräche ...«

»Du würdest es nicht halten, und ich stehe zu nah vor dem Ende des Jobs, um irgend etwas riskieren zu können. Die Einsätze sind zu hoch. Nein, meine Liebe. Ein kleiner Hauch hiervon, und die Sache ist erledigt. Ich weiß nicht, zu welchem Ergebnis sie kommen werden, woran du gestorben bist. Jedenfalls kann der örtliche MO (medical officer/Stabsarzt) nicht viel zusammenbringen. Aller Voraussicht nach wird er

deshalb eine Art Herzattacke diagnostizieren und es dabei belassen. Wenn du schon einer unerklärlichen Herzattacke erliegst, denke ich, du wirst dabei gegen den Perlenvorhang gestolpert sein und ihn dabei heruntergerissen haben. Ja, es wird das beste sein, zwei Fliegen mit einer Klappe zu schlagen. Falls du die Absicht hast, zu schreien, so würd' ich's lassen. Dieses Zeug hier wirkt wie ein Blitzstrahl.«
Sarah kämpfte mit blinder Panik und brachte es zustande, ihre Stimme ruhig klingen zu lassen. Sie sagte: »Es hat keinen Zweck, Hugo. Diesmal kannst du nicht davonkommen. Da sind Männer, die das Boot bewachen. Sie müssen dich gesehen haben, als du an Bord gegangen bist.«
»Du meinst den Vogel dort draußen im Gebüsch«, sagte Hugo mit einem Auflachen. »Das ist richtig. Er ist der einzige in der Nähe des Boots. Die anderen beobachten nur die verschiedenen Personen im weiteren Umkreis.«
»Du willst sagen, du wußtest?« Sarahs Griff um die Rückenlehne verkrampfte sich wieder stärker.
»Natürlich wußte ich es. Ich bin doch kein Idiot. Der Bursche da draußen sah mich an Bord gehen. Er konnte mich gar nicht übersehen: ich machte soviel Geräusch, wie nur irgend möglich. Und worüber sollte er besorgt sein? Er hat gesehen, wie du mir beim Fortgehen Lacro übergabst. In Gegenwart und mit Billigung seines Chefs. Charles nahm an dieser Transaktion teil, erinnerst du dich? Dann kam ich nicht lange vor deiner Rückkehr zusammen mit dem Hund den Uferweg entlang und ging auf dein Boot. Bei der Gelegenheit schaltete ich das Licht im Salon an – stets ein entwaffnender Akt. Wie du bemerkt haben wirst, ist er nicht nahe genug postiert, um viel zu erlauschen. Zweifellos nahm er an, Charles und du, ihr seid von mir aufs herzlichste begrüßt worden, als ihr an Bord kamt.
Ich hoffe, du hast gemerkt, daß ich meine Stimme nicht senkte? Dein Amateurwachhund wird laute Stimmen und Gelächter vernommen haben, die während der letzten zehn Minuten oder so vom Boot zu ihm herüberdrangen. Die Miß-sahib hält ein fröhliches Schwätzchen mit dem stattli-

chen Sahib, der ihr Freund ist. Keine alarmierenden Geräusche. Kein Hundegebell. Wenn ich mich hier mit dir befaßt und die Szene hergerichtet habe, werde ich scherzhaft redend herauskommen, dir ein fröhliches ›gute Nacht‹ zurufen und mit derselben gelassenen Haltung, mit der ich gekommen bin, wieder verschwinden. Der Wächter wird sich nichts dabei denken. Dann werde ich mich – was lästig, aber notwendig ist – mit ihm befassen. Ein sehr einfaches Geschäft.«
»Du kannst es nicht!« stieß Sarah heraus. »Du kannst es nicht! Er wird bewaffnet sein . . .«
»Oh, sogar mit Sicherheit. Aber was wäre natürlicher, als daß du oder Charles mir erzählt hättet – mir, einem alten Freund der Familie –, er lauere dort draußen im Gebüsch? Ich werde den Vogel mit einem verschwörerischen Flüstern anrufen und sagen, du habest eine Botschaft für ihn. Natürlich wird er anbeißen. Und aus nächster Nähe kann er eine Prise hiervon bekommen. Da wir die Herzversagensmasche nicht überstrapazieren wollen, kann er morgen früh gefunden werden – ertrunken, denke ich. Alles sehr tragisch und erschütternd, hat aber absolut nichts mit dem netten Major Creed zu tun, der vor Kummer und starker Gemütsbewegung geradezu niedergeschmettert ist. Begreifst du?«
»Ja«, sagte Sarah langsam. »Ich begreife.«
Ihr Hirn schien sich plötzlich zu klären. Hugo war nicht wahnsinnig: er war schlimmer als das. Er war ein besessener, waschechter Fanatiker in seiner Loyalität zum eigenen skrupellosen Dogma und seinen gleichfalls skrupellosen Meistern, und er meinte genau das, was er sagte. Ohne jeden Zweifel würde er sie töten; so, wie er Janet und Mrs. Matthews und Ahamdoo – und wie viele andere noch? – getötet hatte. Er würde sich damit rechtfertigen, daß der Zweck die Mittel heilige – alle Mittel! Wie brutal und erniedrigend sie auch immer sein mochten. Und was er gesagt hatte, stimmte – niemand würde ihn je verdächtigen. Selbst Charles würde keinen Argwohn schöpfen. Jene, die ihn angeheuert hatten, hatten ein gutes Werkzeug gewählt, denn wie Cäsars Weib war er über jeden Verdacht erhaben.

Es mußte einen Ausweg geben. Das durfte nicht geschehen. Nicht ihr, Sarah Parrish.
Das Licht. Konnte sie einen Sprung danach tun und es zertrümmern? In der Dunkelheit könnte sie eine Chance haben, denn die Waffe, die Hugo hielt, hatte einen Nachteil: Außer in Kernschußlinie konnte er sie nicht benutzen ohne selbst ein Risiko einzugehen. Und falls er versuchte, sie im Dunkeln zu benutzen, konnte er ihr selbst zum Opfer fallen.
Der Schalter befand sich neben der Außentür und außerhalb ihrer Reichweite; aber die einzelne Glühbirne, die den Raum erhellte, war näher. Obwohl sie noch zu weit weg war, konnte sie die Leitung, die vom Schalter aus durchhängend über die Decke führte und nur notdürftig mit ein paar rostigen Nägeln befestigt war, mit einem Sprung erreichen, sie herunterreißen, und das Licht würde ausgehen. Aber würde es wirklich ausgehen oder anbleiben? Selbst wenn es ausging, konnte der elektrische Schlag sie niederstrecken? Falls ja, wäre sie in einer schlechteren Position als vorher . . .
Hugo folgte ihrem Blick und schien zu verstehen. Er grinste.
»Du schaffst es nicht, Sarah. Also, ich muß vorankommen. Irgendwelche letzten Wünsche oder so was?«
Und dann hörte Sarah es. Es war ein sehr leises Geräusch aus großer Entfernung. Und wenn all ihre Sinne nicht durch die Panik aufs höchste angespannt gewesen wären, hätten ihre Ohren es niemals wahrgenommen.
Irgend jemand kam den Feldweg entlang. Und wer immer es sein mochte, er hatte auf das Stück Blech, das über die nasse Pfütze gebreitet war, getreten.
Lacro hatte es auch gehört. Er hob die Nase von den Pfoten, und seine Augen drehten sich zum Fenster hinter Hugos Kopf.
»Lacro –!« flehte Sarah verzweifelt.
Lacro ließ den Kopf gehorsam auf die Pfoten sinken, und Hugo sagte: »Ich werde mich um ihn kümmern. Keine Sorge.«
Ich muß reden, dachte Sarah, und ich muß ihn am Reden halten. Das ist eine Chance . . .

Hugo setzte sich aufrecht hin und hob seine rechte Hand. Seine Augen hatten sich merkwürdig geweitet, so daß man das Weiße rund um die Iris sehen konnte. Seltsame, blasse Augäpfel, hart und glitzernd wie nasse Kiesel. Der schmale, grausame Mund. Wie Heinrich VIII. – wer hatte das gleich gesagt? Damals schien es lustig, aber heute war es das nicht mehr. Wie hatten sie nur alle so blind sein können? Heinrich VIII., der trotz seiner Bluffs, seines Umfangs und seiner Jovialität ein Mörder gewesen war. Dieser hier war auch ein Mörder.

Völlig verzweifelt sagte Sarah: »Höre, Hugo – wenn ich dir erzähle – alles, was ich weiß – was sie wissen . . .« Ihre Stimme kam stoßweise, und Hugos Augen verengten sich ein wenig, aber seine rechte Hand bewegte sich nicht, und Sarah merkte, daß er gleichfalls lauschte. Sie begann laut zu sprechen, wild draufloszureden: »Schau, Hugo – ich kann dir Dinge erzählen. Ich kann dir alles sagen, was du wissen willst – alles, was du möchtest. Ich –«

Lacro hob erneut die Nase und machte »Wuff!«, und Hugo drehte seinen Kopf.

Sarah konnte sich später nicht mehr klar erinnern, was dann geschah. Es ging alles in einem Tohuwabohu von panischem Entsetzen und Geräuschen unter.

Sie wußte nur, daß Hugos Augen sich endlich von ihr gelöst und zur Seite bewegt hatten. Die Todesangst verlieh ihr Riesenkräfte. Sie riß den Stuhl hoch, den sie umklammert hielt. Er traf Hugo unter dem Kinn und ließ ihn rückwärts fallen.

Sie hatte eine wirre Erinnerung an Lacros Gebell, Charles' Stimme, die ihren Namen rief, und jemanden, der schoß: ein Krach von zerberstendem Glas und dann Schwärze.

Als sie aus der Bewußtlosigkeit auftauchte, fand Sarah sich im Freien auf dem Bug der *Waterwitch* liegen, und Charles benetzte ihren Kopf mit kaltem Wasser. Der Salon schien voller Leute, und es hing ein eklig süßlicher Geruch in der Luft – ein Geruch, den sie kannte.

Sie starrte zu Charles empor und sagte: »Hugo!«

»Ich weiß«, sagte Charles. »Er ist tot.«
»Tot?« Sarah kam ruckartig hoch, umkrallte mit verzweifelten Händen die hölzerne Reling des Bugs. »Hast du – hast du –«
»Nein«, antwortete Charles ruhig. »Er hat sich selbst getötet. Er wußte: Das Spiel ist aus, und so richtete er die tödliche Waffe gegen sich selbst.«
Sarah starrte wild in den kleinen hell erleuchteten Raum, in dem alle Fenster und Türen aufgerissen waren; die Vorhänge waren zurückgezogen und die Nachtluft verwehte bald den ekligen Geruch. Es waren drei Inder im Raum und Reggie Craddock: zwei der Inder trugen Kaschmirikleidung, der dritte war Mir Khan. Reggie Craddock kniete am Boden neben Hugos Leiche und streifte die Gummihandschuhe von den schlaffen Händen.
Charles stand auf und ging in den Salon zurück. Sarah erhob sich mühsam, folgte ihm, sank auf das Sofa und begann mit den Handrücken mechanisch das Wasser vom Gesicht zu wischen, während sie ungläubig auf Hugo starrte ...
Hugo lag auf dem Rücken. Seine Augen waren geschlossen, und der kleine, grausame Mund zeigte jenen Ausdruck, den er trainiert hatte. Er lächelte, ein liebenswürdiges und leeres Lächeln, als Mir Khan seine Taschen durchsuchte und Papiere und Kreditkarten, ein Zigarettenetui, eine Schachtel Streichhölzer und andere uninteressante Gegenstände zum Vorschein brachte.
Reggie kam von den Knien hoch und händigte Charles die Handschuhe aus, der sie behutsam um die Waffe wickelte, die Hugo gehalten hatte. Er nahm einen geschnitzten Holzkasten von einem der Tische neben sich, leerte den Krimskrams, den er enthielt, aus und legte das kleine Bündel hinein. Mir sprach mit den zwei Kaschmiris in deren Heimatdialekt, und sie gingen hinaus. Einer von ihnen trug den Kasten, und Sarah hörte die Geräusche ihrer Fußtritte auf der Planke. Dann war Stille.
Mir erhob sich und bot ihr eine Zigarette an. Als sie den Kopf schüttelte, steckte er sich selbst eine an, und Charles verließ den Raum – um fast sofort wieder mit einem kleinen

Glas Brandy zurückzukehren, das er Sarah wortlos überreichte.
Sie schluckte es mit einer Grimasse hinunter, und Charles sagte sanft: »Glaubst du, du kannst uns jetzt erzählen, was passierte?«
Sarah nickte stumm. Als der Brandy seine Wirkung zu zeigen begann, nahm sie all ihre Kraft zusammen und berichtete ihm, was sich ereignet hatte, seit er gegangen war. Sie sprach mit einer Stimme, die sie kaum als die eigene erkannte, so tonlos schilderte sie die Ereignisse.
Bei der Erwähnung des Vorhangs wendete Mir Khan sich vom Fenster ab und ging hinüber, wo er die Perlen befühlte, während sie sprach. Aber niemand unterbrach sie.
Nachdem sie geendet hatte, herrschte eine Weile Stille. Dann fragte Reggie Craddock mit einem Blick auf Hugo: »Kannst du den Doktor bestechen?«
»Ja«, sagte Charles kurz.
»Du wirst ihm einiges erklären müssen.«
»Natürlich.«
Mir schwenkte die Perlenschnüre, horchte, wie sie gegeneinanderklickten und -klirrten, und sagte: »Es ist wohl besser so. Wir können uns keinen öffentlichen Skandal leisten. Aber bist du sicher, daß er die Wahrheit sprach, als er sagte, sie wüßte von nichts?«
»Ich denke, ja«, sagte Charles.
Sarah blickte hilflos von einem zum anderen. »Ich verstehe nicht«, bemerkte sie erschöpft.
Charles wandte sich um und ging zur offenen Tür. Die Hände in den Hosentaschen, stand er da, sah in die Nacht hinaus zum Creedschen Boot hinüber. »Wir reden über Mrs. Creed«, sagte er.
Sarah zog mit einem kleinen Ächzer den Atem ein; sie hatte Fudge ganz vergessen, und plötzlich standen ihre Augen voller Tränen. »Aber ich erzählte dir doch, daß Hugo sagte, sie wisse hiervon nicht das geringste!«
»Ich glaube es«, versicherte Charles ruhig, »und ich sehe auch keinen Grund, warum man es ihr erzählen sollte.«

»Aber du wirst es müssen. Jetzt.«
»Nein, das werden wir nicht.« Charles kehrte vom Eingang zurück. »Ich denke, es ist besser, wenn die offizielle Version folgendermaßen aussieht: Mir, Reggie und ich begleiteten dich nach dem Tanz heim. Wir trafen Hugo hier auf dem Boot, der Lacro zurückgebracht hatte. Wir saßen alle beisammen und tranken ein Glas, als Hugo eine Herzattacke erlitt und starb, bevor einer von uns etwas unternehmen konnte. Wir alle waren Zeugen dieses Vorgangs. Wenn das Gas tatsächlich solche Eigenschaften besitzt, wie Creed es behauptet hat, werdet ihr sehen, daß wir nicht einmal den Amtsarzt zu bestechen brauchen. Die ärztliche Diagnose wird Herzversagen sein. Und jetzt gehe ich besser und hole den Arzt.«
»Nimm meinen Wagen«, empfahl ihm Mir. »Er steht auf der Straße.«
»Danke, mach' ich.«
Reggie fragte: »Was ist mit Fudge? Sollte einer von uns nicht hinübergehen und es ihr sagen?«
»Nein«, meinte Charles. »Wir werden zuerst den Arzt holen.«
»Sie wird ihn aber sicher vermissen und herüberkommen.«
»Das bezweifle ich. Meiner Meinung nach hat Hugo jedesmal, wenn er eine Nachtarbeit zu erledigen hatte, seiner Frau vorher eine Schlaftablette verabreicht. Er war ein zu cleverer Bursche, um Risiken einzugehen. Los, Sarah, Zeit für dich, ins Bett zu gehen.«
»Ich kann nicht. Ich kann jetzt nicht schlafen. Und – und – ich möchte lieber hiersein, wenn der Doktor kommt – und wenn Fudge kommt. Es würde einen schlechten Eindruck machen, wenn ich zu Bett gegangen wäre.«
»Sie hat recht«, gab Reggie zu. »Zieh ab und hol den Medikus. Je rascher wir diese scheußliche Sache hinter uns gebracht haben, desto besser.«
»Und ich«, sagte Mir, »werde den Rest dieses Perlen-Codes niederschreiben.« Er bückte sich und hob den heruntergefallenen Schreibblock auf.
Sarah hörte das Geräusch von Charles' Schritten verhallen, und die Nacht war wieder still.

Mirs Feder erzeugte leise, monotone Kratzlaute, als er Reihe um Reihe die Punkte und Striche zu Papier brachte. Reggie lehnte am offenen Fenster, starrte in die Nacht hinaus, derweil der Himmel zur ersten, fernen Morgendämmerung erblaßte. Und auf dem Fußboden lag Hugo und lächelte.
Sarah spürte, wie ihr die Tränen über die Wangen strömten, jedoch sie war zu müde, um die Hand zu heben und sie fortzuwischen.

20

Drei Tage vergingen, bevor Sarah Charles Mallory wiedersah: In diesem Zeitraum war Hugo begraben worden, und die Aufregung, die sein plötzlicher Tod verursachte, hatte sich gelegt, denn es war in dieser Woche nicht der einzige Tod in Srinagar gewesen.
Innerhalb weniger Stunden nach Bekanntwerden von Major Creeds Tod infolge Herzversagens, hatte es noch eine ebenso plötzliche und unvorhergesehene Tragödie gegeben: Johnnie Warrender hatte sich während des Trainings mit einigen Polo-Ponys Seiner Hoheit den Hals gebrochen.
Aber noch weitere Ereignisse fanden statt; zahlreiche Verhaftungen und plötzliches Verschwinden mehrerer Personen. Aber da sich all dies in dem übervölkerten Labyrinth der Altstadt Srinagars abspielte, drang es kaum in das Bewußtsein der europäischen Besucher. Es war auch zweifelhaft, ob es angesichts der Woge von Gerüchten, Gegengerüchten, Spekulationen und Ungewißheiten, die der nahe Abzug der britischen Kolonialherren mit sich brachte, selbst in der Stadt besondere Aufmerksamkeit erregt hätte.
Sarah saß im Gras unter den Weiden, sah hinaus auf den See und den offenen Streifen Wasser, wo die *Waterwitch* – nunmehr an irgendeinem Liegeplatz am Jhelum-Fluß in den Ruhestand versetzt – noch kürzlich gelegen hatte. Es war fast sechs Uhr, und die Sonne sank am westlichen Himmel

den Bergen des Pir Panjal entgegen. Lacro schnüffelte und buddelte zwischen den Wurzeln des großen Chenarbaums, und droben in den Zweigen trug ein Paar Bulbuls einen lautstarken häuslichen Streit aus.
Irgend jemand kam den Feldweg entlang, wie das zerbeulte Stück Blech, das immer noch an seinem alten Platz lag, ankündigte; immer noch krachte es protestierend, wenn jemand darauf trat. Sarah hörte das vertraute Geräusch und drehte sich rasch um; fast augenblicklich stieg ihr ein Anflug von Röte in die Wangen, und ihre entspannte Haltung versteifte sich etwas. Einige Augenblicke später kam Charles durch das Gras auf sie zu.
Er sah sehr müde aus, und es waren Linien in seinem Gesicht, die sie vorher nicht an ihm gesehen hatte. Aber seine Augen waren ruhig; die Wachsamkeit, die vorher darin gelegen hatte, war verschwunden.
»Bleib sitzen«, forderte Charles sie auf und ließ sich mit gekreuzten Beinen auf dem Rasen neben ihr nieder. »Wo ist Mrs. Creed?«
»Sie macht einen Spaziergang.«
»Allein?«
»Ja. Ich wollte mit ihr gehen, doch sie zog es vor, allein zu gehen. Sie ist in Ordnung; ich meine –«
»Ich weiß«, sagte Charles. »Sie ist sehr tapfer, und es tut mir sehr leid um sie. Aber es täte mir wohl noch mehr leid, wenn ihr Mann noch lebte und sie alles über ihn erfahren hätte.«
»Denkst du, sie hätte es erfahren?«
»Bestimmt. Letztlich wäre es unvermeidlich gewesen. Denk nur an die Kinder, die ja im Augenblick in England sind. Wie eine Menge britischer Kinder waren sie während des Krieges hier in Srinagar auf der Sheik-Bagh-Schule. Ihre Eltern brachten sie nach Hause, sobald der Krieg beendet war, und steckten sie in England auf Internate. Hugo hatte aber für das Ende der Sommersaison einen Familienurlaub im Libanon geplant, und es sieht so aus, als hätten sie von dort aus alle verschwinden sollen – um in irgendeiner komfortablen Dat-

scha außerhalb Moskaus zu landen, wo die Kinder einer Hirnwäsche unterzogen und in tollwütige kleine Stalin-Anbeter verwandelt worden wären.«

»O nein!« rief Sarah unglücklich. »So grausam hätte er nicht sein können! Fudge hätte das verabscheut!«

»Mag sein. Aber sie hätte nichts daran ändern können, denn bist du erst einmal in dieses gefährliche Spinnennetz hineingeraten, sind deine Chancen, herauszukommen, gleich Null. Und selbst wenn man ihr diese Chance gegeben hätte, würde man ihr nie erlaubt haben, ihre Kinder mitzunehmen, und sie würde sie nie verlassen haben – nicht in einer Million Jahren. Wenigstens das blieb ihr erspart.«

»Hatte sie . . . glaubst du, sie hat jemals irgend etwas vermutet?«

»Nicht die volle Wahrheit. Das ist etwas, was sie sich schwerlich vorstellen könnte. Sie erzählte uns aber, sie hätte gefürchtet, ihr Mann könne in etwas verwickelt sein, was er sie nicht habe wissen lassen wollen, und daß er deshalb unter Streß gestanden hätte. Ich glaube, sie vermutete irgendeine Art von Schwarzmarkthandel. Nicht mehr als das. Sie waren arm, und auf einmal schienen sie reich zu sein. Geld kam von irgendwoher, und sie wußte nicht, von wo. Es gab auch noch einige andere Dinge, die sie sich nicht erklären konnte. Mir sagt, sie sei glücklich gewesen, und daß es einen Vers in ›einem eurer christlichen Bücher‹ gibt (gemeint ist ein Bibel-Psalm), der lautet: ›Bewahre deine Unschuld und trachte danach, stets das Rechte zu tun, denn es bringt dem Menschen letztlich Frieden‹, und da Mrs. Creed ihre Unschuld wahrte, wird sie, so hoffe ich, letztlich ihren Frieden finden.«

»Sie hat ihn geliebt . . .«, sinnierte Sarah.

»Ja, sie hat ihn geliebt. Sehr sogar, glaube ich. Doch es gibt schlimmere Dinge, als jemanden zu verlieren, den man liebt. Nämlich festzustellen, was du wirklich geliebt hast. Mrs. Creed ist eine wahrhaft ›gute‹ Frau. Sie bewunderte seine politischen Ansichten, weil sie ihr mitfühlend, fürsorglich und gut vorkamen. Er ließ sie niemals mehr als das wissen.

Sie hätte es nicht ertragen, die Wahrheit zu entdecken, daß ihr geliebter Gatte nämlich nicht nur ein Verräter, sondern auch ein Mörder war. Und darüber hinaus ein durch und durch verrotteter Phantast!«
Sarah gab ruhig zu bedenken: »Niemand kann durch und durch schlecht sein.«
»Das ist wahr, und eins war gut an ihm – obgleich er selbst es wahrscheinlich als Schwäche angesehen hätte: seine Liebe zu seiner Frau und seinen Kindern. Alles übrige war schlecht. Nicht einmal großartig schlecht, nur schäbig und eitel und grausam und egoistisch.«
»Warum, Charles?«
»Ich bin mir nicht sicher. Aber nach allem, was wir erfahren haben und was seine Frau unbewußt preisgegeben hat, war er ein Mann, der von Neid zerfressen war auf jene, die mehr besaßen als er. Mehr Geld, mehr Wissen, mehr Persönlichkeit, eine bessere Erziehung, ein besserer sozialer Hintergrund. Eine leider nur allzu weit verbreitete Schwäche unserer Zeit«, sagte Charles bitter.
»Aber er *war* wirklich klug. Und beliebt – die Leute mochten ihn. Alle mochten ihn.«
»O ja, er war klug. Aber nicht klug auf die rechte Weise. Er war schlau. Seine Kindheit hat in ihm ein Neidgefühl auf jene erzeugt, die mehr besaßen als er, während seine Eitelkeit ihn wünschen ließ, in allem führend zu sein. Er besuchte eine Universität, auf der er sich mit einem sehr gründlichen und besonders kostbaren Grundwissen ausstatten konnte. Den meisten gelang es, hieraus Honig zu saugen und nach Beendigung des Studiums in bequeme Stellungen zu gelangen. Hugo hatte keine, und so plumpste er in die Armee, wo er feststellte, was so viele in so vielen Lebensläufen feststellen: daß ein durchschnittlicher Mann mit Geld und einem guten sozialen Hintergrund schneller vorankommt als ein besserer Mann ohne beides.«
»Aber ein hochbegabter Mann –« begann Sarah.
»Ein hochbegabter Mann wird überall zur Spitze gelangen. Aber Major Creed war nicht hoch begabt. Lediglich schlau:

Und nach seiner Ansicht ›mittellos‹, denn er hatte kaum ein privates Vermögen. Er wurde bei der Beförderung ein- oder zweimal übergangen. Zugunsten von Männern, die er geringer einschätzte als sich selbst, abgesehen vom Geldbeutel und gesellschaftlichem Status. Er war nicht imstande, sich darüber hinwegzusetzen. Statt dessen ließ er zu, daß es ihn verbitterte und zerstörte. Auf seiner Universität hatte er schon starke kommunistische Sympathien entwickelt, doch nun schwenkte er mit Leib und Seele zur Partei über, und zwar aus den armseligsten aller Motive: Neid, Haß, Rachegefühle und äußerste Gnadenlosigkeit! 1937 wechselte er dann zur Indischen Armee über, und kurz nachdem der Krieg ausbrach, gelang es ihm, sich ausgerechnet an den Nachrichtendienst zu hängen.«

»Ja, er sagte etwas darüber. Über Leute, die er darin kenne, und daß er etwas über die Hütte in Gulmarg ausfindig machen konnte, weil sie . . . Ich glaubte aber gar nicht, er könne wirklich etwas damit zu tun haben. Ich dachte, er hätte es nur – erfunden. Oder wieder einmal gelogen . . .«

»Unglücklicherweise log er nicht. Nein; ausgerechnet Hugo hatte mit dem Nachrichtendienst zu tun. Ja, mehr noch: er war für den Job sorgfältig überprüft worden. Was beweist, daß er seine Spuren entweder sorgfältig verwischte oder daß die ›Überprüfung‹ in jenen Tagen ziemlich lasch gehandhabt wurde! Das ist natürlich der Grund, warum er über jeden Verdacht erhaben war. Und warum die Gegenseite immer soviel wußte über das, was vorging. Es scheint, daß er gleichzeitig mit dem offiziellen einen eigenen Untergrund-Nachrichtendienst organisiert und äußerst wirksam geführt hat; und ohne daß jemand je Verdacht schöpfte! Oh, er war clever, ganz recht. Ich schätze, alle Verräter sind wohl so – jedenfalls die, die damit durchkommen. Und die ganze Zeit führte er ein Doppelleben. ›Hugo, der gute Kumpel‹, ›Hugo, der Spaßmacher‹, das ›Herzstück jeder Party‹ – Schade, daß sich niemand träumen ließ, von *welcher* Party . . .!«

Charles machte eine Pause und begann Grashalme auszureißen, und zwischen seinen dünnen, sonnenbraunen Fingern zu zerfasern. Kurz danach forderte Sarah ihn auf: »Erzähl mir, Charles. Was stand in Janets Vorhang?«

»Alles«, gab Charles zurück. »Alles, außer einem Namen: Hugos! Das war etwas, was sie noch nicht entdeckt hatten. Sicher weißt du, daß Indien in die Unabhängigkeit entlassen werden soll.«

»Sicherlich«, versetzte Sarah mit einem Lachen. »Man spricht doch in diesen Tagen von nichts anderem.«

»Genau«, pflichtete Charles lakonisch bei. »Was du aber nicht weißt, ist, daß die Übergabe nicht nächstes Jahr, wie ursprünglich vorgesehen, sondern im August dieses Jahres stattfinden wird.«

»Was?!« Sarah richtete sich kerzengerade auf. »Aber – aber –«

»Leider ist es wahr: du wirst die Meldung sehr bald hören. Soweit es das betrifft, haben wir Janets Vorhang zu spät gefunden.«

»Warum? Welchen Unterschied macht das? Und warum sagst du ›leider‹? Willst du denn nicht, daß sie ihr eigenes Land regieren? Wie würden *wir* es empfinden, wenn –« Sie sah, wie Charles über sie lachte, stockte und biß sich auf die Lippe. »Verzeih. Ich hätte es wissen sollen. Was wolltest du sagen?«

»Ich wollte sagen, daß es ein großer Jammer ist, daß so viele Menschen versäumen festzustellen, daß der Krieg, der gerade beendet ist, nur ein Vorgeschmack dessen ist, was kommen wird. Daß dieser ›Frieden‹ nur so etwas wie die ›Halbzeit‹ darstellt, in der sich beide Mannschaften auf den folgenden Schlagabtausch vorbereiten. Das große Ringen beginnt nämlich erst, und es wird weitaus bitterer sein: weil es zwischen Ideologien und nicht unter Nationen stattfindet.«

»Aber was hat das mit der Unabhängigkeit Indiens zu tun?« fragte Sarah. »Jedermann wußte, es würde eines Tages so kommen.«

»Gewiß. Aber da gibt es Leute, die enorm vom Chaos und Desaster profitieren und die deshalb sicherstellen wollen, daß beides auch eintritt, wenn der Tag kommt. Zu diesem Zweck wurde eine Menge Geld investiert!«

Sarah warf ein: »Aber Hugo? Was hatte er mit alledem zu tun?«
»Hugo hat das Geld dirigiert. Und zwar von hier aus. Welch besseren Platz könnte man dafür finden? Dies hier gehört ja nicht zu ›Britisch-Indien‹. Es ist ein Protektorat: ein unabhängiger Eingeborenenstaat, regiert von einem Maharadscha, der von einem britischen ›Gesandten‹ beraten wird und nur dann beseitigt werden kann – als allerletzte Möglichkeit –, wenn er sich *wirklich* schlecht beträgt. Selbst dann muß sein Erbe an seiner Stelle eingesetzt werden. Kaschmir ist gewissermaßen nationaler – fast internationaler Boden; darüber hinaus hat es eine breite mohammedanische Bevölkerung und eine herrschende Hindu-Klasse. Das war zunächst mal einer der Gründe! Doch es gab noch einen besseren. Es war ein berühmter Urlaubsaufenthalt sowohl für Briten wie für Inder. Menschen aus ganz Indien kamen hierher und brauchten keine andere Erklärung dafür abzugeben, als daß sie hier Urlaub machten.
Riesige Geldsummen flossen herein: amerikanische Dollars von amerikanischen Kommunisten, die amerikanische Armeeuniformen trugen. O ja, darunter gab es einige! Englische Pfunde, indische Juwelen, Goldbarren und Silber-Rupien, alle Geldwährungen kamen hier zusammen: vieles davon aus Großeinbrüchen stammend. Hier wurde es in jede gewünschte Valuta eingetauscht, und hierher kamen die führenden Anstifter und Agitatoren zur Entgegennahme von Aufträgen und Zahlungen – und zum Geldanlegen. Es gab eine große Anzahl von Helfern – unter ihnen auch britische Männer und Frauen.«
»Ich weiß«, sagte Sarah nüchtern. »Johnnie Warrender war einer davon, nicht wahr?«
»Nein. Nicht Johnnie. Helen.«
»Helen!? Dann war es – Aber warum – Ich meine, Johnnie ist tot. Ich dachte . . .«, stammelte Sarah zusammenhanglos.
»O ja, Johnnie brachte sich selber um. Es war kein Unfall, aber er hat es sehr gut vorgetäuscht. Er hatte das mit seiner Frau erfahren. Ich glaube, er war bereits ein toter Mann!«

»Was willst du damit sagen?«
»Er war völlig am Ende. Es war ihm nichts mehr geblieben. Seit Jahren hat er nur auf Kredit gelebt, und jetzt gab es keine Hoffnung mehr, ihn jemals abzuzahlen oder seine anderen Schulden zu begleichen. Oder wieder Polo zu spielen. Mit der Unabhängigkeit geht die Welt von Leuten wie Johnnie Warrender zu Ende. Es war Helen, die für Hugo arbeitete. Ich glaube nicht, daß sie wirklich wußte, was sie tat: wahrscheinlich wollte sie es auch gar nicht wissen! Sie ist eine Frau von sehr begrenzter Auffassungsgabe, die nur an Geld und an sonst überhaupt nichts dachte. Ein ideales Werkzeug für Hugo. Erinnerst du dich noch an den Diebstahl der Rajgore-Smaragde?«
»Ja«, nickte Sarah. »Es stand eine Menge darüber in den Zeitungen; und du hast sie auch erwähnt – du sagtest, sie seien hier.«
»Sie waren hier. Wir hatten den Verdacht, daß diese Smaragde nach Kaschmir kommen würden, so, wie es mit einer großen Menge anderer gestohlener Juwelen der Fall gewesen ist, und wir setzten Beobachter darauf an. Aber sie gingen uns durch die Lappen. Mrs. Warrender hat sie gebracht und übergab sie Hugo auf der Straße.«
»Das kann sie unmöglich getan haben!« protestierte Sarah. »Ich war dabei – und Fudge ebenfalls. Sie übergab ihm nichts!«
»Sie hat es uns selbst erzählt. Sie hat ihm die Smaragde übergeben. Sie befanden sich im Inneren einer Frucht – einer Grapefruit oder Papaya oder so was Ähnlichem.«
»Nein«, Sarah dämmerte es langsam. »Es war eine Wassermelone. Jetzt erinnere ich mich . . .«
»Helen Warrender würde für Geld nahezu alles getan haben. Es gibt zu viele Menschen, die so sind.« Charles riß einen langen Grashalm aus, saß da und kaute nachdenklich darauf herum, blickte über den See, und nach einer längeren Pause sagte Sarah: »Du kannst jetzt nicht aufhören. Erzähl mir auch den Rest. Es gibt so viele Dinge, die ich wissen möchte. Die Botschaft in der Streichholzschachtel – wie bekamen sie

es heraus? Das mit dem Vorhang, meine ich. Und woher hat der pockennarbige Mann, Ahamdoo, es gewußt?«
Nachdenklich antwortete Charles: »Nun, da er tot ist, werden wir die Antwort darauf wohl nie erfahren. Wir können nur Vermutungen darüber anstellen.«
»Und wie fanden *sie* es heraus?«
»Die Frage«, korrigierte Charles sie mit einem matten Lächeln, »müßte eigentlich lauten: ›Warum fanden sie es nicht früher heraus?‹ – in Anbetracht der Tatsache, wie wenig man auf einem Hausboot geheimhalten kann!«
»Wem sagst du das!« pflichtete Sarah ihm bei. »Deshalb kann ich mir einfach nicht vorstellen, wie Janet es fertigbrachte, diesen Vorhang anzufertigen, ohne daß jeder Kaschmiri in einem Radius von zehn Meilen alles genau darüber wußte.«
»Aber sie *haben* davon gewußt. Das ist genau der Punkt. Es veranschaulicht auch wunderschön, warum die Denkprozesse des Orients so oft Verblüffung im Westen hervorrufen. Es gibt einen Ausspruch, der in diesem Teil der Welt entstanden ist. Er lautet: ›Am dunkelsten ist es stets unter der Lampe‹. Janet Rushton wußte, daß dies richtig ist, und da sie ein gescheites Mädchen war, wandte sie es zu gutem Nutzen an. Sie wußte sehr genau: Falls sie versuchte, die Aufzeichnung heimlich zu machen – sagen wir, nach Dunkelheit bei zugezogenen Vorhängen –, wäre sie zweifellos entdeckt worden, wie sorgfältig sie sie auch immer verstecken mochte. So tat sie es in aller Öffentlichkeit und in vollem Blickfeld. Und als es fertig war, hängte sie es dort auf, wo jedermann es sehen konnte. Weil es aber allgemein bekannt war, dachte niemand dran, es jemals zu erwähnen . . .
Nach allem, was uns der *mānji* erzählt hat, muß sie es sorgfältig geplant haben. Da sie den Vorteil besaß, in Indien geboren zu sein und ein gutes Stück ihrer Kindheit hier verbracht hatte, wußte sie eine Menge über die indische Denkweise. Beispielsweise wußte sie, daß vorgetäuschte Offenheit leicht zum Fehlschluß verleitet: und entsprechend handelte sie.«

»Aber der Perlenvorhang?« soufflierte Sarah.
»Der *mānji* sagt, es wäre immer einer auf der *Waterwitch* gewesen: anscheinend haben viele Boote früher einmal solche Vorhänge gehabt. Eines Tages im späten November hatte Rushton Miß-sahib den ihren jedoch zerstört. Sie schien gestolpert und gefallen zu sein und hatte den Vorhang im Fall mit sich heruntergerissen. Er war schon alt, und so brachen die Schnüre leicht ab. Er sagt, die Miß-sahib sei sehr aufgeregt gewesen und hätte darauf bestanden, ihn zu ersetzen. Als sie feststellte, daß solche Sachen am Ort nicht mehr hergestellt wurden, sandte sie ihn zum Basar, um neue Schnüre zu kaufen. Auch Extraperlen, da viele der Originalperlen zwischen die Fußbretter gefallen und verloren waren. Dies garantierte natürlich, daß möglichst viele Leute von der Geschichte erfuhren. Sie ging sogar selbst zum Basar und kaufte noch mehr Perlen, und da es gegen Ende des Monats noch ein paar sonnige Tage gab, saß sie im Freien an Deck ihres Boots und nähte sie in voller Sicht für jede vorbeikommende *shikara* an, während Mrs. Matthews am Ufer zeichnete. Sie arbeitete daran zehn Tage während der hellsten Stunden, und gegen Ende dieser Zeit war es ein so gewohnter Anblick geworden, daß er für selbstverständlich hingenommen wurde und keinerlei Interesse erregen konnte. Mit anderen Worten: Sie saß vorsätzlich unter dem Lampenlicht und zeigte offen das Ding, das versteckt werden mußte.«
»Ja . . . ja, ich verstehe«, sagte Sarah. »Es war eine Art Doppelbluff.«
»Genau. Und es gelang ihr, alle Welt zum Narren zu halten. Das hätte es auch weiterhin getan, wenn nicht ein gewisser Teppichhändler (der nun hinter Gittern sitzt und in der Hoffnung, dem Tod zu entrinnen, eine Menge interessanter Dinge ausplaudert!) ein Liebhaber persischer Poesie gewesen wäre. Wie viele andere hatte auch er Janet Rushton bei der Arbeit am Vorhang gesehen, als er mit seiner *shikara* bei ihr anlegte, in der Hoffnung, ihr einen Teppich zu verkaufen. Er war auch einer von den Leuten, die die *Waterwitch* nach ihrem Tod durchsuchten; nur für den Fall, daß sie irgend

etwas Verwertbares oder Belastendes hinterlassen hatte. Er fand aber nichts. Erst kürzlich, als er zufällig jenes Gedicht las, fiel ihm der Zusammenhang zwischen den Worten und den Perlen auf, und er begann sich Gedanken zu machen . . .
Da er nicht in Srinagar lebt – sein Hauptgeschäft ist in Baramulla –, sandte er jene Verszeile durch eine sichere Hand (deren Besitzer jetzt ebenfalls im Gefängnis sitzt!) zu Ghulam Kadirs Laden. Sie war in einer Streichholzschachtel innerhalb eines Pappmaché-Behälters verborgen und sollte instruktionsgemäß an den Creed-sahib weitergeleitet werden, von dem man wußte, daß er den Laden an einem bestimmten Tag aufsuchen werde. Der Mann, der die Lieferung übernahm, hatte die glänzende Idee, allen Kunden, die sich zu dem Zeitpunkt im Laden aufhielten, ähnliche Schachteln zu schenken, um die simple Transaktion zu kaschieren. Als Ergebnis seiner besonderen Klugheit fiel er dem Zufall zum Opfer, denn deine Schachtel sah derjenigen Hugos zu ähnlich.
»Und ich nehme an, Ahamdoo sah die Botschaft?« sagte Sarah langsam.
»Das ist zu vermuten. Es wird nicht allzu schwierig gewesen sein, da er einer der Gehilfen im Laden war, der – wie du feststellen konntest – eine Menge Versteckplätze besaß. Ahamdoo hatte scharfe Ohren und ausgezeichnete Augen. Er hatte schon genug erlauscht, um uns wissen zu lassen, daß eine Botschaft an einen *feringhi*, einen Fremden, übergeben werden sollte, der an jenem bewußten Tag in den Laden kommen würde. Vorgeblich, um Pappmaché zu kaufen. Er verdächtigte entweder Lady Candera oder deren Nichte Meril, von der er annahm, sie arbeite womöglich als Spionin für die Tante. Wahrscheinlich gelang es ihm, einen Blick auf die Botschaft zu werfen – ein Schimmer hätte genügt! –, und als du uns im Hotel störtest, hatte er dort Lady Candera und Meril Forbes gesehen, geriet in Panik und beschloß, mich statt dessen auf der Insel zu treffen, weil er glaubte, es wäre dort sicherer.
Er hatte mit Mrs. Matthews zusammengearbeitet, und er hatte auch den Perlenvorhang gesehen, den Janet anfertigte.

Nachdem die Frauen tot waren, hatte er auch in unserem Auftrag ihre beiden Boote durchsucht. Wenn er also die persische Zeile gelesen hat – was er getan zu haben scheint –, so wird er gleichfalls begonnen haben, darüber zu rätseln. Als er zur Insel übersetzte, nahm er eine blaue Perle mit. Vermutlich zur Erläuterung der Theorie, daß blaue Porzellanperlen Punkte am Ende der Sätze bedeuten könnten. Obgleich das natürlich etwas ist, das wir ebenfalls nie erfahren werden . . .«

»Ist das alles?« fragte Sarah. »Ich meine, alles, was in Janets Vorhang stand? Nur – nur das mit dem Geld und den Juwelen . . . um die Agitatoren und Saboteure zu bezahlen?«

»Nein«, sagte Charles langsam. »Nein, es gab noch etwas anderes.«

»Ich dachte mir doch, daß da noch etwas ist. Du brauchst es mir aber nicht zu erzählen, wenn du nicht willst, weißt du.«

»Täte ich's nicht, wäre es nur, weil ich es selbst noch nicht ganz glauben kann. Siehst du, es war ein Plan, ein sehr gut ausgearbeiteter Plan, die Amtsgewalt in Kaschmir zu übernehmen, sobald die Briten es verlassen haben, um es in einen kommunistischen Staat umzuwandeln.«

»Aber wozu denn das? Was wäre der Zweck davon?«

»Der Zweck wäre, daß in einer kommunistischen Regierung jemand an der Spitze mit der Vollmacht eines Präsidenten oder Diktators Rußland zu Hilfe rufen könnte, wenn entweder Indien oder die Moslem-Stämme des Nachbarlandes sie anzugreifen versuchten.«

»Aber wozu das?« wiederholte Sarah.

»Komm, Sarah, benutze deinen Verstand! Es geht selbstverständlich um einen Brückenkopf, um eine Basis, von wo aus zu gegebener Zeit russische Truppen nach Afghanistan, über die Nordwest-Grenze oder schließlich nach Indien selbst einmarschieren können. Wirf nur einen Blick auf die Landkarte. Jedes der nahe gelegenen Länder könnte eines nach dem anderen von jedem, der sich stark gerüstet in Kaschmir verschanzt, zusammengeschlagen werden, wenn Kaschmir selbst ein vollzähliges Mitglied der UdSSR ist.«

»Ich kann es nicht glauben. Das könnte nie geschehen!«
»Nein? Dann überleg mal. Am Tag der Machtübergabe – wahrscheinlich schon einige Wochen früher – wird der Haß, der von bezahlten Agitatoren so sorgfältig genährt wurde, zum Ausbruch kommen, und falls das Land wirklich zerfällt, wird es zu Aufständen und schrecklichen Unruhen kommen. Unter jener Deckung – während alle Augen anderswohin gerichtet sind – sollte Kaschmir von der übrigen Welt abgeschnitten werden. Glaub mir, es wäre ganz einfach gewesen! Weit einfacher, als man es für möglich hält. Es gibt nicht viele Zufahrtswege zu diesem Land, und diese Wege führen durch hohes Gebirge und sind leicht zu blockieren; und es existiert nur ein einziger Flughafen – kein sehr guter nebenbei! Mit Aufständen und Blutvergießen, die über ganz Indien hereinbrechen, würde es nicht als besonders ungewöhnlich angesehen werden, wenn mehrere Tage keine Nachrichten aus Kaschmir kämen. Und nach vollendeten Tatsachen würde es zum Eingreifen wohl bereits zu spät sein . . .«
Sarah fragte entsetzt: »Glaubst du wahrhaftig, das wäre möglich gewesen?
»Ich denke, ja. Die Zugehörigkeit des Staates ist ohnehin strittig, so daß es eine geeignete Fassade für Agitatoren gäbe, sich dahinter zu verschanzen. Der Kampfschrei wäre dann: ›Wir sind weder Inder noch Pakistani! Wir sind Kaschmiri! – Kaschmir für die Kaschmiri!‹ Und bei den übrigen Herausforderungen, mit denen sich die neue Regierung konfrontiert sähe, würde sich eine Veränderung des *fait accompli* in Kaschmir als äußerst schwierig erweisen.
Oh, glaub' mir, es mag toll und unwahrscheinlich klingen, doch es wäre absolut möglich! Eine Handvoll Männer könnte den Flugplatz schließen, jeden Weg in dieses Land abschneiden – und es gegen eine Armee verteidigen. Übrigens, Macht geht noch immer vor Recht! Später dann, wenn Indien bereit ist, seine Aufmerksamkeit darauf zu verwenden, Kaschmir zurückzugewinnen, würden die neue Junta und ihr Anführer um Hilfe nach dem Kreml schreien. Dieser würde sich beeilen, einem Überläufer aus der Tyrannei der kapitalistischen

Länder beizustehen, und mit Truppen, Bombern, Jagdflugzeugen und allem, was dazugehört, angestürmt kommen. Ja, ich denke, das könnten sie gut zuwege bringen.«
Sarah bewegte sich unruhig. Ihre Finger zupften an den Blüten der Gänseblümchen, die hier überall wuchsen. »Aber ihr seid noch rechtzeitig gekommen?«
»Ja, wir waren gerade noch rechtzeitig da. Wir haben eine ganze Menge Leute verhaftet, und einige von ihnen haben ausgepackt. So waren wir in der Lage, die Lücken in Janets Aufzeichnungen auszufüllen. Wir konnten Razzien machen und haben eine Menge Schriftstücke und Entwürfe gefunden. Es war wie ein Netz, das man aus dem Meer zieht. Zuerst weißt du nicht, was sich in dem Netz befindet, denn die Markierungskorken sind klein, und die See ist rauh. Dann siehst du die erste Markierung und fängst an, das Netz einzuziehen. Zoll für Zoll. Am Anfang ziehst du nur Netz und Wasser und ein bißchen Kraut heraus. Aber wenn das letzte Stück Netz hochkommt, ist es schwer von Fischen, die nicht entweichen können. Genauso war es bei uns der Fall.«
Als ob die Abendluft kalt geworden wäre, erschauerte Sarah plötzlich. »Hatten sie vor, jenes – jenes Gas zu benutzen?«
»Welches Gas? Oh, du meinst Hugos Waffe? Nein, das war nur eine der vielen häßlichen kleinen Erfindungen, mit denen Wissenschaftler aus jeder Nation sich gerne profilieren. Hugo glaubte, sie könnte für ihn nützlich sein, und veranlaßte seine Freunde, die kleine Waffe für ihn herzustellen. Er benutzte sie, um seine Opfer zu betäuben, damit es leichter für ihn war, sie aus dem Weg zu räumen, so daß man es wie einen Unfall aussehen lassen konnte. Wahrscheinlich war die einzige Person, die direkt von ihr getötet wurde, er selbst! Es hat einen schweren Nachteil: der starke Geruch. Deshalb konnte er die Gaspatronen nicht auf seinem eigenen Boot aufbewahren und hielt ein paar Reserven in jenem Laden auf Lager.
Ich glaube fast, daß Ahamdoo eine davon gefunden haben muß und sie mitbrachte, um sie mir zu zeigen. Denn die Menge, die benutzt wurde, um ihn vom Schreien oder Weg-

laufen abzuhalten, müßte in der Nachtluft verflogen sein, da sie im Freien benutzt wurde. Seine Kleidung roch aber stark danach; so, als ob er etwas davon unter den Falten seines Gewandes versteckt getragen hätte. Natürlich fanden sie's, als sie ihm seine Waffe abnahmen. Die wurde vermißt; und sein eigenes Messer ebenfalls. Er wäre niemals unbewaffnet gekommen.«

Charles schnippte seine Zigarettenkippe in den See, wo sie mit einem kleinen Zischen die Spiegelung brach und ein winziges Gekräusel über das stille Wasser sandte.

»Wußte Mir Khan davon?«

»Wußte was?«

»Daß Janet vom Geheimdienst war; und Mrs. Matthews. Und du.«

»Daß ich dazugehörte, wußte er. Von den anderen wußte er nichts. Wir kennen uns nicht alle untereinander: Wie ich dir schon sagte, wird es nicht für nötig befunden, und oftmals ist es ein zusätzliches Risiko. Mir hatte einen Auftrag in Gilgit und war nur zufällig in Gulmarg und weil er gerne Ski läuft.«

»Und Reggie Craddock?«

»Er ist keiner von uns. Doch anscheinend war er mehr als nur halbwegs in Janet Rushton verliebt und glaubte nicht, daß ihr Tod ein Unfall war. Weil er sich für sie interessierte, bemerkte er auch, was sonst niemand auffiel und was du selbst nur aus Zufall entdecktest: daß sie große Angst vor etwas hatte. Verliebte bedürfen oft keiner Worte, um Dinge zu erfahren . . . Du solltest das wissen!«

Sarah errötete leicht und wandte ihre Aufmerksamkeit wieder den Gänseblümchen zu. Charles fuhr bedächtig fort: »Reggie beobachtete Janet Rushton, und er wußte es. Er war es, der im Schatten der Skihütte stand und beobachtete, wie sie durch den Schnee davonzog. Er war es, den du leise die Tür schließen hörtest.«

»War es Reggie, der die Fußabdrücke auf der Veranda hinterließ?« unterbrach Sarah. »Ich nehme an, er – Nein, er war's natürlich nicht. Sie waren zu klein.«

»Helen«, sagte Charles. »Sie hat uns davon erzählt. Die

Warrenders bewohnten das Endzimmer im Block. Der Grund für das heimliche Herumschnüffeln war nichts als pure Neugier. Sie litt unter Schlaflosigkeit und erinnerte sich daran, daß George McKay Arzt ist, und beschloß, typisch Helen, ihn aufzuwecken und um eine Schlaftablette zu bitten. Zufällig öffnete sie genau in dem Moment die Tür, als du anfingst, an Janets Tür zu klopfen; sie zog sich hastig zurück, beobachtete dich durch einen Spalt und sah, wie du eingelassen wurdest und das Licht anging. Lange Zeit blieb es an, und dann ging es plötzlich wieder aus! – und als es wieder anging, konnte sie nicht widerstehen, sich heranzuschleichen, um festzustellen, was, um des Himmels willen, dort vorging. Bis sie dort war, hatte Janet allerdings das Radio angedreht, so daß sie keine Silbe verstehen konnte und sich verwirrt zurückzog. Immerhin ließ sie dann wenigstens George durchschlafen, woraus ich schließe, daß sie mittlerweile ihre Schlaflosigkeit vergessen hatte!«

Sarah lachte und fühlte sich danach etwas besser: sie hatte sich schon gefragt, ob sie nach dem Schock jener entsetzlichen Nacht jemals wieder würde lachen können. Sie hatte Charles unterbrochen, als er über Reggie Craddock sprach, und sagte deshalb schnell: »Erzähl weiter von Major Craddock. Wieviel hat er gehört, als er Janet und mich im Gespräch vor der Skihütte belauschte?«

»Sehr wenig; er sagt, ihr hättet beide geflüstert. Aber das hat ihn nicht weiter aufgeregt. Er ist Skiläufer: möglicherweise einer der besten, die je nach Kaschmir kamen. Deshalb hat er die Erklärung für ihren Tod nicht akzeptiert, denn sie war gleichfalls eine gute Skiläuferin; und eine gute Skiläuferin wäre nie auf diese Weise abgestürzt. Darauf hat er Major McKay energisch aufmerksam gemacht, aber George ist kein Skiläufer und hat dem keinerlei Beachtung geschenkt. Sie hatten deswegen eine Auseinandersetzung, und McKay war sehr zornig.

Reggie ist nicht sehr klug, aber er ist eigensinnig. Und es ist erstaunlich, wieviel Information ein eigensinniger und verbissener Mann aufspüren kann, wenn er es sich richtig in

den Kopf gesetzt hat. Reggie hatte es sich in den Kopf gesetzt und beschloß, auf eigene Faust ein paar Nachforschungen anzustellen. Eine Zeitlang verdächtigte er dich.«
»Mich!? Gott im Himmel!« Sarah fuhr in die Höhe.
»Nur weil er dich mit Janet vor der Skihütte sprechen sah in jener Nacht, und du es nie erwähnt hast. Später gewann er die Überzeugung, daß etwas auf dem Boot sein müßte – Janets Boot –, auf dem du warst. Als er dann aber merkte, daß er dich nicht davon runterholen konnte, hat er es beobachtet.«
»Oh, er war es, er war es!« rief Sarah stürmisch.
Charles lächelte. »Gleichwohl verdankst du ihm dein Leben! Ihm und deinem Hund.«
»Reggie? Wie? Aber du warst es –«
»Nicht ausschließlich ich, tut mir leid. Ich hatte Hugo nicht im Verdacht. Aber Reggie hat heimlich das Boot beobachtet, und er hatte gesehen, wie Hugo es durchsuchte. Er hatte auch gesehen, wie Hugo in der Nacht, in der Lacro betäubt wurde, sehr vorsichtig ein Stück Fleisch zwischen die Wurzeln des Chenarbaums legte.«
»Hugo hat das getan?«
»Ja, sicher. Wer sonst?«
»Diese Bestie!« stieß Sarah zornig heraus. »Diese Bestie! Und er tat immer so, als sei er ganz vernarrt in Lacro. Es gab Momente, in denen Hugo mir fast leid getan hätte, doch das wird sich nicht wiederholen!«
Charles lehnte sich zurück und lachte entzückt. »Oh, diese Inkonsequenz der Briten! Wie kommt es nur, daß wir stets geneigt sind, ›fast Mitleid‹ für einen Mörder zu empfinden, wohingegen wir keine Gnade für denjenigen kennen, der ein Tier schlecht behandelt? Verzeih, Sarah. Es war unhöflich von mir, zu lachen.«
Sarah sah sich gezwungen, mit ihm zu lachen. »Du hast natürlich völlig recht. Uije, es ist nicht zu fassen, wie kindisch manche Reaktionen sein können. Ich vermute, Hugo hatte die Absicht, in der betreffenden Nacht an Bord zu kommen, unterließ es aber wegen des Sturms. Oder weil er sah, daß

Licht brannte, und er glaubte, daß ich wach war. Armer Lacro! Bitte, erzähl weiter von Reggie.«

»Reggie verstand nicht ganz, was er beobachtet hatte. Aber davon abgesehen hat er Hugo nie gemocht – wußtest du das?« Sarah hatte genickt. Nun sagte sie: »Also . . . Hugo war zwar immer sehr freundlich zu ihm, aber manchmal kam es mir vor, als ob Reggie durch ihn irritiert wurde. Das ist alles.«

»Reggie begann nachzugrübeln, ob es möglich sein konnte, daß Janet Rushton eine Affäre mit Hugo hatte. Ob sie vielleicht zu fordernd für ihn geworden sei und somit eine Bedrohung für seine Ehe und sein Ansehen darstellte: daß er sie getötet haben könnte, um sich von dieser Bedrohung zu befreien. Es ist kurios, daß seine romantische Phantasie ihn so nahe an die Wahrheit führte. Er dachte, es könnten Briefe auf dem Boot versteckt sein – Liebesbriefe von Hugo an Janet –, und er ging weg und brütete darüber nach. Erinnerst du dich daran, daß ich zuerst mit einem der Wächter sprach, als ich dich in jener Nacht verließ?
Ich fragte ihn, ob sich jemand dem Boot genähert hätte, und der Mann antwortete, es sei niemand dagewesen außer dem *mānji*, der auf das Küchenboot zurückgekehrt sei und jetzt schlafe, und dem großen Sahib, der den Hund zurückgebracht habe. Er fügte nicht hinzu: ›und der noch an Bord ist‹, weil es ihm gar nicht einfiel, das zu erwähnen; genausowenig, wie es mir auffiel, daß der Mann zwar gesagt hatte, der *mānji* sei auf das Küchenboot zurückgekehrt, aber nicht gesagt hatte, Hugo sei auf sein Boot zurückgekehrt. Du siehst, Hugo war über jeden Verdacht erhaben. Der Wächter, der Hugo an Bord gehen sah, glaubte, daß du und ich später mit ihm gesprochen hätten. Was war natürlicher, falls Gefahr für die Miß-sahib bestand, als daß Creed-sahib an Bord blieb, als Mallory-sahib fortging?«

»Das war genau das, was auch Hugo annahm. Und er hat recht gehabt damit.«

»Ja, er hatte recht. Trotzdem war ich besorgt. Es wollte mir doch scheinen, als ob irgendwas nicht stimmte. Ein falscher

Ton. Ich konnte es aber nicht festnageln. Es nagte an mir wie ein Name oder ein Gesicht, an das man sich angestrengt zu erinnern versucht. In dem Moment, als ich die Klubpforte erreichte, fiel mir ein, was es war: Lacro! Du hattest mir doch erzählt, er würde unaufhörlich winseln und bellen, sobald du ihn alleine läßt.«

»Ja«, nickte Sarah, »das ist richtig. In dieser Beziehung ist er ein kleines Biest. Er kann stundenlang jaulen und winseln.«

»Aber er jaulte und winselte nicht, als du in jener Nacht an Bord zurückkehrtest.«

»Nein, aber das war –« Sarah stockte plötzlich.

»– weil Hugo auf dem Boot war«, vollendete Charles. »Exakt. Das war's, was mir plötzlich einfiel. Das Hündchen machte keinen Lärm. Warum? Weil jemand bei ihm war. Jemand, den es kannte. In diesem Augenblick erinnerte ich mich an das, was der Wächter gesagt hatte – oder vielmehr, was er *nicht* gesagt hatte. Er hatte nicht gesagt, Hugo habe das Boot verlassen. Er hatte nur gesagt, er sei an Bord gegangen. Demnach war Hugo also noch auf dem Boot. Wo? Warum hatte er sich nicht blicken lassen? Hatte er ein Nickerchen auf einem der Betten gemacht und war dabei fest eingeschlafen?«

»Ja, das dachte ich auch, als ich ihn zuerst sah«, bekannte Sarah und erschauerte jäh. »Was ließ dich also zurückkommen?«

»Daß ich auf Reggie stieß und weil Reggie mit Mir Khan gesprochen hatte. Die Tanzerei war vorbei, und Reggie und Mir waren noch geblieben und hatten sich eine Weile im Garten unterhalten. Reggie hatte wahrscheinlich etwas zuviel getrunken. Er war bedrückt und einsam und hielt sich nicht mehr ganz im Zaum. Als im Verlauf der Unterhaltung Hugos Name fiel, vertraute Reggie Mir an, daß er diesem nicht traue – und daß er ›nichts Gutes im Schilde führe‹, wie er sich ausdrückte –, und dann berichtete er, daß er ihn auf deinem Boot beobachtet hätte und was er dabei noch gesehen habe . . .«

Charles zog eine neue Zigarette heraus, steckte sie an und sagte durch den Rauch hindurch: »Glücklicherweise ist Mir Inder. Wäre er Engländer gewesen, hätte er sich automatisch auf die Seite seines Landsmanns gestellt, und Reggies Information würde sehr wenig bedeutet haben. So aber hatte er keinen Grund, für oder gegen ihn eingenommen zu sein. Da er aber wußte, daß wir jeden, der an der *Waterwitch* interessiert war, verdächtigten – und offensichtlich war Hugo interessiert –, so sagte er zu Reggie, er solle sofort mit ihm kommen, und wollte mich wecken. Er glaubte, ich sei schon im Bett und schlafe bereits, fand die Sache aber zu dringend, um sie aufzuschieben. Tatsächlich waren sie schon auf dem Weg zu meinem Zimmer, als sie mich beim Hereinkommen trafen. Mir erzählte mir, was Reggie beobachtet hatte.
Ein paar Minuten früher hätte ich nicht viel darauf gegeben. Jetzt aber, da mir gerade eingefallen war, daß Hugo noch auf deinem Boot sein müsse, bedeutete es das Ende der Welt – oder jedenfalls das, was man dabei empfindet.« Charles lachte plötzlich auf und fuhr fort: »Es ist lange her, seit ich die Viertelmeile in meiner Schule gewonnen habe. Aber in der Nacht muß ich meinen eigenen Rekord unterboten haben! Da war keine Zeit mehr für Erklärungen. Ich sagte nur ›Er ist jetzt auf ihrem Boot!‹, drehte mich um und raste los, Mir und Reggie auf meinen Fersen –
Wir mußten ein bißchen langsamer werden, als wir den Feldweg erreichten, denn es war lebenswichtig, uns leise zu bewegen, und irgendwo lag das verdammte Stück Blech auf dem Weg. Gerade da trat Mir mit dem Fuß darauf. Aber ansonsten machten wir kein Geräusch. Wir konnten Stimmen hören; und dann bellte der Hund, und ich rief laut – Hugo konnte ja einen toten Körper nicht wegdiskutieren, oder jene Handschuhe oder den Geruch. Wäre es jemand anders gewesen, der rief, hätte er dich wahrscheinlich auf der Stelle getötet und dann behauptet, du seist eingeschlafen, und hätte versucht, mit dem Bluff durchzukommen. Er wußte aber, daß ich an Bord kommen würde.«
Sarah überlegte: »Er hatte doch das schreckliche Zeug. Er

hätte uns alle töten können. Warum hat er es dann nicht getan?«

»Weil er damit nicht davonkommen konnte. Er muß innerhalb von Sekunden erkannt haben, daß ich nicht alleine war, und er konnte nicht wissen, wie viele Leute ich draußen bei mir hatte. Ebenso wußte er nicht, ob nicht einige von ihnen, wenn nicht alle, bewaffnet sein würden. Außerdem wäre er beim Herauskommen aus der Helligkeit ins Dunkle getreten – der Mond war schon untergegangen –, so daß wir ihn sehen konnten, bevor er uns sah. Das Schlimmste von allem war aber – von seiner Warte aus gesehen –, daß die schmutzige Waffe nur auf kurze Entfernung von Nutzen war und nur gegen ein einziges Ziel. Gegen eine unbekannte Zahl von Männern, deren Positionen er nicht kannte, wäre sie wirkungslos gewesen. Die Nachteile für ihn waren zu groß. Das muß er erkannt haben, und so richtete er die gräßliche Waffe gegen sich selbst.«

Schweigen breitete sich zwischen ihnen aus. Der Rauch von Charles' Zigarette schraubte sich langsam in die windstille Luft, und dahinter lag der See spiegelglatt und grün in der Dämmerung. Die Sonne war hinter die Gulmarg-Bergkette getaucht, und die Berge hinter Shalimar waren nicht mehr rosa und zyklamfarben, sondern schiefergrau und eisblau gegen einen blassen Jadehimmel, gefleckt mit winzigen Aprikosenwolken, so weich wie die Flaumfedern an der Brust eines Vogels. Ein Holzrauchschleier trieb von den abendlichen Feuern über die Dunkelheit der Bäume am anderen Ende des Sees, und ein einsamer Frosch begann im Schilfrohr zu quaken.

Charles sagte: »Dort kommt Mir über die Felder. Ich vermute, jemand hat ihm gesagt, daß ich hier bin.« Er erhob sich und erwartete ihn stehend.

»Ich möchte nur Lebewohl sagen«, sagte Mir beim Näherkommen. »Nein, stehen Sie nicht auf, Miß Parrish.« Er schüttelte Charles die Hand und lächelte zu Sarah hinunter: »Ich hoffe, ich werde Sie wiedersehen. Aber morgen verlasse ich Kaschmir.«

»Mehr . . . Arbeit?« fragte Sarah, stand zum Händeschütteln auf und strich die Gänseblümchenblätter von ihrem Schoß.
»Ich fürchte, ja.«
»Warum tun Sie diese Arbeit?« fragte sie neugierig. Sie hätten das doch nicht nötig.«
Mir lachte. »Da täuschen Sie sich, Miß Parrish. Wir alle müssen die Arbeit tun, für die wir in diese Welt gesandt worden sind. Dies ist meine Arbeit: ich weiß nicht, warum es so ist, doch ich weiß, daß es so ist. Und ich helfe auch meinem Land. Darin liegt eine gewisse Befriedigung. Leben Sie wohl – und . . . ich wünsche Ihnen viel Glück. *Khuda hafiz!*«
Er deutete die anmutige orientalische Geste des Abschiedsgrußes an, kehrte zwischen den Weiden um und schritt leichtfüßig den Feldweg zurück.
Es gab noch so viele Dinge, die Sarah gern gewußt hätte. So viele Fragen, die sie hatte stellen wollen. Aber plötzlich zählten sie nicht mehr. Das einzige, was zählte, war Charles, der in der Abenddämmerung unter den Weiden vor ihr stand.
Inzwischen war der Mond aufgegangen. Silbern und heiter strömte er in einen Himmel, an dem sich noch der letzte matte Schimmer des Sonnenuntergangs hielt. Er legte einen leuchtenden Pfad über das stille Wasser und verlor sich zwischen den Seerosenblättern am Rande des Sees.
Schwarz und scharf gestochen zeichnete sich Charles' hochgewachsene Gestalt gegen den silbernen Hintergrund ab, während Sarahs weißes Gesicht und ihr heller Rock silbern auf schwarzem Grund aus den Schatten der Weidenzweige leuchtete.
Charles nahm ihre Hände in die seinen, und Sarah sagte leise: »Du sagtest, beim dritten Mal würdest du es ernst meinen.«
»Dies ist das dritte Mal, und ich meine es ernst«, gab Charles feierlich zur Antwort.
Die beiden Gestalten, die schwarze und die silberne, vereinten sich und wurden Teil des Mondlichts und der Schatten: so still, daß ein Reiher, der sich im seichten Wasser am Ufer

niederließ, in nur einem Meter Abstand von ihnen zwischen den Seerosenblättern stakste, bis Lacro, der von einer Futter-Expedition hinter dem Chenarbaum zurückgekehrt war, ihn aufscheuchte und er flügelschlagend über den mondbeschienenen Dāl davonflog.

Postskriptum

Für jene, die an Tatsachen interessiert sind: Die erste Skihütte am Khilanmarg wurde samt ihren damaligen Besuchern von einer Lawine zerstört, die vom Grat des Apharwat herunterdonnerte. Eine Spur davon ist noch vorhanden – ein langer, breiter, silbergrauer Streifen am Hang. Die Skihütte in dieser Geschichte, die nach der Zerstörung neu errichtet wurde, ist inzwischen – wie man mir berichtete – abgerissen und durch ein Hotel mit Skilift ersetzt worden, das mit Gulmarg verbunden ist.
Die ursprüngliche *Sunflower* (es könnte inzwischen eine weitere dieses Namens geben), die ich in diesem Buch den Creeds zuteilte, ist unser Hausboot gewesen – die mein Vater gemeinsam mit dem Liegeplatz in Chota Nagim für mehrere Jahre gemietet hatte, mit dem *ghat* mit dem riesigen Chenarbaum, den Weiden und dem Feldweg, den man einschlagen mußte, um die Nagim-Bagh-Straße und die Brücke gleichen Namens oder den Klub zu erreichen. Es sollte mich nicht überraschen, zu hören, daß das rostige Stück Blech auf dem Pfad noch vorhanden ist, das von unserem *mānji* über einer Vertiefung im Boden ausgelegt wurde, in der sich bei nassem Wetter Wasser sammelte.
Den Klub gibt es selbstverständlich noch. Ebenso die Brücke und das kleine Eiland, bekannt als Char-Chenar – vier Chenare –, wenn auch der Pavillon im Zentrum und der stufenförmig ansteigende Boden, auf dem er gestanden hat, durch Bulldozer auf die Höhe des umliegenden Rasens eingeebnet wurde und die Sträucher persischen Flieders verschwunden

sind. Traurigerweise fehlt jetzt auch die uralte hölzerne Moschee des Hazratal, des heiligen Haars; so genannt, weil es einen Schrein mit einer kostbaren Reliquie in Form eines Haars vom Barte des Propheten enthält. Sie wurde zugunsten einer prunkvollen weißen Marmormoschee zerstört, wo die einstmals melodische und unvergeßliche Stimme des Muezzin, der die Gläubigen zum Gebet rief, einer metallenen und lärmenden Platz machen mußte, die aus einer Vielzahl von im Freien aufgestellten Lautsprechern dringt und mit voller Lautstärke von der Spitze des neuen Minaretts übertragen wird.

Zudringliche Händler in *shikaras*, beladen mit aller Art von einheimischen Erzeugnissen, von Kaschmir-Teppichen bis zu Käfigen und Schnittblumen, bieten noch immer ihre Waren vor jedem belegten Hausboot feil. Und die alten pittoresken Holzhäuser, in denen die Pappmaché-Hersteller, Holzschnitzer und stickenden *pashminas* (Hersteller handgewebter Stoffe aus Ziegenwolle) wohnen, kauern noch immer zusammengedrängt auf beiden Seiten des Jhelum-Flusses, der durch die Altstadt von Srinagar fließt. Die vormals Britische Residenz, inmitten grüner Rasen und Gärten im Schatten der Takht-i-Suliman gelegen, sieht noch genauso aus wie in den alten Tagen, obwohl sie jetzt eine Reihe von Ausstellungsräumen zur Ansicht und zum Verkauf der vielen Kunstgegenstände und Handwerkserzeugnisse beherbergt, für die Kaschmir berühmt ist.

Ich vermute, daß inzwischen beide Nedou-Hotels – das steingefügte in Srinagar und das weitläufige, baufällige, vielgeliebte in Gulmarg – modernisiert und bis zur Unkenntlichkeit »restauriert« worden sind. Doch in meiner Erinnerung werden sie für immer unverändert und unveränderlich dort stehen – wie Fliegen in einem Bernstein-Schrein; gemeinsam mit der Bühne, auf der ich damals mehr als einmal in lustigen Kabarettnummern aufgetreten bin. Denn ich bin das Mädchen, auf das mein erdichteter Hugo Creed sich kurz vor Ende des Kapitels 15 bezieht: das »Mädchen namens Mollie Soundso«, mit dem er einst ein Duett sang: »Ein geschmackvolles Liedchen über eine Bank im Park – oder war es irgend etwas über auf Zehenspitzen durch Tulpen?« Hugo konnte sich nicht erinnern. Aber in Wirklichkeit waren es beide, obgleich bei zwei verschiedenen Gelegenheiten; und mein Partner auf der Bank ähnelte nicht im mindesten Heinrich VIII., sondern war ein flotter junger Offizier in einem indischen Kavallerie-Regiment, ein »Bingle« Ingall der VI. Ulanen.

Seltsamerweise gibt es noch einen Nachtrag zu diesem Duett. Jahre später – wohl über vierzig, fürchte ich –, in denen ich vollkommen die Spur von ihm verlor, begegneten wir uns plötzlich wieder. Ausgerechnet in der Buchabteilung eines bekannten Kaufhauses in San Francisco, wo ich Buchexemplare von *The Far Pavilions* und *Shadow of the Moon* signierte. Er war anscheinend Berufsschauspieler geworden, hatte ein amerikanisches Mädchen geheiratet und sich in einem Vorort der Stadt niedergelassen; als er in einigen Lokalblättern las, ich sei in der Stadt und signiere Bücher, war er unerwartet gekommen, um »Nett, dich wiederzusehen!« zu sagen. Es ist ein weiter Ruf von Kaschmir bis San Francisco, aber Hugo würde wahrscheinlich gesagt haben: »Wenn ich eine Phrase benutzen darf: ›So klein ist die Welt.‹«

Sie ist es in der Tat! Und wird mit jedem Tag kleiner.